le dossier des prophètes, voyants et astrologues

Éditeurs:
LES ÉDITIONS LA PRESSE, LTÉE
7, rue Saint-Jacques
Montréal H2Y 1K9

Maquette de la couverture:
JEAN PROVENCHER
d'après une gravure ancienne

Photographies:
AGENCE KEYSTONE et
SERVICE DE DOCUMENTATION LA PRESSE

Maquette générale:
LUCILE LAROSE

Tous droits réservés:
LES ÉDITIONS LA PRESSE, LTÉE
©Copyright, Ottawa, 1975

Dépôt légal:
BIBLIOTHÈQUE NATIONALE DU QUÉBEC
4e trimestre 1975
ISBN 0-7777-0174-X

pascale maby

le dossier des prophètes, voyants et astrologues

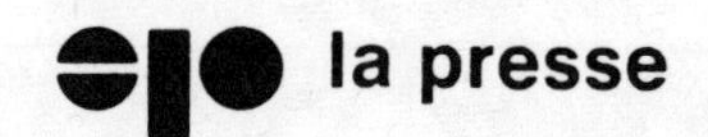

la presse

DU MÊME AUTEUR

VOS MAINS, MIROIR DE LA PERSONNALITÉ, Éditions de l'Homme

LE GUIDE DES FROMAGES, Éditions La Presse

Table des matières

En guise de préambule

> « Mais Dieu a choisi les choses folles du monde pour confondre les sages. »
>
> — SAINT PAUL
>
> *(Première Épître aux Corinthiens,* 1-27)

Dans un débat contradictoire sur l'occultisme, l'incrédule irréductible se signale généralement par un solide répertoire de citations percutantes puisées dans la fine fleur de la pensée scientifique et toutes, naturellement, abondant dans son sens car il n'imagine pas qu'il y en ait de contraires. De leur côté, les avocats du supranormal n'étant pas non plus démunis de références aussi pertinentes, émanant de sommités aux titres aussi impressionnants, mais d'un avis opposé, il en résulte que la discussion atteint rapidement des cimes dont tout le monde, participants et témoins passifs, redescend un peu essoufflé.

Il n'est guère, en effet, de sujets de controverse offrant pareillement l'occasion de se jeter à la tête autant de savants, professeurs, docteurs, académiciens, philosophes, théologiens, psychologues, psychiatres et autres arbitres universels qui, par leurs optiques divergentes, font équitablement la fortune des deux camps. L'ennui ou l'intérêt de ces dialogues de sourds, c'est qu'ils n'épuisent jamais la question et le profane désireux de se faire une opinion doit se contenter de marquer objectivement les points, non sans que certains arguments-choc de l'accusation lui paraissent relever quelquefois d'un raisonnement pour le moins tortueux.

C'est ainsi, par exemple, qu'au cours d'une émission télévisée américaine à prétentions métapsychiques *(L'occultisme, science ou fraude?),* nous avons entendu contester l'authenticité du cas de la spirite Rosemary Brown sous prétexte que celle-ci est une pianiste médiocre. Phénomène d'écriture automatique ou laborieuse mystification géniale, on sait que le médium anglais prétend communiquer avec d'illustres compositeurs tels que Liszt, Debussy, Rachmaninov, etc. qui lui auraient dicté déjà plusieurs centaines d'oeuvres nouvelles, conçues depuis leur mort dans ce que Julien Green appelle joliment « le grand pays lumineux qui s'étend au-delà de la porte noire ».

Des musicologues et des chefs d'orchestre, dont Léonard Bernstein, estimant ces compositions très supérieures à de simples pastiches, il aurait semblé plus concevable d'admettre que l'incompétence musicale de Mme Brown, si elle complique le problème, plaide au contraire pour sa bonne foi. C'est oublier que le sceptique endurci a sa logique personnelle, comme d'ailleurs le crédule toujours confiant et réceptif. À cela près, peut-être, que le scepticisme peut devenir à la longue une sorte de blocage de l'esprit et entraver l'approche de la vérité, tandis que la crédulité, ouverte d'emblée à l'insolite sans être pour autant jobardise, est le ferment initial de tout progrès de la connaissance.[1]

Le grand public, dont nous sommes, a toujours scrupule à secouer le vieux respect machinal inoculé dès l'école et voué une fois pour toutes à une *intelligentsia* par définition infaillible. Il est plus rassurant de penser que le savoir exclut toute faiblesse et que l'erreur, l'aveuglement, la mauvaise foi ou la sottise sont le lot exclusif de l'individu ordinaire. Personne n'aime trop se rappeler, sans feuilleter bien loin l'Histoire, qu'à la présentation du phonographe d'Edison devant l'Académie des sciences de Paris, des membres de la docte assemblée conspuèrent le démonstrateur qu'ils accusaient d'être ventriloque; ou qu'au début du siècle, une mission de savants russes n'a vu dans le pétrole de Bakou qu'un « liquide gluant et malodorant tout juste bon, peut-être, à graisser les roues des charrettes ». Il est vrai qu'auparavant, en 1887, le chimiste-politicien Berthelot, aussi académicien et célèbre par ses travaux sur la thermochimie et la synthèse des corps organiques, avait déclaré que « l'Univers était désormais sans mystère » et qu'il n'y restait, en somme, plus rien à découvrir.

On est tenté de protester — sans grande conviction — que de telles aberrations ne sont plus pensables aujourd'hui, mais que dire de ce cas extrême qui ne manque pas de surprendre à l'heure où le monde arabe accède à la technologie moderne? En 1966, le théologien Abd El-Aziz ben Abdallah,

1. En mai 1970, la maison Philips édita un disque « long jeu » (N° 6500 093) sur lequel Rosemary Brown en personne et le pianiste Peter Kalin interprétaient une quinzaine de ces pièces « composées dans un autre monde » et attribuées à Beethoven, Schubert, Liszt, Grieg, Brahms, Schumann et Chopin.

vice-président de l'Université musulmane de Médine (Arabie saoudite) a réaffirmé solennellement que la Terre était fixe, le Soleil tournant autour, et quiconque le niait méritait la mort...[2]

Ce n'est pas notre propos d'entreprendre ici la défense de la parapsychologie. Si chaque science a fatalement ses charlatans, plus ou moins conscients et nuisibles, celle-ci est sans conteste la plus propice aux tricheurs. Il est inquiétant d'imaginer que depuis les antiques despotes assyriens et leurs conseillers-astrologues, l'occultisme a modelé maintes fois le cours de l'Histoire et que des hommes responsables des affaires du monde, c'est-à-dire les nôtres, peuvent encore y recourir dans des moments d'incertitude ou d'impuissance.[3] Mais nous croyons qu'en toute chose une défiance systématique, qui n'est souvent que l'orgueil de ne jamais risquer d'être dupe, est aussi paralysante et obstructive qu'une candeur inaltérable. Entre adversaires et supporters, trop passionnés pour être toujours convaincants, il y a place pour des observateurs sans prévention, qui n'infirment ni n'affirment rien, mais acceptent l'éventualité.

À côté d'innombrables supercheries, des faits s'imposent, irréfutables, certains consignés noir sur blanc. Il y a sept cents ans, auteur d'un *Traité des oeuvres secrètes de la nature et de l'art*, l'Anglais Roger Bacon, surnommé « le Docteur admirable », était jeté en prison sous l'inculpation de « diablerie ». Quel mystérieux cheminement de la pensée avait conduit ce moine franciscain du Moyen Âge à écrire que l'homme construirait un jour des ponts suspendus, voyagerait dans des chars sans chevaux et parcourrait le ciel sur des oiseaux mécaniques? En 1830, alors que les très lointains États-Unis ne comptaient encore que quinze « colonies » à peine peuplées, un diplomate français, Charles-Maurice de Talleyrand (1754-1838) eut

2. Cité par Jacques Alexander dans *Les Énigmes de la survivance* (Éditions Marabout, 1972).
3. Pendant la Guerre de Sécession, Abraham Lincoln convoquait à la Maison Blanche la voyante Nettie Colburn et, devant ses généraux effarés, comparait ses plans d'offensive contre les États du sud avec ceux que le médium en transe traçait sur la carte. Les deux conflits mondiaux du XXe siècle ont aussi leur relent de « sorcellerie ». L'Histoire a conservé les noms des augures consultés notamment par les présidents français Poincaré, Briand, Daladier, le Canadien Mackenzie King, l'Américain Franklin Roosevelt et les dirigeants nazis.

une étonnante prémonition d'un avenir qui, malgré ses avis, ne tarderait pas à se concrétiser. Il a prévu en deux phrases les transports et les télécommunications modernes, le foudroyant essor d'une jeune nation ambitieuse et ses expéditions militaires de 1917 et 1941 pour venir remettre un peu d'ordre dans une vieille Europe incorrigible et déchirée: « L'Amérique s'accroît de jour en jour et un moment doit venir où, placée vis-à-vis de l'Europe en communications plus faciles par le moyen de nouvelles découvertes, elle désirera dire son mot dans nos affaires et y mettre la main. La prudence politique impose donc aux gouvernements de l'ancien continent le soin de veiller scrupuleusement à ce qu'aucun prétexte ne s'offre à cette intervention. »

L'actualité quotidienne apporte aussi ses témoignages, plus modestes, mais non négligeables. En novembre 1971, c'est un voyageur du métro de Londres qui cède à l'impulsion soudaine de tirer le signal d'alarme et le train stoppe de justesse à l'entrée de la station, à quelques tours de roues d'un candidat au suicide qui vient de sauter sur la voie. Le matin du 3 août 1975, la radio canadienne annonce que la police de Détroit, toujours à la recherche du syndicaliste James Hoffa, a appris d'un « hypnotiseur » les noms de trois chefs de la Maffia avec lesquels l'ancien camionneur millionnaire avait rendez-vous le jour de sa disparition. Pudiquement censurés, les bulletins de nouvelles suivants passeront sous silence l'occultiste, laissant aux seuls détectives tout le mérite de l'opération. Le même mois, un de nos amis des Sables d'Olonne (France), M. J. de Barthélémy, qui est astrologue-guérisseur, conseille vivement à une cliente de ne plus utiliser son automobile avant deux semaines, une menace d'accident grave s'inscrivant dans cette période. Impressionnée, la jeune femme observera l'avertissement, mais elle n'évitera pas une voiture folle qui, dans une embardée, la fauchera sur un trottoir quelques jours plus tard.

On nous permettra de mentionner également une aventure personnelle, en nous hâtant de préciser qu'elle a été jusqu'ici unique, ce qui ajoute à son étrangeté. Il y a une dizaine d'années, à Paris, nous rendant pour la première fois chez une voyante qui a connu depuis la célébrité, nous imaginions machinalement que celle-ci devait demeurer au fond d'un petit jardin, que le bureau où elle nous recevrait serait aménagé de telle manière et, détail plutôt saugrenu, qu'un enfant encore très jeune jouerait du violon auprès d'elle durant toute la consultation. À notre surprise amusée, la topographie des lieux se révéla entièrement conforme à nos prévisions, mais notre hôtesse était seule et aucun instrument de musique ne troublait le silence de la maison. Toutefois, pendant l'entretien qui suivit et alors que nous avions déjà oublié l'incident, Mme S. nous confia inopinément qu'elle avait un petit-fils qui promettait de devenir un excellent violoniste...

Davantage un dossier qu'une thèse, comme son titre veut l'indiquer, ce livre ne prend pas parti. Sa principale ambition est de présenter un bilan que nous croyons objectif et dont chacun pourra tirer la conclusion selon sa philosophie. De toute façon, le sujet suscitera toujours des passions, ce qui prouve son importance et son actualité. Ayant aussi nos « citations », nous en reproduirons deux qui nous semblent être la sagesse même et définir exactement la ligne que nous avons suivie:

> « On ne peut nier a priori les forces occultes. Elles constituent, au moins, des réalités psychologiques et la négation est toujours l'attitude la plus stérile. Certes, il ne faut pas succomber à la crédulité (...) mais il ne faut pas être non plus trop rationnel et rejeter ce qui paraît absurde: la raison ne peut concevoir que ce qui rentre dans son système. »
>
> — RENÉ HUYGUES[4]

> « Je pense qu'on n'a pas le droit d'opposer à ce genre d'études des espèces de postulats a priori, qui à mes yeux n'ont aucune valeur et qui sont tout à fait inféconds. C'est en réalité une sorte de refuge pour l'inertie et la paresse intellectuelle. »
>
> — GABRIEL MARCEL[4]

4. *Janus*, Science ou prescience de l'avenir (N° 8, Octobre/Novembre 1965).

I Fatalité ou libre arbitre?

Ne pas inculper Dieu

> « Ce monde-ci est lié d'une manière nécessaire aux mouvements du monde supérieur. Toute puissance en notre monde est gouvernée par ces mouvements. »
>
> — ARISTOTE (384-322 avant J.-C.)

Les astres exercent-ils sur nous une action telle qu'il est impossible de s'y soustraire et qu'il nous faut suivre un destin subordonné inconditionnellement à cette influence?

Jean Rostand répond à la question par l'ironie: « Comme il est flatteur pour le pauvre individu humain de croire qu'il a un « destin » et que ce destin est inscrit dans les astres. » Avec Einstein, au contraire, le ton change du tout au tout et la simplicité de l'argument rend le postulat encore plus inquiétant: « Les événements n'arrivent pas, ils sont déjà là et nous les rencontrons sur notre passage. » Libre arbitre ou fatalisme, l'homme responsable ou téléguidé? Les deux thèses s'affronteront encore longtemps avec, chacune, leurs champions de poids, ce qui ne simplifie pas le problème.

Le débat n'est pas neuf et, déjà, les premiers théologiens, nourris des philosophes gréco-latins eux-mêmes divisés, laissent percer leur perplexité. Saint Augustin (354-430), qui mena joyeuse vie avant d'être évêque d'Hippone (Algérie), retire sa confiance à l'astrologie en apprenant qu'un riche propriétaire et son esclave sont nés simultanément sous le même toit et fait siennes les vues de Cicéron, lequel déniait tout sérieux aux horoscopes. Toutefois, impressionné par « les réponses si souvent admirablement vraies » des devins, il préfère penser qu'elles ne sont pas « l'effet de leur art chimérique, mais de l'inspiration des démons » et s'écrie drôlement dans ses *Confessions* avec, tout de même, une pointe d'inquiétude: « Les astrologues disent: du ciel te vient la cause irrésistible du péché et c'est Vénus, Saturne et Mars qui ont fait cela. Mais l'homme serait alors sans faute et il faudrait inculper le créateur et l'ordinateur du ciel et des astres! » Quant à saint Thomas d'Aquin (1225-1274), grand admirateur d'Aristote qui admettait le déterminisme, il ne craint pas de réaffirmer sa conviction, quitte à la nuancer ensuite en ménageant la chèvre et le chou: « Les corps célestes sont-ils la cause des actes humains? Je réponds que les corps célestes exercent sur les corps une action directe et par eux-mêmes (...) mais (s'empresse-t-il d'ajouter) ils n'agissent qu'indirectement et par accident sur les forces de l'âme qui animent les organes corporels. » *(La Somme théologique)*

Ainsi, manipulé physiquement à discrétion par les forces cosmiques, l'homme jouirait malgré tout, sauf accident, d'une autonomie de comportement. On peut se demander si dans un monde idéal, peuplé d'une humanité parfaite, l'Église aurait songé à établir cette distinction au lieu de laisser à Dieu toute la gloire de son oeuvre. Aujourd'hui encore, il semble que Rome ait conservé cette position un peu ambiguë, mais commode, où le Père Riquet, jésuite et prédicateur français, fait pirouetter sa casuistique: « Si par astrologie, on prétend lire dans les astres tout ce qui doit arriver, comme si tout, ici-bas, se trouvait déterminé par l'action des astres sans que la liberté de l'homme y puisse rien changer, une telle prétention contredit la conception chrétienne du libre arbitre humain. Mais il faut admettre, comme l'ont fait d'illustres docteurs de l'Église, tel saint Thomas d'Aquin, que les astres exercent une certaine influence sur le tempérament, la complexion des hommes et, pour autant, sur leur comportement. »

La troisième hypothèse

Il est évident que l'idée d'un déterminisme total, inexorable, qu'il soit astrologique ou non, est intolérable à l'esprit et que l'accepter sans révolte constitue une dramatique démission. Par contre, la notion du libre arbitre, tout en dégageant la responsabilité divine selon le voeu des théologiens, rend à l'homme l'espoir qu'il peut se conduire et faire un choix dans un monde où la fatalité n'est pas inévitable.

Mais, bien que les sociétés modernes hyperorganisées aient déjà réduit considérablement la marge d'action laissée au libre arbitre, une troisième hypothèse, celle-ci nettement affolante, peut venir empoisonner ce sentiment d'indépendance. Si cette liberté était également « programmée »? Si elle n'était qu'un leurre, la carotte tendue par le Destin pour nous faire tourner en rond dans sa cage? « Dieu ne change jamais rien dans ce qu'il a résolu, quelque chose de contraire qu'il nous semble qu'il arrive » a dit saint François de Paule (1416-1507). Cinq siècles plus tard, l'écrivain belge Maurice Maeterlinck[1] exprime ainsi son angoisse: « On ne peut modifier ce qui est inscrit dans l'éternel présent, car tous les efforts qu'on fera y sont inscrits aussi. » *(L'Ombre des ailes)*

Ce que d'autres auteurs ont formulé différemment:

> « Effacer le passé, on le peut toujours: c'est une affaire de regret, de désaveu, d'oubli. Mais on n'évite pas l'avenir. »
>
> — OSCAR WILDE *(Le Portrait de Dorian Gray)*

> « Ce qui m'amène à ma conclusion sur le libre arbitre et la prédestination: à savoir qu'ils sont identiques. » — WINSTON CHURCHILL *(Mes jeunes années)*

Ou encore sous une forme qui fait penser à un proverbe:

> « Qui veut fuir son destin est seulement attaché à une corde plus longue. »
>
> — JACQUES DEVAL *(Ce soir à Samarcande)*

Ce livre refermé, une question restera posée. Est-il possible d'accorder quelque crédit aux sciences divinatoires qui, par définition, prétendent à la connaissance d'événements plus ou moins lointains sans admettre a priori qu'ils sont « déjà là » et nous attendent dans le futur?

Petit conte à la manière orientale

> « Il y avait une fois, dans Bagdad, un Calife et son Vizir. Un jour, le Vizir arriva devant le Calife, pâle et tremblant: « Pardonne mon épouvante, Lumière des Croyants, mais devant le Palais, une femme m'a heurté dans la foule. Je me suis retourné, et cette femme au teint pâle, aux cheveux sombres, à la gorge voilée d'une écharpe rouge, était la Mort. En me voyant, elle a fait un geste vers moi. Puisque la Mort me cherche ici, Seigneur, permets-moi de me cacher loin d'ici, à Samarcande. En me hâtant, j'y serai avant ce soir. » Sur quoi il s'éloigna au grand galop

1. Prix Nobel 1911, auteur de *Pelléas et Mélisande, La Vie des abeilles, L'Oiseau bleu,* etc. (1862-1949).

de son cheval vers Samarcande. Le Calife sortit alors du Palais et lui aussi rencontra la Mort: « Pourquoi avoir effrayé mon Vizir qui est jeune et bien portant? » demanda-t-il. Et la Mort répondit: « Je n'ai pas voulu l'effrayer, mais en le voyant dans Bagdad j'ai eu un geste de surprise, car je l'attends ce soir à Samarcande. »

— JACQUES DEVAL *(Ce soir à Samarcande)*

II La longue marche des « sorciers »

Faisons maintenant un peu d'histoire pour suivre l'aventure de l'occultisme à travers les sociétés chrétiennes successives. En général, pour le christianisme naissant, les arts divinatoires restent entachés de paganisme et ceux qui en font métier, suspects de commerce avec le diable, sont mis dans le même sac que les magiciens et les sorciers. Même si certains évêques les protègent encore officiellement, comme l'Irlandais Patrick[1] qui les assimile aux prêtres à l'exemple de l'ancienne Rome, commence une répression qui sera impitoyable et longue. Le dernier des bûchers où d'innombrables devins auront terminé prématurément leur carrière ne s'éteindra qu'en 1691, après que Molière aura écrit *Tartuffe,* Pascal ses *Pensées,* et que Le Vau aura construit le château de Versailles.

Astronomes ou astrologues?

Curieusement, seuls les astrologues réussiront sans trop de dommage à traverser cette période sombre. Malgré les bulles et les conciles qui les déclarent anathèmes, L'Église ne les condamnera jamais expressément, se réservant de châtier les cas trop évidents de charlatanisme ou de croyance païenne en une fatalité planétaire sans issue.

L'influence astrale sur l'homme physique étant admise par la théologie, le médecin suisse Paracelse[2] peut préconiser sans ennuis qu'on ordonne les médications suivant les thèmes de naissance des malades. « Remarque bien ceci, écrit-il, que vaut le remède que tu donnes pour la matrice de la femme, si tu n'es pas guidé par Vénus? Que pourra ton remède pour le cerveau sans être conduit par la Lune? (...) Si le ciel ne t'est point favorable et ne consent pas à diriger ton remède, tu n'arriveras à rien. » *(Livre des paragraphes)*

De même, lorsque le grand Galilée (1564-1642) est traduit

1. Saint Patrick, premier évêque d'Armagh et patron de l'Irlande (377-460).
2. De son vrai nom Bombast von Hohenheim (1493-1541).

devant le tribunal de l'Inquisition, il n'est blâmé que pour avoir osé répéter que la Terre était ronde et tournait autour du Soleil, *E pur, si muove!* Aucun juge ne songe à lui reprocher de « tirer l'horoscope » pour 60 lires vénitiennes pièce (environ 130 dollars) et d'avoir prédit ainsi longue vie au grand-duc de Toscane qui n'en profita guère, ayant trépassé le mois suivant.[3]

Cette politique tolérante s'explique pour plusieurs raisons: d'abord, le dogme du libre arbitre est en principe respecté sans désaveu des premiers docteurs; l'astronomie et l'astrologie, qu'on a tendance à confondre, ont acquis un immense prestige dans la société européenne de la Renaissance (XVe et XVIe siècles) et nombreux sont les religieux qui, sous couvert de la première, pratiquent assidûment la seconde; enfin, artistes et écrivains (Albert Dürer, Rabelais, Shakespeare, etc.) sont tous férus de « mathématiques » — traduisez: d'astrologie — et, l'exemple venant de haut, la plupart des grands de ce monde, qu'ils soient rois, papes ou banquiers, entretiennent de longue date des astrologues privés que leur protection rend tabous.

François Ier avait ramené le sien d'Italie, Francesco Vicomercato, qui fut aussi son médecin; Paul III, le pape du Concile de Trente, a pour éminence grise l'évêque-astrologue Luc Gauric[4]; Elisabeth Première d'Angleterre, en guerre avec l'Espagne, ne dédaigne pas les conseils de John Dee; Tycho-

---

3. Un autre savant italien, Jérôme Cardan (1501-1576) — l'inventeur du fameux principe du « joint de Cardan » de nos automobiles — commit une bévue semblable à l'égard du jeune roi Édouard VI d'Angleterre qui mourut à 16 ans sur l'assurance astrologique de connaître un âge très avancé (1553). On a dit que Cardan, prophète malchanceux, se serait laissé mourir de faim pour être certain d'avoir au moins prédit correctement le jour de sa propre mort.
4. Ce Gauric, malgré ses hautes protections, connut une aventure humiliante. Ayant prédit que le tyran de Bologne, Bentivoglio, serait chassé du pouvoir, ce prince le fit condamner au supplice de l'estrapade qui consistait à soulever le patient à une certaine hauteur pour le laisser retomber rudement sur le sol. La destitution de son tortionnaire, survenue l'année suivante conformément à sa prédiction, ne consola qu'à demi l'évêque resté estropié.

   Ceci pourrait expliquer les trop grossières erreurs de pronostics commises par des astrologues comme Galilée ou Cardan. Plus soucieux de leur vie que de leur réputation, peut-être préféraient-ils « arranger » le destin pour éviter de mécontenter des clients souvent irascibles. Dé-

Brahé vaticine pour le roi Rodolphe de Hongrie; avec Catherine de Médicis, la Cour de France est devenue un véritable temple de l'astrologie dont les grands-prêtres se nomment Oger Ferrier, Blaise de Vigenère, Gauric (déjà cité), Junctun de Florence, Cosme Ruggieri[5] et surtout l'extraordinaire Michel Nostradamus dont nous reparlerons plus loin.

Le grand incendie de Londres

Un demi-siècle plus tard, Anne d'Autriche, la flirteuse reine aux « ferrets de diamants » des *Mousquetaires* du père Dumas, se contente plus modestement du seul Morin de Villefranche, astrologue et professeur de mathématiques au Collège de France. En 1638, celui-ci aura l'honneur de tirer l'horoscope de naissance du futur Roi-Soleil, baptisé Louis-Dieudonné, « Louis donné par Dieu » après vingt-trois ans de mariage royal. Le choix du prénom semble judicieux, car le père officiel, Louis XIII, dit « le Juste » parce que natif de la Balance, s'intéresse davantage aux hauts-de-chausses qu'aux jupes. Mais il n'accorde jamais son coeur à un nouveau favori ni ne prend une décision politique sans consulter son médecin-chiromancien Cureau de la Chambre, membre de l'Académie française et protégé du cardinal de Richelieu qui admire fort ses divers talents.

Charlatans, faiseurs d'horoscope,
Quittez les cours des princes de l'Europe,

fulminera bientôt La Fontaine dans sa fable *l'Astrologue qui se laisse tomber dans un puits.* Déjà un mouvement se dessine. Des astronomes se déclarant purement scientifiques font campagne pour qu'on cesse enfin de les confondre avec ces « diseurs de bonne aventure ». Le nouveau roi, Louis XIV, qui

---

jà, quinze cents ans plus tôt, l'empereur romain Tibère avait la fâcheuse habitude de faire précipiter du haut d'un rocher les astrologues dont les prédictions lui paraissaient manquer de tact. Sous toutes les dictatures — avec Napoléon, Hitler — les devins maladroits ou trop francs eurent souvent de graves ennuis.

5. Astrologue de grande valeur, mais l'un des rares criminels de la profession, le Florentin Ruggieri pratiquait aussi bien la magie noire et les envoûtements de mort. Ordonné prêtre vers la fin de sa vie il mourut en reniant Dieu et des moines indignés traînèrent par les rues son cadavre exposé sur une claie (1615). Dans un livre, *Catherine de Médicis,* Balzac a largement romancé son histoire.

porte pourtant un talisman gravé de ses signes de naissance et d'un carré magique, leur donne satisfaction en autorisant son ministre Colbert à exclure l'astrologie des enseignements reconnus par la toute jeune Académie des Sciences fondée en 1666. Effet immédiat de cette mesure, l'Église ne peut que modeler son attitude sur celle du souverain et tous les exemplaires d'un livre de prédictions sur les royaumes de France et d'Angleterre, *Le Destin de l'Univers,* de Francescus Allaeus,[6] sont saisis et brûlés par le bourreau. Autre conséquence infiniment plus grave: pour être admis à l'Académie, les astronomes-astrologues vont devoir renoncer à leur seconde discipline et l'astrologie, abandonnée presque entièrement au charlatanisme, sombrera rapidement dans le discrédit.

Par contre, cette même année, elle marque un point en Angleterre. Un gigantesque incendie ravage la vieille cité de Londres pour la plus grande gloire d'un nommé William Lilly (1602-1682) qui attendait cela depuis quinze ans. En 1651, il avait prédit, en effet, que la capitale, gouvernée par les Gémeaux, serait menacée en 1666 d'un épouvantable désastre figuré par ce signe « tombant dans un brasier ».

Est-ce cette étonnante réussite qui va inciter le jeune Isaac Newton (1643-1727) — l'homme qui regarde tomber les pommes, le futur découvreur des lois de la gravitation universelle, de la décomposition de la lumière et du calcul différentiel — à s'inscrire à l'Université de Cambridge « pour voir ce qu'il y avait de vrai dans l'astrologie judiciaire »? De toute façon, celle-ci continue de bien se porter en Italie où un Jésuite particulièrement patient, le Père Giambattista Riccioli (1598-1671), achève de calculer toutes les conjonctions planétaires depuis la « création du monde » en l'an 3980 avant l'ère chrétienne jusqu'en 2358 après J.-C.[7]

L'horoscope de Jésus-Christ

Puis, c'est le XVIIIe siècle, appelé le « Siècle des Lumières ». Voltaire (1694-1778), d'une plume trempée dans le vitriol, exécute l'astrologie en quelques lignes: « On a vu souvent des prédictions d'astrologues réussir: de deux devins consultés

6. Nom de plume du Père capucin François Yves (1593-1687).
7. On entend par conjonctions planétaires les rencontres apparentes de deux ou plusieurs planètes dans une même partie du ciel. En astrologie, ce sont des signes annonciateurs d'événements importants.

sur la vie d'un enfant, l'un dit que l'enfant verra l'âge d'homme, l'autre non; que l'un annonce la pluie et l'autre le beau temps, il est bien certain qu'il y aura un prophète. » *(Dictionnaire philosophique)*

Il faut dire que Voltaire vide ici une vieille querelle personnelle. Son père ayant fait faire son horoscope à sa naissance, selon la coutume du temps, l'astrologue Henri de Boulainvilliers avait calculé qu'il mourrait à 33 ans. Dans une telle conjoncture, une erreur était préférable, mais le suspense dut être pénible, même pour un philosophe, et une fois passé le cap fatal, le rescapé n'eut pas trop d'un demi-siècle de sursis pour se venger à sa manière.[8]

Ses sarcasmes sont d'ailleurs dans la note du temps. Lorsque le roi Louis XV apprend que Mme de Pompadour, sa maîtresse, a fait dresser son horoscope par une « sorcière », il lui conseille ironiquement de s'en commander une cinquantaine « pour bien juger de la vérité ou de la fausseté de pareilles prédictions ».[9] Avec la foudroyante expansion des sciences, les progrès de la technique, avec la première automobile à vapeur (1770), le premier voyage aérien (1783), un raz-de-marée de scepticisme va achever de balayer les « vieilles croyances » déjà mises à mal par Colbert.

Une note discordante vient d'Allemagne: le grand poète Wolfgang Goethe (1749-1832) continue de témoigner une confiance aveugle à une astrologie particulièrement bien disposée à son égard. Il nous raconte avec complaisance comment, sans le secours de quelques planètes bénéfiques, ses deux héros, Faust et Werther, n'auraient peut-être jamais chanté à l'Opéra: « Je vins au monde à Francfort-sur-le-Main le 28 août 1749 au douzième coup de midi. La constellation était heureuse, le Soleil se trouvait dans le signe de la Vierge; Jupiter et Vénus étaient en bon aspect avec lui; Saturne et Mars étaient neutres (...) Ces bons aspects, hautement appréciés plus tard par les astrologues, sont sans doute la raison pour laquelle je suis resté en vie, car, par la maladresse de la sage-femme, on crut bien que j'étais mort en venant au monde, et ce n'est qu'après de nombreux efforts que je vis la lumière. » *(Poésie et Vérité)*

---

8. Selon les voyants qui utilisent l'astrologie uniquement comme support de voyance, les conjonctions planétaires préfigurant la mort peuvent, sans autre dommage, se présenter plusieurs fois au cours d'une vie.
9. Mme du Haussay, *Mémoires*.

Mais ce genre de témoignage reste une exception. Même en Angleterre où le triomphe de William Lilly n'est déjà plus qu'un souvenir lointain, l'astrologie bat de l'aile. La police de George III n'hésite pas à arrêter un aventurier italien, le comte de Cagliostro, qui prédisait pourtant avec exactitude les numéros gagnants de la loterie royale.[10] L'âge d'or semble bien terminé et Ebenzer Sibly (1752-1799) peut déplorer à juste titre « les préjugés stupides de l'époque contre la vénérable science de l'astrologie ». Après quoi, pour tenter sans doute de réhabiliter les astrologues « sérieux », il publie un énorme bouquin où ses lecteurs ont la surprise de trouver l'horoscope de Jésus-Christ![11]

Le rationalisme bourgeois

La brève aventure de Napoléon Ier va refaire la fortune des devins, comme toutes les périodes d'incertitude. « Pourvou qué ça doure! » ne cessera de répéter pendant quinze ans la mère de l'empereur. Puis, la tornade passée avec ses gloires trompeuses, le XIXe siècle industriel et commerçant va se complaire dans un rationalisme bourgeois plus sensible au cours de la Bourse qu'à celui des planètes.

En toute bonne foi, le marquis de Laplace (1749-1827), illustre physicien et astronome français, peut se croire autorisé à proclamer que « la connaissance, généralement très répandue, du vrai système du monde, a détruit sans retour l'astrologie ». Et tandis que Balzac (1799-1850) fait un bref éloge funèbre de « cette science qui a régné sur les plus grandes intelligences », Gustave Flaubert (1821-1880), qui n'a pas encore écrit *Madame Bovary*, note en 1840 dans son *Dictionnaire des idées reçues:* « Astronomie — Belle science. N'est utile que dans la marine. À ce propos, rire de l'astrologie. »

Soucieux d'éliminer le charlatanisme qui continue d'écumer les milieux populaires, le Parlement britannique a mis hors la loi les astrologues, les assimilant aux « bohémiens et vagabonds », qu'ils soient escrocs ou honnêtes (1824). Cette mesure qui gagnera rapidement tout le monde anglo-saxon,

---

10. Joseph Balsamo, dit Cagliostro (1743-1795). Incarné par Jean Marais, il a été récemment le héros d'un médiocre feuilleton télévisé français, présenté par Radio-Canada.
11. E. Sibly, *Science céleste de l'Astrologie,* 1790.

se révèle si efficace que, cinq ans plus tard, Sir Walter Scott (1771-1832), auteur des grands best-sellers de l'époque, renonce à écrire un roman historique dont le héros devait être un astrologue. « Il apparaissait, expliquera-t-il, que l'astrologie ne conservait plus maintenant une influence suffisante sur les esprits en général, ne serait-ce que pour constituer le principal ressort d'un roman. »

À l'ombre des jupons sévères de la reine Victoria qui va régner pendant soixante-quatre ans, de 1837 à 1901, les Anglais, déjà puritains par coquetterie, sont prêts à s'abandonner avec délectation au pire rigorisme de façade. Le clergé ne peut qu'emboîter le pas et le chiromancien Cheiro, qui fut la coqueluche du Tout-Londres de cette fin de siècle, raconte ce souvenir: « Je n'étais pas à Bond Street depuis un mois qu'un prêtre catholique refusait l'absolution à une famille entière parce qu'elle m'avait consulté bien qu'il le lui ait défendu. »

Ce n'est pas pour cette raison qu'il décida de quitter Londres où d'ailleurs un prélat discret l'honorait de sa clientèle, mais quand il ouvrit son cabinet de New York, en 1895, il put constater que de l'autre côté de l'Atlantique les clergymen en redingote faisaient aussi la chasse aux sorcières. Écoutons encore Cheiro qui ne manque pas d'humour: « Durant la première année de mon séjour en Amérique, je reçus la visite de deux pasteurs qui avaient pour mission de me convaincre que mon succès n'était dû qu'à l'intervention du diable. L'un d'eux alla jusqu'à me dire que Dieu l'avait envoyé pour m'offrir un poste d'employé de bureau — à un salaire modique, bien entendu — si j'acceptais de rompre mes relations avec Satan. »[12]

Une voyante de la Belle Époque

La vérité, c'est qu'avec l'agitation sociale, les révolutions, les guerres, les inquiétudes et les espoirs devant l'inconnu d'un monde nouveau qui s'ébauche, la seconde moitié du XIXe siècle a vu le retour en force des « superstitions » qu'on croyait appartenir définitivement au passé. Le rationalisme recule,

12. Voir plus loin une courte biographie du comte Louis de Hamon, dit Cheiro (1866-1936).

on apprend que la Vierge est apparue à deux enfants du hameau de La Salette et on tire en hâte de l'oubli les vieilles prophéties pour essayer de savoir « de quoi demain sera-t-il fait ». En Amérique, les soeurs Fox ont mis le spiritisme à la mode et, bientôt, toute l'Europe s'exerce à « faire parler les morts ». À Paris, aux Tuileries, avec le fameux médium écossais Dunglas Home,[13] Napoléon III et l'impératrice Eugénie — l'empereur prononce « Ugénie » — interrogent les fantômes de Socrate ou de la reine Marie-Antoinette, tandis que Victor Hugo en exil fait tourner ses guéridons.

La Belle Époque — cette « danse sur le volcan » avant les grandes tueries industrialisées du XXe siècle — va choyer tous ses prophètes, même les plus suspects. Des souverains, dont les trônes vacillent déjà, ne passent pas par la capitale française sans consulter Mme de Thèbes, aussi célèbre que Cheiro à Londres, et dont le nom mystérieux évoque la Vallée des Rois et la magie des Pyramides. Ancienne comédienne ratée, pas plus égyptienne que noble et Antoinette Savay pour l'état-civil, elle s'est lancée dans la « prédiction » sur le conseil du fils Dumas.[14] Amie de tous les écrivains de son temps, l'un d'eux, Jean Lorrain, a tracé d'elle ce portrait lucide: « Parmi les événements de toute nature qu'elle prédisait sans relâche, dans les journaux, dans les brochures, au cours de ses consultations, en séance publique, partout et à propos de tout, quelques-uns se réalisèrent à point nommé. La presse entière, de Paris et de la Province, relatait alors son succès et donnait à ses propos, parfois bien vagues pourtant, un relief tel que sa renommée fut universelle. »[15]

---

13. Ce Home aurait été doué du pouvoir de lévitation, selon les témoignages de lord Londsay (astronome), lord Adare (ministre de Sa Majesté britannique) et du capitaine Wynne. À Londres, le soir du 13 décembre 1864, dans un appartement situé au troisième étage du No 5 de Buckingham Gate, ils jurèrent l'avoir vu sortir en planant par une fenêtre, flotter un instant au-dessus de la rue et rentrer par la fenêtre voisine. Ce ne fut d'ailleurs pas la seule envolée du médium. Le romancier russe, Léon Tolstoï, raconte qu'il le rattrapa un jour par la cheville.

14. Alexandre Dumas fils, auteur de *La Dame aux camélias* (1824-1895). On lui doit cette belle formule: *La chiromancie sera un jour la grammaire de l'organisation humaine.*

15. Mme de Thèbes fut la conseillère favorite du président du conseil français Édouard Daladier qui déclara la guerre à l'Allemagne en 1939!

L'astrologie « scientifique »

Quant à la vénérable astrologie, enterrée un peu hâtivement par le marquis de Laplace, elle a retrouvé aussi toute son audience. Pour vaincre les derniers préjugés, elle sait au besoin se débarrasser de ses oripeaux magiques pour se donner un air d'honnête « science ». Fondée par Alan Leo (1860-1917), *The Modern Astrology,* la première grande revue « scientifique » d'astrologie, paraîtra à Londres en 1895.

Il est vrai que parmi les astrologues de la Belle Époque, un au moins pourrait prétendre à la considération des savants officiels. L'abbé Charles Nicoullaud, curé d'une importante paroisse parisienne et décrypteur de Nostradamus — ce qui ne semblait pas incompatible — avait écrit en 1897 que par-delà Neptune, la dernière planète connue, il en gravitait une autre dont le nom était Pluton.[16] En 1910, l'astronome Percival Lowell confirmera, en effet, par le calcul, la présence au-delà de l'orbite de Neptune d'un neuvième corps céleste échappant encore aux instruments d'observation. Ce n'est qu'en 1930, cinq ans après la mort de l'abbé Nicoullaud, qu'un autre astronome américain, Clyde Tombaugh, repérera enfin dans son télescope la fameuse planète fantôme. Mais s'il choisira de l'appeler Pluton, ce sera en hommage à son confrère Percival Lowell dont les initiales P. L. formaient les premières lettres du nom.[17]

Dès qu'il fut répertorié sur les éphémérides,[18] Pluton eut la fâcheuse réputation d'être l'avant-coureur des grandes crises historiques. On calcula qu'il avait présidé aux révo-

16. Fomalhaut (pseudonyme de l'abbé Nicoullaud), *Traité d'astrologie sphérique et judiciaire,* 1897.
17. Le Père Nicoullaud n'est pas le premier astrologue à révéler l'existence d'un astre encore ignoré de la science en le désignant par le nom qui lui sera attribué plus tard. Au XVIe siècle, Nostradamus mentionnait déjà Neptune dans ses *Centuries:*

    Jupiter joinct plus Venus qu'à la Lune,
    Apparoissant de plenitude blanche:
    Venus cachee dans la blancheur Neptune
    De Mars frappe par la gravee blanche (IV-33)

    On n'a jamais expliqué clairement le sens de ce quatrain dit « alchimique », ni ce qui vient y faire la planète Neptune qui ne sera découverte scientifiquement et appelée ainsi qu'en 1846 par le Français Le Verrier.
18. Tables astronomiques donnant la position quotidienne de chaque planète.

lutions européennes de 1830, 1848, aux guerres de 1870, 1914, et un auteur allemand qui se consacrait à son étude déclara que « cela durerait jusqu'au moment où Pluton atteindrait le signe du Lion, signe de Feu, d'enthousiasme et des pionniers d'avant-garde. » Optimisme prématuré puisque ce passage si attendu dans le Lion se fit exactement en 1939, année où l'enthousiasme fut surtout général dans le *big business* des armements.

On en conclut que la désastreuse planète méritait bien son nom infernal et, cataloguée définitivement comme messagère de malheur, on étudia ses prochains mouvements avec inquiétude.[19] Il apparut que, par conjonction à Uranus et opposition à Saturne, Pluton serait de nouveau très menaçant en 1965 après avoir pénétré en Vierge, ainsi que l'écrivit joliment une dame astrologue. Six mois avant la date fatidique, dans un article occultiste intitulé *Vous verrez des signes dans le ciel,* le très sérieux *Janus,* un magazine français d'inspiration catholique, ne craignait pas d'interroger dramatiquement: « Troisième guerre mondiale ou modification radicale des forces en présence? La réponse dépend de l'optimisme ou du pessimisme de chacun! »[20]

Si, en dépit de Pluton, sans doute mal interprété, l'année 1965 ne fut ni pire ni meilleure que les précédentes, il est intéressant de rappeler cette erreur de pronostic pour mesurer toute la place prise par l'astrologie dans l'information. Signe des temps, une revue d'une haute tenue littéraire et philosophique, réunissant des signatures prestigieuses et disant répondre « aux questions les plus angoissantes que se pose l'homme d'aujourd'hui sur hier et sur demain », n'hésitait plus à ouvrir largement ses colonnes aux « sorciers ».

Malgré Jupiter

« ASTROLOGIE: du grec *astron,* astre, et *logos,* discours. Cette science prétendait prédire l'avenir par l'inspection des astres, comme s'ils pouvaient avoir quelque influence sur les événements qui dépendent uniquement de l'homme et de son libre arbitre. »[21]

---

19. Pour certains astrologues, Pluton peut être malgré tout une planète bénéfique.
20. *Janus,* Pourquoi août 14? (No 2, Juin/Septembre 1964).
21. *Dictionnaire Larousse,* édition de 1930.

Longtemps, *le Petit Larousse,* résolument conservateur et catéchiste à l'occasion, a considéré l'astrologie comme une superstition barbare, heureusement disparue avec l'avènement de l'instruction obligatoire. Il est toujours dangereux d'émettre des opinions définitives et plus encore de les imprimer. En 1960, sous peine de passer pour rétrograde, le célèbre dictionnaire doit rectifier sa définition injurieuse. Même son grec se fait respectueux: *logos* n'a plus le sens péjoratif de *discours,* mais celui, noble, de *science.* Et, tant pis pour le libre arbitre, de prétendue science qu'elle était, l'astrologie devient « l'art de prédire les événements par l'inspection des astres » — sans autre commentaire ironique.

Autre signe des temps, les écrivains ne connaissent plus les ennuis de Sir Walter Scott qui dut renoncer à écrire un roman sur l'occultisme, faute de lecteurs intéressés par la question. En 1964, l'éditeur Robert Laffont peut publier sans inquiétude commerciale le premier roman policier astrologique français. Sous le titre significatif de *Malgré Jupiter,* l'auteur, Jacques Berger, y développe une intrigue où l'action criminelle et l'enquête qui s'ensuit sont conditionnées par les signes planétaires de chacun des personnages.

Mais c'est surtout contre sa vieille ennemie, la Justice, que l'astrologie va remporter ses plus éclatantes victoires. Aux États-Unis, toujours à l'avant-garde, c'est déjà fait. En 1914, chose absolument inouïe, sans précédent depuis les tribunaux de l'Inquisition, une Miss Evangeline Adams, poursuivie pour avoir contrevenu à la loi et devant choisir entre une peine de prison et le versement d'une amende, a été finalement relaxée après avoir convaincu le juge qu'elle pratiquait une « science exacte ».[22]

En France, ce sera plus long. Depuis 1892, le code pénal prévoit des punitions pour « ceux qui font métier de pronostiquer ou d'expliquer des songes »[23] et si le bâton retombe rarement — et mollement — il n'en reste pas moins brandi. Le 12 mars 1962 sera un jour faste pour quelque 30 000 astrologues ou présumés tels.[24] Des attendus d'un jugement prononcé à Nice, il ressort que « si l'acte de divination tombe sous le coup de la loi, il n'en est pas ainsi lorsque des vrai-

22. Voir plus loin une notice sur Evangeline Adams (1865-1932).
23. Article 479, par. 7.
24. Sur un total de 50 000 devins français, selon certaines statistiques.

semblances ou des possibilités sont seulement indiquées, et lorsqu'elles sont le résultat pratique d'une science reconnue telle que la science astronomique, utilisation qui est le fait des astrologues ».

Sublime *distinguo* d'un tribunal qui s'est laissé aussi convaincre ou était convaincu d'avance. Ces conclusions, qui vont faire jurisprudence, associent bien un peu imprudemment astronomes et astrologues que Louis XIV et son ministre avaient cru départager sans retour sur la requête des premiers, mais la distinction a-t-elle jamais été vraiment faite par le public — et par certains magistrats? Un sondage d'opinion indique que pour 43% des personnes interrogées les astrologues sont des savants. C'est donc presque la moitié de la France qui pense, comme le juge de Nice, que les horoscopes sont le résultat pratique des travaux des astronomes.

L'Astrologue et le règlement 4.176

Ce n'est pas le titre d'une fable, mais l'histoire finalement souriante d'un des derniers incidents de parcours de la longue marche des « sorciers » à travers les siècles.

En 1970, le code pénal canadien n'était pas moins bien armé qu'un autre à leur égard, toutefois, comme partout ailleurs, chasseurs et chassés observaient un *gentleman agreement* tacite que troublaient à peine, de temps en temps, les protestations sans écho d'un « moraliste » isolé. La vaticination avait pignon sur rue et prospérait sous toutes ses formes au contentement des milliers de stressés, anxieux, désemparés et autres accidentés de la vie; toutes les chaînes de télévision et de radio, privées comme d'État, invitaient à leurs antennes les ténors de la prophétie, et Montréal pouvait même s'enorgueillir de posséder depuis trois ans « son » école d'astrologie, située dans l'immeuble de l'YMCA. L'avenir, c'est le cas de le dire, s'annonçait bien: la relève serait assurée.

C'est pourtant dans la métropole canadienne, la cité de *Terre des Hommes,* que ce climat idyllique va rapidement se détériorer. Émues de cette poussée d'occultisme, les autorités municipales méditent de prendre des mesures énergiques contre « les activités des charlatans » qui abusent « de la crédulité des gens et de la bêtise humaine ». Vaste programme, comme aurait dit le Général de Gaulle, mais la vigueur des termes présage la volonté d'action. Et dès le 15 décembre 1970, les journaux montréalais reproduisent un petit textechoc qui, du jour au lendemain, va devenir tristement célèbre dans le milieu intéressé sous la dénomination pourtant anodine de « règlement 4.176 ». Tricoté par l'Administration, il y est dit notamment ceci:

> « Est interdite ou constitue une nuisance en violation des bonnes moeurs et de l'ordre public, l'utilisation d'un local, bâtiment ou terrain pour la pratique des sciences occultes et de communications avec les esprits ou les morts, pour dire la bonne aventure ou autrement deviner, prédire ou interpréter des événements de la vie d'une personne, passés, présents ou futurs, par la lecture des paumes de la main, l'étude des astres, des cartes ou de la conformation du crâne humain ou par tout autre moyen, sauf par un moyen scientifique reconnu ou dans l'exercice d'une activité religieuse ou scientifique reconnue, si à cette occasion de l'argent ou autre considération est reçu ou donné. Les écoles pour enseigner de telles activités sont interdites au même titre. »

Apparemment, c'était le gros gibier qui était surtout visé et en premier lieu le directeur-fondateur du fameux institut d'astrologie, M. Jean Manolesco, qui portait déjà l'auréole du martyr. Six semaines plus tôt, en effet, celui-ci avait fait l'objet d'un mandat d'arrêt et comparu en Cour municipale sous inculpation d'avoir « prédit frauduleusement l'avenir », en infraction à l'article 308 du code.

Malin, disert, remuant, et sans doute aussi très confiant en sa grande popularité sur les ondes, M. Manolesco réagit aussitôt en donnant une conférence de presse. S'il déclare approuver le principe d'une telle législation, il regrette que la Mairie n'ait pas cru devoir le consulter avant, car l'erreur serait de prohiber alors qu'il suffit de réglementer. Certes, il est souhaitable de protéger les intérêts du public, mais en interdisant la pratique de l'astrologie aux personnes « non qualifiées » et, tout compte fait, il n'y a pas plus, au Québec, de dix astrologues « compétents ». D'autre part, seul moyen efficace de combattre le charlatanisme clandestin, le mage réclame la reconnaissance officielle de son institut, afin que les « astrologues universitaires » qui en sortent diplômés après plusieurs années d'études puissent exercer librement leur métier et bénéficier d'un statut à l'égal des autres professions...

Après avoir réaffirmé, entre autres choses, que si l'on continuait de le persécuter il fonderait une « Église de la Lumière » et s'enrichirait beaucoup plus vite avec des quêtes à 25 sous qu'en donnant des consultations à 25 dollars, M. Manolesco, décidément très en verve, réservait à son auditoire une de ces révélations qui font le bonheur des journalistes. D'après lui, c'était en partie grâce à ses prédictions, télévisées sur un canal anglais, qu'en janvier 1969, une haute personnalité de l'Hôtel de Ville avait renoncé à se démettre de ses fonctions devant « la situation financière chancelante » de l'exposition permanente de *Terre des Hommes.* Et à l'appui de ses assertions, tel un comédien habile qui a préparé son effet, l'astrologue lut la lettre suivante (traduite de l'anglais):

> *Le 6 février 1969*
>
> *Cher M. Manolesco,*
>
> *J'ai écouté la majeure partie de votre émission de la semaine dernière. Je souhaiterais disposer du temps voulu pour commenter de façon plus approfondie vos remarques.*
>
> *À tout le moins, qu'il me soit permis de souligner que vos analyses m'ont fort intéressé, autant que vos prédictions d'ailleurs. Surtout, permettez-moi de vous dire combien j'ai été touché de votre appui encourageant.*
>
> *Je vous remercie le plus cordialement et pour l'émission elle-même ainsi que pour les remarques que vous avez émises en faveur de notre taxe volontaire.*
>
> *J'ai hâte de savoir comment ces prédictions se réaliseront.*
>
> *Bien à vous, etc.*[25]

Et suivait la signature de M. Jean Drapeau, maire de Montréal...

« Un besoin profond de l'âme angoissée... »

Né sans doute sous un mauvais signe, le règlement 4.176 ne survécut pas plus de deux ans à sa mise en application. En février 1972, un jugement de la Cour Supérieure le déclarait

25. *La Presse,* Montréal, 16 décembre 1970.

ultra vires, anticonstitutionnel et contraire « aux libertés fondamentales dont les citoyens doivent jouir uniformément dans tout le pays. »[26]

Liberté fondamentale de faire métier de l'occultisme ou d'en être le client payant? Les attendus ne le précisaient pas, sous-entendant probablement que l'une n'allait pas sans l'autre. Bref, durant ces deux années, les « réprouvés » avaient plus ou moins plongé dans la clandestinité souvent génératrice d'abus pires que ceux tolérés par une autorité indulgente. Plusieurs avaient quitté la ville, dont M. Manolesco emportant avec lui son projet d'une « Église de la Lumière ». Un moment frustrés de merveilleux, les Montréalais n'avaient pas tardé à échanger mystérieusement des adresses confidentielles qui les conduisaient le plus souvent au fond d'une banlieue lointaine, à des portes ne s'ouvrant que sur un mot de passe, comme celles des clubs privés ou des mauvais lieux... Et voilà que, soudainement, la « longue marche » semblait achevée. Après quinze siècles de vicissitudes diverses, les vieilles « sciences » divinatoires pouvaient refleurir au grand jour — c'est-à-dire sans contrôle, pour le meilleur et pour le pire.

Car il est évident que le règlement 4.176, loin d'être une simple brimade comme d'aucuns l'ont prétendu, avait essayé honnêtement de répondre à une nécessité incontestable, bien qu'encore mal circonscrite. Si l'on se réfère, en effet, au verdict sans équivoque de l'astronome Paul Couderc[27]: « Le bilan scientifique de l'astrologie est égal à zéro; c'est peut-être dommage, mais c'est ainsi », il est difficile de rester objectif sans citer également cette remarque de Jung qui fait aussi son poids de l'autre côté de la balance: « Il y a beaucoup d'analogies frappantes entre l'horoscope et la disposition caractériologique. Il y a même une possibilité de prédiction. »[28] Einstein concevait le destin écrit et planifié d'avance, idée que Jean Rostand réfute énergiquement. Soixante-dix pour cent des scientifiques britanniques interrogés par la revue *New Scientist* estiment possibles les perceptions extra-sensorielles et Alexis Carrel affirme que « les clairvoyants saisissent, sans l'inter-

26. *La Presse,* 1er mars 1972.
27. Co-directeur de l'Observatoire de Paris.
28. Carl Gustav Jung (1875-1961), créateur avec Freud de la psychanalyse. Déclaration faite au cours d'une interview en 1954.

médiaire des organes des sens, les pensées d'une autre personne. Ils perçoivent aussi des événements plus ou moins éloignés dans l'espace et le temps. »[29] Mais des savants rationalistes vont jusqu'à préconiser une campagne d'information du public à l'échelle internationale et réclamer des gouvernements une action commune contre la libre et fructueuse industrie de l'occultisme...[30] tandis que fonctionnent déjà en U.R.S.S. vingt centres de recherches psychiques et que plus de cent universités américaines, canadiennes, allemandes ou hollandaises ont une chaire de parapsychologie. Que croire? Comment trancher? Et comment aussi définir, si elle existe, la fragile frontière entre la « possibilité d'une prédiction » et la supercherie, l'escroquerie justiciable?

Les professionnels de la voyance semblent de plus en plus soucieux de respectabilité, ce qui est très légitime. L'un d'eux écrivait déjà, bien avant que M. Manolesco, entre autres, ne propose de combattre le charlatanisme: « Nous savons à quels terribles périls un consultant s'expose lui-même, expose son foyer, son bonheur en faisant crédit à ces innombrables et prétendus extralucides qui ne l'ont jamais été. Quand contraindra-t-on à fermer leurs officines ceux qui, sans qualité, exploitent la crédulité publique? »[31] Pour se distinguer du tout-venant, certains font état d'un « diplôme » et telle astrologue parisienne se recommande dans sa publicité du titre de « Présidente-fondatrice de la Maison de l'Astrologie, association nationale des astrologues praticiens ayant prêté serment, fondée pour la défense de la véritable astrologie, de ses praticiens et du public. »[32] Sans mettre en doute la supériorité des devins « diplômés » ou « assermentés », il faut bien constater qu'ici comme ailleurs l'incompétence, c'est toujours les autres. Toutefois, chaque métier ayant ses médiocres ou ses charlatans, le législateur avisé qui voudrait tenter d'assainir celui d'occultiste se devrait d'étendre sa sollicitude à d'autres activités dont l'impact sur le public est parfois, en définitive, encore plus préjudiciable.

---

29. *L'Homme, cet inconnu* (1935). Chirurgien et physiologiste, Prix Nobel 1912, le Dr Carrel est surtout l'auteur d'importants travaux sur la greffe des tissus et leur survie en dehors du corps (1873-1944).
30. Serge Hutin, *Histoire de l'astrologie, science ou superstition?* (Marabout-Université, 1970).
31. Pascal Forthuny.
32. Historia, *La Magie de Nostradamus à Madame Soleil* (1974).

Mais aucune loi, si subtile soit-elle, ne saurait prétendre régler convenablement un problème universel qui s'est trouvé posé dès l'instant où l'homo sapiens a pris conscience de sa précarité. Ce fut, si l'on peut dire, la grande chance de Dieu et des voyants, ses premiers prêtres. Depuis ce jour, l'homme a eu besoin d'irrationnel autant que d'air ou de nourriture et, même sans trop y croire, en « consommateur averti », il continuera d'en acheter jusqu'à la fin des temps à ceux qui en font commerce. L'offre répond à peine à la demande, les carnets de commandes sont pleins et l'on doit prendre son tour des semaines à l'avance, comme chez le dentiste ou le médecin.

Cela représente un fabuleux chiffre d'affaires qui, occulte également, échappe en bonne partie à l'impôt et n'est pas le moindre argument des moralistes. Selon une enquête encore récente, uniquement à Paris, « la ville la plus sceptique du monde », 6 000 professionnels donnent quotidiennement 50 000 consultations.[33] En Amérique du Nord, une trentaine de revues astrologiques trouvent assez de lecteurs pour subsister, des millions d'horoscopes sont débités chaque jour et New York compte à lui seul quelque 500 boutiques d'astrologie tziganes. Le big business du merveilleux ne manque pas d'idées astucieuses, du distributeur électronique de « bonne aventure » au service d'abonnement astrologique par téléphone ouvert sans interruption vingt-quatre heures sur vingt-quatre (il suffit à l'abonné en proie à un dilemme soudain d'indiquer le numéro de sa carte du ciel enregistrée sur ordinateur). À Montréal, depuis l'abrogation du resté célèbre règlement municipal, se tient chaque année un « Salon de l'Occultisme », sorte de foire caricaturale de la parapsychologie dont l'effet publicitaire n'est certainement pas négligeable pour la prospérité de l'ensemble de la profession. La télévision d'État apporte aussi sa contribution, tel ce sujet alléchant d'un programme d'anticipation scientifique: « L'occultisme, science ou fraude? Le philosophe Colin Wilson croit qu'un jour l'homme va découvrir un sixième sens qui expliquera tous les aspects mystérieux de ce phénomène. »[34] Dans un feuilleton télévisé très populaire,[35] un mari incrédule ta-

33. Une voyante roumaine, qui commença de consulter dans une loge de concierge et eut comme client assidu Maurice Chevalier, « avouerait » un chiffre annuel de 60 000 dollars.

34. *Vers l'an 2000 (Radio-Canada,* 29 juillet 1974).

35. *Quelle famille! (Radio-Canada).*

quine son épouse à qui une cartomancienne a prédit qu'ils déménageraient prochainement, mais il apprend que son employeur lui offre une maison en banlieue et l'épisode se termine sur ce point d'interrogation: « Si c'était vrai? » Conviction intime des auteurs ou concession à un public déjà persuadé? Peu importe, le fait est là: la question est prise au sérieux. On n'est même plus surpris de lire dans les journaux qu'un ministre argentin est astrologue à ses heures et a publié six traités d'astrologie,[36] que des financiers font étudier les futures fluctuations des valeurs boursières d'après leur « date de naissance » sur le marché des changes ou que des hommes d'affaires ne fondent pas une compagnie sans que Mars et Jupiter ne président bénéfiquement à sa déclaration légale. Ce sont d'ailleurs peut-être les mêmes qui exigent d'être entourés d'un personnel soigneusement choisi pour ses bons aspects planétaires. L'astrologie envahit tout et s'affuble des préfixes les plus inattendus: il y a la bio, la psycho, la diététo-astrologie. On assiste même aux tentatives d'une nouvelle forme de ségrégation aussi curieuse qu'inavouée. Des associations organisent des soirées mensuelles de « Signes communs » dont tous les participants sont natifs du même signe et se sentent sans doute en affinité entre Taureaux, Lions ou Poissons, comme d'autres entre Bretons, Russes blancs ou Écossais.[37] Pourquoi ce raz de marée et où tout cela s'arrêtera-t-il? C'est un astrologue qui, orfèvre en la matière, semble avoir le mieux résumé la situation: « Ce renouveau contemporain peut être expliqué en grande partie par le retour général à l'irrationnel qui s'accompagne d'un déferlement de superstitions. Cet incontestable recul de l'esprit est inhérent à l'insécurité dans laquelle est le monde moderne en proie aux révolutions, aux guerres mondiales, aux bouleversements: la prévision de l'avenir est un besoin profond de l'âme angoissée. »[38]

---

36. M. Lopez Rega, ex-ministre du Bien-Être dans le gouvernement de Mme Isabelita Peron.
37. On ne conçoit pas très bien cependant ce qu'auraient pu avoir de commun deux Vierges comme Alfred Jarry, l'auteur farfelu d'*Ubu roi*, et Louis XIV, le Roi-Soleil; ou encore Brigitte Bardot et le général de Gaulle, tous deux Balances.
38. André Barbault, *Bilan de l'astrologie* (La Tour Saint-Jacques, n° 4, mai-juin 1955).

III Les mancies

Ce sont les diverses techniques utilisées pour solliciter et stimuler certains phénomènes paranormaux, dont les facultés prémonitoires. Dans ce cas, les mancies prennent le nom de « supports de voyance ».

La cristallomancie ou catoptromancie[1]

Divination par le « support » d'une boule de cristal ou d'une surface réfléchissante (miroir, carafe ronde, verre d'eau, ongle de la main, etc.) C'est un des plus antiques procédés: dans une comédie d'Aristophane, *Les Acharniens* (425 avant J.-C.), un personnage emploie pour prédire l'avenir un bouclier préalablement huilé, et certains objets sacerdotaux mentionnés dans la Bible *(Exode)* sont très probablement des « miroirs magiques ».

La boule de cristal

Il est conseillé d'employer une boule d'un cristal très pur (cristal de roche), d'un diamètre de 6 à 7 centimètres, la forme sphérique évitant plus facilement les reflets et les brillances. Les meilleurs résultats s'obtiennent avec des boules transparentes, de couleur bleue ou améthyste, ce qui fatigue moins la vue. Pour « voir » dans une boule, placer celle-ci en demi-jour, de façon à ce qu'elle présente une luminosité uniforme. On peut la tenir dans la main ou l'entourer d'un velours de teinte foncée. Il est très important que le regard reste fixé sur *l'intérieur* de la boule, dont la transparence devrait se troubler assez rapidement, phénomène précédant de peu la formation des visions.[2]

Pour certains spécialistes, la boule de cristal est le moyen « pratiquement infaillible » de parvenir, sinon à la transe médiumnique, du moins à une concentration de l'esprit suffi-

1. Du grec *katoptron*, miroir. Par son éthymologie, *catoptromancie* désigne plus particulièrement l'emploi des surfaces réfléchissantes.
2. Robert Tocquet, *Les Pouvoirs secrets de l'homme*, 1963.

sante pour éliminer complètement l'environnement sonore et des sensations physiques telles que la migraine et les névralgies dentaires. Ainsi que toutes les surfaces réfléchissantes, elle provoque une sorte d'hypnose, dans un état de veille relatif, et les images qui s'y forment sont donc d'origine onirique. Mais il est indispensable de toujours « l'interroger » avec une idée bien précise et l'expérience sera d'autant plus satisfaisante qu'on la fera à l'intention d'une tierce personne.

Mme Rose Figuiola, une voyante gitane, estime qu'avec suffisamment de persévérance et de volonté, quiconque peut arriver à « voir » dans une boule de cristal. C'est un encouragement non négligeable pour ceux qui seraient tentés d'essayer, mais George Langelaan, qui cite ce témoignage, ajoute avoir connu personnellement un ingénieur militaire qui refusa de croire à ces sottises jusqu'au jour où il dut se convaincre qu'il « voyait ». Le soir même, il brisa sa boule de cristal et refusa toujours de dire ce qu'il y avait vu.[3]

Le voyant qui donne la «vue »

Dans son livre, *Aux frontières de l'irrationnel,* J. M. Mauduit rapporte le cas d'un voyant, Albert de Bosredon, qui utilise simplement un verre empli d'eau à ras bord, posé sur un papier blanc. Mais, au lieu d'opérer personnellement, il installe son « patient » devant le verre et lui commande de « voir » lui-même. Effectivement, l'autre voit bientôt l'eau se troubler et des visions lui apparaître, se rapportant aux questions posées. Si les images s'obscurcissent, il suffit à Bosredon de lui effleurer la tête de l'extrémité des doigts pour qu'elles retrouvent aussitôt leur clarté et leur netteté. « Au cours de l'expérience, explique-t-il, les sujets semblent rester dans leur état normal, parlant de choses et d'autres et paraissant se trouver exactement dans la situation d'un spectateur qui, au cinéma, regarde l'écran tout en parlant à ses voisins. »

En somme, chose vraiment stupéfiante, confirmée par plusieurs auteurs, Albert de Bosredon, par un simple contact, peut donner la « vue » à pratiquement n'importe qui, cela sans entraînement aucun et presque instantanément.

---

3. George Langelaan, *Les Faits maudits,* Encyclopédie Planète, 1967.

Une bonne idée publicitaire: Tom Corbett, qui fut longtemps le voyant attitré de la Cour d'Angleterre, avait fait assurer sa boule de cristal par la Lloyds de Londres pour la bagatelle de 16 000 dollars.

La psychométrie

Loin d'être un néologisme, le terme a été imaginé en 1849 par l'Américain Buchanan. C'est la divination par l'intermédiaire d'un objet ayant appartenu à une personne, ou encore d'une photographie de cet objet ou de la personne elle-même. Dans ce dernier cas, la photo, considérée comme un double de l'individu concerné, passe pour être un « support » particulièrement efficace qui peut permettre de rechercher un disparu ou de communiquer avec un mort.

Si certains auteurs ne veulent voir dans la psychométrie qu'une simple « lecture sur objet », d'autres tentent d'expliquer ce phénomène de la « mémoire des choses » en supposant que les radiations émises par les êtres imprègnent la matière environnante comme les champs électromagnétiques provoqués par la parole s'inscrivent sur le ruban du magnétophone.

> « Vous ne pouvez pas entrer dans une chambre la nuit ou le jour sans laisser votre portrait derrière vous, écrit le professeur Denton.[4] Vous ne pouvez lever votre main ou cligner de l'oeil, le vent ne peut agiter un cheveu de votre tête sans que chaque mouvement ne soit enregistré pour les âges à venir. Le carreau de verre de la fenêtre, la brique du mur saisissent les images de tous les passants et les enregistrent soigneusement. »

Cette inquiétante théorie peut faire préférer la première définition de la psychométrie qui dérange beaucoup moins notre confort intellectuel en s'en tenant à l'honnête objet uniquement « support de voyance ». Toutefois, une fantastique expérience, réalisée il y a déjà une dizaine d'années, semble la corroborer. De plus, elle laisserait entendre que « le pavé de la rue » ne se souviendrait pas seulement du passant qui l'a foulé, mais aussi de la voiture qui a roulé dessus. En un mot, la matière « imprégnerait » aussi la matière.

4. Cité par Robert Tocket, *Les Pouvoirs secrets de l'homme*. Les Productions de Paris, 1963.

Le parking aux autos fantômes

Le détective Tommy Davis, l'un des collaborateurs de l'attorney général adjoint Bottomly qui eut à s'occuper de la fameuse affaire de l'Étrangleur de Boston, en 1963, est un expert en électronique. Étudiant les phénomènes provoqués par les rayons infrarouges, il eut l'idée de photographier à onze heures du soir un parking rempli de voitures. À une heure du matin, le terrain de stationnement s'était vidé, il reprit un cliché exactement du même endroit, mais cette fois sous lumière infrarouge. Développées, les deux photos se révélèrent identiques, montrant le parking plein d'autos, tel qu'il était à 23 heures. Tout au plus, la seconde, celle faite aux infrarouges, était-elle légèrement floue, mais suffisamment nette quand même pour qu'on puisse distinguer les numéros d'immatriculation des véhicules.[5]

La radiesthésie

Procédé divinatoire, le plus souvent à partir de « témoins »,[6] utilisé notamment pour détecter des sources (sourcellerie), des gisements d'or, minerai, pétrole; pour établir des diagnostics médicaux (sur des cartes symbolisant les diverses parties du corps humain)[7]; rechercher des personnes ou des objets disparus, etc. Les Chinois la pratiquaient déjà deux mille ans avant notre ère et il est possible que Moïse, dans le Sinaï, faisant jaillir de l'eau du rocher d'Horeb, se soit servi de « la baguette du diable », ainsi que les anciens théologiens appelaient le bâton des sourciers. Mais, paradoxalement, cette pratique, qui a longtemps senti le soufre, a toujours recruté beaucoup d'adeptes dans les milieux ecclésiastiques et, en 1936, les cardinaux et les évêques français mettaient encore en garde les « trop nombreux prêtres et religieux » radiesthésistes contre une science dont la valeur connue ne justifiait pas leur confiance excessive.

---

5. Gerold Frank, *L'Étrangleur de Boston*. Calmann-Lévy, 1968.
6. On appelle « témoin », un objet similaire à celui recherché ou, dans le cas de personnes malades ou disparues, une photo, une mèche de cheveux, un vêtement, etc. Cette technique rapproche beaucoup la radiesthésie de la psychométrie.
7. Évidemment, cette application de la radiesthésie vaut ce qu'elle vaut et il serait dangereux de lui vouer une confiance aveugle.

Phénomène électromagnétique ou « support de voyance »?

On a défini la radiesthésie comme étant « l'art ou la faculté de percevoir des radiations émises par différents corps »,[8] et cela au moyen d'un pendule (fait d'une boule généralement métallique, suspendue à un fil) ou d'une baguette de coudrier (mais il est alors plus correct de dire « rhabdomancie »). L'existence de ces radiations est fortement mise en doute par les scientifiques qui ont constaté, par contre, que des vibrations et des champs de force facilement décelés par leurs appareils échappaient assez souvent aux radiesthésistes. Ce qui rendrait plus hypothétique encore la réalité de ces ondes inconnues, c'est que des « pendulisants », sans quitter leurs bureaux et avec autant de chances de succès, peuvent aussi bien prospecter sur plans, cartes ou photographies des lieux parfois très éloignés.[9] L'esprit conçoit mal également que, par le processus d'un simple phénomène électromagnétique, ils deviennent capables, à distance, de déterminer avec précision non seulement l'endroit, mais la profondeur à laquelle on trouvera la source souterraine, l'objet enfoui ou le noyé prisonnier des eaux.

Autre point très controversé: si bon nombre de sourciers restent convaincus que leurs pendules ou leurs baguettes réagissent directement aux ondes radiesthésistes, les chercheurs sont d'accord pour penser que les mouvements de ces instruments sont la conséquence d'un réflexe musculaire provoqué par une autosuggestion ou par une hétérosuggestion (suggestion reçue de l'extérieur). Un spécialiste de la question, Mgr Édouard Jetté, estime aussi pour sa part que « tout doit passer par la tête », mais note *la sensation d'un pétillement dans la main et les doigts* quand le contact s'établit entre l'opérateur et l'objet recherché. À notre avis, ce serait

---

8. Dictionnaire *Larousse*.
9. Robert Tocket, *(Les Pouvoirs secrets de l'homme)* mentionne une expérience personnelle. Son chat ayant disparu, il fit parvenir un simple croquis des rues avoisinant son domicile à un radiesthésiste qui se trouvait alors à 450 kilomètres de la ville et qui reconstitua exactement le chemin suivi par l'animal égaré. D'autres auteurs signalent que des points d'eau, des objets enterrés, auraient été découverts sur plan à des distances de plusieurs milliers de kilomètres. Nous verrons plus loin comment, en 1943, le dictateur Benito Mussolini, détenu par les antifascistes italiens dans une île au large de Naples, fut retrouvé et délivré grâce à un abbé radiesthésiste opérant depuis la banlieue de Berlin.

dans son très intéressant ouvrage, *Au seuil du subconscient,* que nous avons trouvé la plus convaincante tentative de définir la radiesthésie:

> « Nous serions doués d'une faculté sensible, encore mystérieuse, nous permettant d'atteindre des objets qui sont hors de la portée normale de nos cinq sens. Il suffirait de se poser une question précise pour obtenir assez souvent une réponse à cette question. Cette connaissance subconsciente, en général, est trop faible pour monter d'elle-même à l'étage supérieur de la conscience, mais suffisante pour provoquer un réflexe qui imprime au pendule le mouvement conventionnel qu'on lui a fixé. »

Les enquêteurs d'une association anglaise de sourciers, la *British Society of Dowers,* ont estimé que le pourcentage d'erreurs en radiesthésie (98%) était supérieur à celui auquel on s'exposait en s'abandonnant au hasard. Il faut admirer le fair play britannique, tout en retenant que ce chiffre est certainement très pessimiste. La présence des contrôleurs surveillant les expériences n'a pas dû être de nature à favoriser le climat psychique indispensable à toute manifestation paranormale, d'où ce score affligeant. Il n'en reste pas moins que la radiesthésie apparaît de plus en plus comme un « support de voyance » et qu'elle n'apporte de résultats vraiment satisfaisants qu'aux rares privilégiés possédant le « don ».

Téléradiesthésie

(On a demandé à Mgr Jetté de localiser le corps d'une jeune fille qui s'est noyée la veille aux chutes Sainte-Ursule, P.Q.)

> « Je prends contact avec la personne (la victime) dont j'avais la photo, puis avec la rivière dont j'avais le plan officiel. Ensuite, je demande à Mlle Desroches (un des témoins de l'accident) de me donner légèrement la main gauche, alors que je promenais mon pendule au-dessus de mon bureau. Quand je passe sur la photo, elle est surprise d'éprouver dans la main un picotement que je ressens moi-même à son contact.
>
> Suivent une série de questions que je ne for-

mule pas à voix haute pour ne pas être influencé par leur opinion:

— Est-elle immobile?
— Oui.
— En surface?
— Non.
— Au fond?
— Non.
— À quelle profondeur?
— 15 pieds.
— À quel endroit?
— Au point où mes deux lignes se croisent.

Je reprends la main de Mlle Desroches et, quand mon pendule passe sur l'endroit fixé, elle éprouve la même impression que sur la photo... »

Mgr E. Jetté, *Au seuil du subconscient*
Éditions *La Presse*.

La géomancie

Il se pourrait que ce fut Daniel, le prophète ami des lions, qui l'ait inventée (VIIe siècle avant J.-C.). À l'origine, divination uniquement « par la terre »,[10] il suffisait de jeter au hasard sur le sol ou n'importe quelle surface plane une poignée de cailloux, de poussière, de sable, et de juger des événements futurs d'après les lignes et les figures qui en résultaient.

De nombreuses mancies ne sont que des dérivés de la géomancie, comme le bon vieux *marc de café* et les *feuilles de thé* (plus aristocratiques) où le voyant parvient à découvrir non seulement des figures géométriques, mais tout un bestiaire prophétique: poisson (invitation à un bon dîner), « animal à quatre pattes » (chagrin), oiseau (bonheur), serpent (trahison), etc. Il y a aussi le *jet de points* (très populaire dans l'Islam moderne), le « jeteur » laissant sa main tracer 16 lignes de points, ceux-ci d'un nombre indéterminé. *L'encromancie* consiste à arroser de gouttes d'encre un papier, à le plier en deux et à tirer des déductions des taches ainsi obtenues par étalement. On peut également jeter en vrac des épingles sur

10. D'où son nom: géomancie, du grec *gê* (terre) et *manteia* (divination). Les devins des contes persans des *Mille et Une Nuits* sont le plus souvent des géomanciens.

une étoffe ou une table *(acutomancie* ou *Épingles Chinoises),* ou des osselets *(astragalomancie),* des dés, des fèves blanches ou noires *(cléromancie). L'oomancie* part du même principe géomantique (examen des floculations d'un blanc d'oeuf versé lentement dans un verre d'eau)[11] ainsi que la *ciromancie* (écoulement d'une bougie allumée dans un verre d'eau ou sur une table mouillée), la *molybdomancie* (précipitation de plomb ou d'étain fondu dans un récipient d'eau),[12] etc.

Les taches d'encre

« Pour obtenir une voyance dans vos taches d'encre, il faut prendre une feuille de papier, la plier en deux, la rouvrir, faire 13 taches, c'est-à-dire 13 jets où l'encre doit tomber sur le papier: peu importe le nombre de taches qui tombent, il faut que l'encre sorte 13 fois du porte-plume. Ensuite, replier la feuille et appuyer les taches de façon à les étaler, ce qui fera des dessins. Envoyer cette feuille en indiquant votre nom, votre prénom, votre date de naissance, si vous être marié/e, veuf/ve ou célibataire, votre adresse et joindre 200F[13] *par lettre recommandée. »*

(Publicité parue dans une revue astrologique européenne diffusée en Amérique)

La cartomancie

Divination par les cartes, probablement aussi vieille que celles-ci qui, originaires des Indes, furent introduites en Espagne par les conquérants arabes. Devenues rapidement l'accessoire favori des devins et des prestidigitateurs, les cartes, suspectes de sorcellerie, étaient interdites en 1332 par Alphonse XI, roi de Castille. On les retrouve au siècle suivant en France où le maître enlumineur Jacquemin Gringoneur en fabrique un jeu destiné à distraire la folie d'un autre roi, Charles VI, traumatisé par « la prédiction de la Forêt du Mans ».[14]

11. Mlle Lenormand, la voyante de Napoléon Ier, y était, dit-on, experte.
12. Il existe une photographie d'Adolf Hitler et de sa maîtresse Eva Braun se livrant à une expérience de molybdomancie.
13. Environ 40 dollars.
14. Un inconnu s'était jeté à la tête de son cheval en criant: « Noble roi, on te trahit! » Mais il semble que les trop nombreux mariages consanguins de la dynastie des Valois aient été plus néfastes pour sa fragile cervelle.

De peur de se briser, car il se croit en cristal, le malheureux se fait barder d'attelles de fer; et tandis qu'Odinette, sa jolie maîtresse, tente de l'intéresser aux cartes en lui promettant que s'il gagne ils iront se mettre au lit, sa femme, Ysabeau de Bavière, vend aux Anglais la presque totalité de son royaume ravagé par la guerre civile (1420).

Après avoir joué aux cartes, les rois et les empereurs vont les interroger. Mais si la cartomancie va faire fureur à la cour de Louis XVI et à celle de Napoléon, elle ne sauvera pas le premier de la guillotine, ni le second de Sainte-Hélène.

> « La croyance aux sciences occultes est bien plus répandue que ne l'imaginent les savants, les avocats, les notaires, les magistrats et les philosophes. Le peuple a des instincts indélébiles. Parmi ses instincts, celui qu'on nomme si sottement superstition est aussi bien dans le sang du peuple que dans l'esprit des gens supérieurs. Plus d'un homme d'État consulte à Paris les tireuses de cartes.
>
> — BALZAC *(Le Cousin Pons)*

La cartomancie utilise le plus souvent un simple jeu de piquet (32 cartes) dont les figures n'ont qu'une tête, ce qui permet de nuancer l'interprétation quand celles-ci se présentent « renversées », la tête en bas. Considérée comme un art mineur par les occultistes, certains l'appellent même « la soeur dévoyée du Tarot ».[15] Toujours est-il que cartes ou tarots (ces derniers plus impressionnants sans doute) ne paraissent remplir également et uniquement qu'un rôle de support de voyance, comme l'humble poignée de cailloux de la géomancie.

C'est son folklore pittoresque et, il faut bien le dire, un peu enfantin, qui a contribué le plus à déconsidérer la cartomancie. Le facteur, l'homme de loi, le jeune homme blond amoureux; la méchante dame brune de pique, veuve ou di-

15. Un jeu de Tarot comprend 78 cartes ou lames, décorées selon diverses traditions transmises d'Égypte en Europe par les Bohémiens à la fin du Moyen Âge. D'où son nom de Tarot égyptien ou bohémien.

vorcée, « qui cherche à vous tromper »; le roi de trèfle, noir de poil également, mais par bonheur, « juste et serviable » — tous ces personnages naïfs et charmants, surgis de l'univers des cartes, ne sont évidemment guère faits pour retenir les esprits sérieux. Tant qu'à se laisser séduire aussi, ils préfèrent un mystère apparemment plus adulte.

D'où vient cependant que de ces symboles puérils, manipulés selon différents rites et alignés par « le hasard », puissent se dégager parfois des informations troublantes, incontestablement vérifiées? Un exemple très simple: le cartomancien se trouve en présence d'une suite au 10 en carreau (voyage imprévu) aboutissant à la carte personnifiant son sujet X, laquelle n'est entourée d'aucune figure féminine, mais voisine avec un 3 et un 9 de pique (signe de mort). Il en conclut que X est veuf depuis trois ans (3 de pique) et va devoir faire « une grande traversée ». Tout ceci est exact ou va se réaliser, et là commence l'invraisemblable. Comment imaginer que les cartes révélatrices soient sorties plutôt que d'autres pour se rassembler dans cet ordre? Pendant le cérémonial du battage et de la coupe (toujours de la main gauche!), se serait-il produit un phénomène de psychokinésie subconsciente dû à la tension d'esprit commune de l'opérateur et de son consultant, et déterminant le choix des cartes et leur ordonnance?[16]

Une autre explication est proposée, plus « rationaliste », si toutefois le mot peut être employé en pareille circonstance. Il n'y a pas eu implication d'une hypothétique influence organisatrice de l'esprit sur les cartes. Celles-ci ne peuvent être et ne sont qu'un simple support de voyance, le hasard présidant seul à leur distribution. Dans le cas qui nous occupe, si X n'avait pas été veuf et sur le point de voyager, la disposition des carreaux et des piques aurait probablement suggéré au *cartomancien-voyant* la vision d'événements semblables (deuil et déplacement) ayant déjà marqué ou devant marquer la vie de son sujet. Et si l'agencement symbolique des figures n'avait suscité en lui aucun écho, il aurait procédé à une nouvelle distribution des cartes, recommençant, si nécessaire, jusqu'à ce que se produise un « déclic » se rapportant à d'autres faits.

16. Psychokinésie: faculté supposée de pouvoir influencer un objet déjà en mouvement *(Dictionnaire de l'occultisme)*.

La chiromancie

> « Dans sa droite est une longue vie,
> Dans sa gauche, la richesse et la gloire. »
>
> *(Proverbes,* 3-16)

> « Il (Dieu) met un sceau dans la main
> de tous les hommes
> Afin que tous se reconnaissent comme
> ses créatures. »
>
> *(Job,* 37-7)

Ces deux citations de l'Écriture seraient la preuve que la chiromancie (procédé divinatoire basé sur l'étude des mains) était déjà connue dans les temps bibliques. Merveilleux outil universel qui bâtit, forge, écrit, dessine, fait jaillir l'harmonie de l'instrument de musique, il était logique que la main, qui construit l'avenir de l'individu, soit censée en recéler les signes prémonitoires. Signes qu'Aristote aussi pensait d'origine divine: « Les lignes de la main ne sont pas écrites vainement dans la main des hommes; elles proviennent de l'influence du ciel sur leur destinée. »

Cette idée faisant son chemin, il devait en résulter un curieux mariage entre la chiromancie et l'astrologie, et la main de l'homme, lui-même « microcosme parfait » et « fait à l'image de Dieu », fut considérée comme une carte céleste en réduction où se lisait son horoscope. De cette union sans lendemain et sans grand bénéfice pour les deux « sciences », il ne subsiste guère pour le profane que le jargon planétaire resté lié à l'anatomie de la main (Plaine de Mars, Mont de la Lune, doigt de Jupiter, etc.) et le rattachement de ses différents types morphologiques aux signes du Zodiaque (Terre, Feu, Air et Eau).

Longtemps le domaine presque exclusif des Gitans, amas confus de doctrines disparues ou mal transmises, mêlées à beaucoup d'inepties, la chiromancie, demeurée essentiellement divinatoire, a donné naissance à des sciences d'observation: la *chiropathologie* (détermination de l'état de santé et des tendances pathologiques), la *chirologie* et la *chirognomonie* (celles-ci étudiant toutes deux, par des méthodes différentes, les rapports entre les mains d'un individu et ses traits caractériels). Toutes spécialités étroitement interdépendantes et souvent utilisées conjointement par le chiromancien consciencieux pour obtenir une lecture complète de la main.

Il est certain que la chiropathologie fournit un pourcentage satisfaisant de diagnostics valables, certifiés médicalement. Ces sillons ou plis de la peau, appelés « lignes de la main », qui se modifient, se renforcent ou se détériorent selon les états de santé, qui peuvent disparaître en partie à la suite de certaines lésions cérébrales et s'effacent complètement après la mort, sont incontestablement sensibilisées à l'équilibre ou au déséquilibre psychique et physiologique.

La chirologie et la chirognomonie, bien interprétées, peuvent donner aussi d'excellents résultats. Quant à la chiromancie elle-même, c'est, bien sûr, une question de foi. Mais il semble surtout qu'elle rejoigne également la géomancie — le contact humain, non négligeable, en plus — et ne soit en définitive qu'un support de voyance, disons un support de choix. « Il est vraisemblable, écrit l'anthropologue Robert Tocquet, que l'entrelacs des lignes, leurs formes variées, l'aspect général de la main suscitent, chez le clairvoyant, la mise en oeuvre de ses facultés paranormales et provoquent des visions concernant le passé, le présent, l'avenir du consultant. Elles sont parfois ainsi que l'expérience le montre, d'une précision étonnante. »[17]

Ajoutons, pour la petite Histoire, que la chiromancie telle que nous la connaissons aujourd'hui n'a guère plus d'un siècle. C'est un Parisien nommé Adolphe Desbarolles (1801-1886) qui en édicta les structures en 1859 dans un livre intitulé *Les Mystères de la main — Art de connaître la vie, le caractère, les aptitudes, la destinée de chacun, d'après la seule inspection de la main.* Cet ouvrage, important et nouveau pour l'époque, fit dire à un humoriste incrédule que c'était vraiment « le premier pas fait sur les mains ». Peintre et voyageur, Desbarolles prétendait avoir vécu en Europe Centrale, parmi des tribus de gitans qui lui avaient confié leurs secrets. Devenu rapidement à la mode, il eut comme clients célèbres Sarah Bernhardt, les frères Goncourt (qui n'avaient pas encore fondé leur Prix littéraire), le chancelier d'Autriche Metternich, le couple impérial, Eugénie et Napoléon III. En 1868, appelé aux Tuileries par l'empereur, toujours friand de « bonne aventure » comme son oncle de Sainte-Hélène, il aurait dit à celui-ci: « Malgré

17. *Les Pouvoirs secrets de l'homme.*

mon avis, vous ferez la guerre à l'Allemagne; les Prussiens vous prendront dans une souricière et vous feront manger de la choucroute pendant six mois ». Deux ans plus tard, n'en ayant fait qu'à sa tête, Napoléon III capitulait à Sedan et se mettait à la cuisine prussienne.

L'oniromancie

> « Lequel serait le plus heureux d'un roi qui toutes les nuits songerait qu'il est paysan ou d'un paysan qui songerait toutes les nuits qu'il est roi? »
>
> — PASCAL

Au siècle dernier, portant une lanterne et chantant une complainte qui les identifiait, des « explicateurs de songes » passaient encore la nuit dans les rues de certaines villes, et ceux qu'un mauvais rêve venait d'éveiller pouvaient les appeler de leurs fenêtres pour en apprendre immédiatement la signification.[18] « Science » de l'interprétation des songes supposés prémonitoires — alors que le rêve, souvent incohérent, est davantage du domaine du psychiatre — l'oniromancie est vieille comme le monde. L'homme, dès qu'il sut écrire, en a laissé le témoignage, quelles que furent les civilisations auxquelles il ait appartenu. *L'Ancien Testament,* qui fourmille de songeurs de toutes sortes, nous enseigne même que cette discipline était déjà très lucrative aux temps bibliques. Joseph, habile décrypteur de songes, dut sa fortune à un Pharaon sujet aux cauchemars, qui voyait défiler au pied de son lit des vaches grasses et des vaches maigres. Daniel, captif à Babylone, ayant réussi à interpréter le songe de la statue aux pieds d'argile, Nabuchodonosor qui avait fait égorger ses magiciens incapables de le renseigner, ennoblit le jeune israëlite et lui fit, dit l'Écriture, « don de nombreux et riches présents ».

Plus florissante que jamais à l'époque romaine, l'oniromancie, qui a déjà ses charlatans, va susciter quelques protestations isolées. Fort de ce gros bon sens qui rend imperméable à tout ce qui n'est pas rationnel, Cicéron part impétueusement à l'attaque: « Finissons-en avec cette divination par les songes, comme avec les autres. La superstition, répandue parmi les peuples, a fait passer sous son joug presque toutes les âmes

18. Science ou prescience de l'avenir (*Janus,* N° 8, 1965).

et pris d'assaut l'imbécillité humaine. Le sommeil, au moins, semble être un refuge contre toutes les peines et tous les soucis, et voilà qu'on en fait sortir la plupart des inquiétudes et des craintes. »

C'est la voix même de la sagesse, à condition d'avoir un sommeil de plomb, mais cela n'empêchera pas Artémidore d'Éphèse de composer, deux siècles plus tard,[19] le premier manuel populaire d'oniromancie, sa célèbre *Clef des songes* encore consultée de nos jours. L'auteur dit l'avoir conçu entièrement d'après des expériences vécues et donne cet exemple de l'infaillibilité de sa méthode: un parfumeur ayant rêvé qu'il perdait son nez, infirmité désastreuse dans cette profession, il lui prédit des désordres dans ses entreprises qui entraîneraient fatalement sa mort, car la ruine conduit au déshonneur, le déshonneur au suicide, et les têtes de mort n'ont pas de nez.

Après cette magistrale démonstration, Artémidore risque certaines interprétations où le freudisme montre déjà le bout de l'oreille:[20]

> « Le songeur qui verra son membre viril en sa place et état normal saura qu'il lui signifie la durée des choses et des êtres qu'il représente (?). S'il le voit croître, ils croîtront; s'il le voit diminuer, ils diminueront. »
>
> « Un homme pauvre qui change de sexe en songe en aura du bonheur, quelqu'un subviendra à sa nourriture; mais l'homme riche et puissant verra sombrer son autorité, car les femmes ne sont coutumières que de besognes domestiques et vulgaires. »[21]

Au cours des siècles, des disciples d'Artémidore, convaincus ou pince-sans-rire, enrichiront d'innombrables perles son oeuvre déjà bien pourvue. Qui ne s'est jamais amusé à en pêcher quelques-unes?

> *Rêver d'araignée:* présage d'un procès avec une femme cupide et déterminée.

---

19. Au IIe siècle, sous le règne de l'empereur romain Antonin le Pieux.
20. Méthode qui explique les névroses par des influences psycho-sexuelles refoulées dans l'inconscient *(Petit Larousse)*.
21. *Le Monde des rêves* (Le Crapouillot).

Manger des puces: ennuis.
Manger du raisin vert ou sec: réussite par les femmes.
Manger du boudin: visite inattendue.
Manger en omelette son oncle et sa tante: querelles dans la famille.
Voir une religieuse avec de la barbe: joies extatiques et pures.
Un archevêque: danger de nuit (?).
Coucher avec une femme libertine: sécurité dans les affaires.
Être nu dans un bain avec une personne aimée: joie, plaisir et santé.
Voir sa femme nue: déception.
Adultère: joie et contentement. *Si vous le commettez:* bénéfice certain; *si votre épouse le commet:* grand bénéfice pour vous.
Etc. etc.

L'oniromancie et la crise du pétrole

En 1636, un Père Jésuite qui est en rapport avec les Indiens du Canada, écrit ses impressions de missionnaire:

> « Le songe est l'oracle que tous ces peuples consultent, le prophète qui leur prédit les choses futures, la Cassandre qui les avertit des malheurs qui les menacent,[22] le médecin ordinaire de leurs maladies. C'est le maître le plus absolu qu'ils aient. C'est, à vrai dire, le principal Dieu des Hurons. »

Divinité chez de nombreux peuples dits primitifs, le Songe est quelquefois prétexte à d'étranges coutumes, inventées sans aucun doute par leurs heureux bénéficiaires. En 1774, un explorateur allemand revenant du Kamtchatka (Sibérie), encore tout effaré et avec, peut-être, une secrète nostalgie, note ce souvenir de voyage:

> « Si quelqu'un veut obtenir les faveurs d'une jeune fille, il lui suffit de raconter qu'il les a eues en songe; elle considère alors que ce serait un grand péché de

22. Prophétesse de la mythologie grecque, mais le Père choisit mal son exemple. Cassandre ayant refusé de se donner à Apollon, dieu de la Lumière, celui-ci se vengea en décrétant que personne ne croirait plus à ses prédictions.

les lui refuser, car cela pourrait lui coûter la vie, à elle. »

L'Histoire ne dit pas si l'austère Descartes, créateur de la géométrie analytique, consulta *La Clef des songes* d'Artémidore d'Éphèse après avoir rêvé qu'il recevait un coup d'épée, alors qu'une puce l'agressait dans son lit. Il n'y aurait d'ailleurs pas cru et Freud n'était pas encore là pour lui expliquer que cette transposition héroïque, opérée par son subconscient, n'était autre qu'une résurgence de son glorieux passé militaire. Car, pour le père de la psychanalyse, il ne fera d'abord aucun doute que « tout rêve est désir réalisé et qu'il n'est pas d'autres rêves que des rêves de désir ». En aucun cas, le rêve (ou le songe) ne peut révéler le futur et, s'il nous y conduit parfois, « cet avenir, présent pour le rêveur, est modelé par le désir indestructible à l'image du passé. »[23]

Hostiles a priori à l'hypothèse de tout phénomène inexplicable, des psychanalystes, dont Freud, en viendront cependant à admettre peu à peu que « les rêves prémonitoires, la télépathie et tous les faits de cet ordre existent en quantité ».[24]

De nombreux savants, passionnés par la question et moins prudents par nature, les avaient d'ailleurs précédés dans cette voie. Camille Flammarion, entre autres, analysa les témoignages, écrits et signés, de 4 800 personnes, des milieux les plus divers, affirmant avoir vécu des expériences paranormales (rêves prémonitoires, voyance, télépathie, apparitions de mourants ou de défunts) ou en avoir eu connaissance par des parents ou des amis directement concernés. Parmi cette énorme documentation, publiée en partie par l'astronome, la lettre d'un magistrat, exposant son cas de conscience, n'est pas de celles qui ont dû provoquer le moins de controverses. Après avoir constaté la véracité d'un de ses rêves, le correspondant de Flammarion disait en être resté si impressionné qu'il s'était vu contraint de renoncer à sa carrière, estimant qu'on ne peut pas juger ce qui est écrit d'avance.[25]

Au dossier de l'orinomancie, il faut encore ajouter ce rêve qu'on peut qualifier d'historique, puisqu'il serait à l'origine de

23. Sigmund Freud, *La Science des rêves*.
24. Carl Gustav Jung.
25. Cette confession a inspiré à Hélène Misserly une émission dramatique, intitulée *Agathe*, diffusée par la Télévision française le 24 août 1974.

la crise du pétrole, elle-même prétexte à l'inflation galopante qui bouleverse actuellement l'économie mondiale. Rêve avant tout inspirateur d'une action à entreprendre, il devient prémonitoire en faisant entrevoir la réussite certaine. Le 13 mai 1951, à Téhéran, le Dr Mossadegh, premier ministre, prononçait devant le Parlement iranien les paroles suivantes: « Au cours de l'été 1950 qui précéda le vote de la loi nationalisant les pétroles, mon médecin me prescrivit un long repos. Un mois plus tard, alors que je dormais, je vis un personnage brillant d'un vif éclat, qui me dit: « Ce n'est pas le moment du repos, lève-toi et va rompre les chaînes du peuple de l'Iran ». Répondant à cet appel et malgré mon extrême fatigue, je repris mes travaux à la Commission du pétrole. Deux mois plus tard, lorsque cette Commission adopta le principe de la nationalisation, je dus convenir que l'apparition de mon rêve m'avait heureusement inspiré. »[26]

Un rêve de Michel Simon

À 18 ans, mobilisé dans l'armée suisse, à Leysin, le merveilleux comédien du *Vieillard et l'Enfant* et de dizaines d'autres films, s'était rendu à Genève pour assister à une représentation de *Hedda Gabler*. Il en revint bouleversé par le jeu d'un interprète encore inconnu du public, Georges Pitoëff.

> « Je regagnais mon lit militaire, hanté par le souvenir de cette soirée. Cette nuit-là, je fis un rêve absurde, comme la plupart des rêves...
>
> Je jouais dans le théâtre Pitoëff (premier point absurde, Pitoëff n'avait pas de théâtre, il jouait en tant qu'acteur à la Comédie de Genève) et j'avais invité, à l'occasion d'une représentation, mon voisin de lit de Leysin. Tout à coup, je quittais le plateau où je tenais le rôle d'un soldat français et j'allais rejoindre mon ami, au milieu de la pièce... en civil... Je m'assis près de lui en faisant horriblement grincer le strapontin et je lui demandai: « Alors, ça te plaît? » Et pendant que je prononçais ces mots, la scène s'éloignait progressivement pour devenir minuscule...

26. Cité par *Planète* (N° 22, Mai/Juin 1965).

Mon rêve se réalisa en 1921 ou 1922. Mon voisin de lit de Leysin vint me voir à Genève où, à la suite de circonstances étranges, j'étais entré dans la troupe de Georges Pitoëff. Nous jouions *La Maison du Bon Dieu,* d'Edmond Fleg. Comme dans mon rêve, je jouais le rôle d'un soldat français. Entre le premier et le second acte, j'avais le temps de faire une pose. Je me démaquillai et j'allai en civil rejoindre mon ami.

Je m'assis près de lui en faisant grincer le strapontin et je lui demandai: « Alors, ça te plaît? »...

Interview de Michel Simon
(Le Monde des rêves)

Voyage au bout de la nuit

Il est impossible d'établir une nomenclature complète de toutes les mancies, sans compter que cet inventaire serait horriblement ennuyeux. Les Anciens, grands initiateurs de nos « sorciers » modernes, les ont créées par dizaines (dont près de soixante-dix sont connues, répertoriées) et il continue de s'en inventer, comme *l'encromancie,* mise au point en 1920, par une dame Luce Vidi, professionnelle du pronostic. On se sent un peu pris de vertige lorsqu'on se penche un instant sur cet immense bric-à-brac de la voyance, le plus souvent soucieux de frapper l'imagination et dans lequel le farfelu se mêle au sadisme, la poésie côtoie la bêtise et la cruauté, celles-ci toujours inséparables.

On a prédit l'avenir en regardant tomber la pluie ou la foudre *(idatoscopie* et *céraunoscopie);* en suivant la course d'un cheval blanc *(hippomancie)* ou celle des nuages, combinée aux jeux du vent sur l'eau d'un lac ou d'un bassin *(aéromancie);* en observant le vol des oiseaux *(ornithomancie),* la flamme d'une torche *(lampadomancie),*[27] les volutes d'une fumée d'encens *(libanomancie);* en interprétant les couinements des souris et des rats, compte tenu de leur appétit *(myomancie),* etc.

L'alectryomancie, très prisée des généraux romains et car-

---

27. Flamme unie: favorable; divisée: néfaste. Encore utilisée sous le nom de « Torches ardentes », très efficaces contre les « ondes maléfiques », selon la publicité de certains voyants.

thaginois,[28] consistait à placer un coq au centre d'un cercle ou d'un carré divisé en vingt-quatre cases, marquées chacune d'une lettre et appâtées d'un grain de blé, et le devin interprétait l'oracle selon l'ordre des graines picorées par le volatile et le degré de sa voracité. Jusqu'à Jules César luimême, « le mari de toutes les femmes et l'amant de tous les maris » au dire de ses contemporains, qui crut dur comme fer à *l'hiéromancie* (consultation des entrailles d'animaux, surtout des pigeons dans son cas). On touche le fond avec Alexandre le Grand, conquérant, civilisateur et fondateur de la ville d'Alexandrie, qui, à trente-trois ans, fut averti de sa mort par *l'hépatomancie* (examen du foie d'une victime humaine offerte en sacrifice aux dieux). Et le roi grec Ménélas, époux trompé de la belle Hélène, ainsi que l'empereur romain Julien l'Apostat furent convaincus *d'anthropomancie* (inspection des entrailles d'enfants, de femmes ou d'hommes éventrés pour la circonstance).[29]

Mais que penser aussi des clédomanciens qui observaient les mouvements du corps provoqués par l'épilepsie appelée pour cette raison le « mal sacré » ou « mal divin »? Parfois moins sadique, la *clédomancie* faisait également grand cas des éternuements: entendus à la droite de l'éternueur, le signe était bénéfique, mais à gauche, rien n'allait plus. Et quel inquisiteur dément imagina de parodier, sous le couvert du jugement de Dieu, les pires élucubrations des occultistes? La *bibliomancie,* au nom pourtant rassurant, nécessitait l'emploi d'une balance spéciale. L'individu suspect de sorcellerie étant assis sur un plateau, on posait une Bible dans l'autre et si le fléau s'inclinait du côté du suspect, rien ne pouvait le sauver du bûcher.[30]

La nécromancie, autre émanation d'un monde morbide sur lequel il peut être dangereux de se pencher trop longtemps sans un sérieux bagage métaphysique, est la divination par les morts. Les Assyriens et les Juifs interrogeaient des têtes d'enfants, coupées et embaumées. Par la suite, on se contenta de statuettes à l'image d'un défunt et « imprégnées » de

28. Voir plus loin au chapitre *L'Occultisme et les militaires.*
29. Ayant renié la religion chrétienne et tenté de rétablir le paganisme, Julien l'Apostat mourut alors qu'il s'entretenait avec des amis de l'immortalité de l'âme (331-363).
30. Julien Tondriau, *Le Dictionnaire de l'occultisme* (Marabout Université).

son esprit. Ulysse, ressuscité récemment au petit écran par la télévision italienne, évoquait l'ombre infernale du devin Térésias qui ne consentait à vaticiner qu'après avoir bu du sang frais. Mais les spectres semblent avoir heureusement renoncé au vampirisme et Mme Hélène Bouvier, célèbre voyante spirite, nous conte cette anecdote insolite:

> *« Une dame veut vous parler, dit une voyante à Mme X qui vient pour la première fois la consulter et n'a pas encore ouvert la bouche. Elle s'appelle Janine D. et s'est suicidée au gaz il y a douze ans.*
> *— Mais c'est ma mère! »*[31]

Les fantômes prédisent-ils l'avenir? Un officier de Napoléon Ier, le général Pelleport, s'en porte garant dans ses *Souvenirs:*

> *« On va rire, mais n'importe! La veille de la bataille d'Eylau, le 2 février 1807, je fus réveillé par un bruit léger. Une femme richement vêtue se tenait devant moi.*
> *— Tu seras blessé, me dit-elle, et grièvement. Ne crains rien, tu t'en sortiras encore.*
> *Vivement impressionné par cette étrange apparition, j'allais répondre lorsque je m'aperçus que ma fée avait disparu. Le lendemain, je recevais trente coups de sabre, plus cinq coups de baïonnette et j'étais sauvé par miracle. Cette histoire est étrange, mais elle est vraie. »*

Il est possible également que le brave général, tout excité à l'idée de livrer une bonne bataille bien héroïque, ait fait simplement un rêve prémonitoire.

En 1920, Thomas Edison, touche-à-tout génial doué d'un sens puissant des affaires, fabriqua une machine à communiquer avec les morts. Mais, malgré une publicité où il affirmait que « si ceux qui ont quitté la forme de la vie terrestre ne peuvent pas se servir de mon appareil, la chance de leur survivance disparaît », son invention fut peu rentable. Il a eu des continuateurs. Dans un livre paru en 1969, *Unhörbares wird hörbar (L'imperceptible devient perceptible),* l'Allemand Constantin Raudive rendait compte de ses expériences effectuées sous contrôle scientifique et pour lesquelles il utilisait un ma-

31. Hélène Bouvier, *Une voyante témoigne.*

gnétophone relié soit à une antenne spéciale formée d'un tube à électrodes (un diode), soit à un récepteur radiophonique réglé sur une zone d'ondes libre de canaux terrestres. L'édition anglaise de l'ouvrage, *Breakthrough (La percée)*, a été mise en vente avec un disque reproduisant l'enregistrement de quelques voix venues d'outre-tombe, dont celles de Winston Churchill et de la mère de l'auteur. Ce ne sont en général que des bavardages sans grand intérêt. S'exprimant dans toutes langues, les défunts semblent surtout préoccupés du temps qu'il fait sur la Terre, réclament de l'alcool et des cigarettes, se plaignent de ne pas disposer de salles de bain et, parfois, échangent des injures!

IV L'astrologie

> « Art de dire la bonne aventure, de tirer les horoscopes et de prédire les événements par l'aspect, les positions et les influences des corps célestes. On croit que l'astrologie, qu'on appelle aussi astrologie judiciaire parce qu'elle consiste en jugements sur les personnes et les choses, a pris naissance dans la Chaldée, d'où elle pénétra en Égypte, en Grèce et en Italie. Quelques antiquaires attribuent l'invention de cette science à Cham, fils de Noé. Le commissaire de Lamarre, dans son *Traité de Police*, titre VII, chapitre Ier, ne repousse pas les opinions qui établissent qu'elle lui a été enseignée par le démon. »
>
> — COLLIN DE PLANCY (*Dictionnaire infernal*, 1818)

Le fait qu'on pourrait devoir l'astrologie aux mauvaises fréquentations du fils d'un pochard biblique ne doit pas être un argument supplémentaire pour ses détracteurs dont le dossier est déjà bien épais sans cela. Ses meilleurs avocats conviennent eux-mêmes que les charges sont lourdes et l'un d'eux l'a exprimé avec vigueur: « Rien de plus irritant — même et surtout pour les sincères zélateurs de l'astrologie — que le déballage d'âneries sans nom, de pronostics insensés, de conseils ridicules auxquels se livrent, sous les yeux des éternels gogos, les charlatans et « mages » de tout poil, pour la plupart ignares, sinon tarés, les dames astrifiantes, les courriéristes sidéraux, les grands trusteurs d'horoscopes et autres jongleurs et trafiquants d'étoiles. »[1]

Depuis que l'orateur romain Cicéron s'est écrié ironiquement, il y a deux mille ans: « Tous ceux qui ont péri à la bataille de Cannes étaient-ils donc nés sous le même astre? », la querelle se poursuit, toujours plus âpre, et le profane, dans son ignorance, ne peut qu'enregistrer les scores aussi

1. Albert Marchon, *Les Sciences occultes* (Crapouillot, n° 18, mars 1952).

objectivement que possible. L'astrologie ayant l'ambition avouée d'être un jour ennoblie officiellement du titre de « science », à l'égal de l'astronomie qu'elle a engendrée, il semble qu'on en ait fait un bouc émissaire chargé de tous les péchés de l'occultisme. C'est pourquoi nous avons pensé lui consacrer un chapitre spécial, bien que, pour beaucoup de voyants, elle ne soit en aucun cas prédictive et ne représente qu'une mancie comme les autres, peut-être un peu plus savante.[2]

Libéralisme ou tyrannie du Cosmos?

> « Il n'est pas mauvais qu'il y ait une erreur commune qui fixe l'esprit des hommes, par exemple la Lune, à qui l'on attribue les changements de temps, le progrès des maladies, etc. Car quoiqu'il soit faux que la Lune fasse rien à tout cela, elle ne laisse pas de guérir l'homme de sa curiosité inquiète des choses qu'il ne peut savoir, qui est une des maladies de l'esprit humain. » — PASCAL (1623-1662)

Quand les grands penseurs se trompent, c'est souvent avec un fracas qui rend l'humanité sourde pour quelques siècles, mais aucun ne se risquerait à nier encore aujourd'hui l'existence d'un rapport, voire même d'un synchronisme, entre le rythme cosmique et celui de la Vie. L'apparition des taches solaires (obscurcissements partiels plus ou moins persistants de la surface du Soleil) ne provoquerait pas seulement les hausses de température, les cyclones ou les coups de grisou dans les mines, mais modifierait le sérum sanguin, favoriserait la prolifération des lapins, tourmenterait les migraineux, les goutteux, les rhumatisants et multiplierait les actes d'indiscipline dans les maisons d'enseignement, ainsi que les

2. On dit alors *l'astromancie.* Pour Mario de Sabato, l'astrologie n'est « jamais en compte dans la prédiction des événements ». Ayant cru pouvoir l'utiliser à ses débuts pour compléter ses pronostics et « mieux les situer dans le temps », ses expériences furent toujours décevantes. Par contre, il tient compte des données astrologiques dans ses analyses de caractères. (*Révélations, Journal d'un voyant,* Pensée Moderne, 1974).

crises de démence et les morts subites.[3] Notons encore, pour la petite Histoire et sans en tirer aucune conclusion d'ordre idéologique, une incidence plutôt curieuse des taches solaires sur la politique britannique: entre 1830 et 1930, leur présence aurait toujours correspondu avec celle, au pouvoir, du parti libéral, les conservateurs ne gagnant les élections que lorsque le Soleil brillait d'un éclat immaculé.[4] Quant aux puissantes explosions observées sur la photosphère, elles auraient pour effet de décupler les cas de thrombose, d'hémorragie pulmonaire et de perturber de nombreuses fonctions corporelles, causant, entre autres conséquences, quatre fois plus d'accidents de la route.

Il y a aussi des maladies dont le caractère saisonnier, inexplicable médicalement, serait imputable au Soleil, grand horloger des saisons. Des études statistiques ont montré que les bébés du mois de mai pesaient en moyenne à leur naissance deux cents grammes de plus que ceux des autres mois et que, parvenus à l'âge scolaire, ils étaient des sujets plus doués. Naître à la belle saison autoriserait également, dans des conditions normales et sans problèmes d'hérédité, une espérance de vie plus longue et on a remarqué que, sur vingt et un mille conscrits de l'armée néo-zélandaise, les jeunes gens d'une haute stature étaient tous des enfants de l'été.[5]

La Lune, elle, est surtout connue pour exercer une attraction sur toutes les masses liquides qu'elle survole au zénith, qu'il s'agisse d'un océan, d'une flaque d'eau sur un trottoir ou d'une tasse de thé.[6] Mais sa montée à l'horizon annonce aussi les grandes pluies, plus fréquentes après la pleine et la

---

3. Pour le célèbre abbé Moreux, astronome, ces phénomènes de recrudescence morbide coïncideraient « non avec les taches du Soleil, mais avec les fortes déviations magnétiques dues à l'activité solaire ».
4. A. L. Tchijevski, *Traité de climatologie biologique et médicale* (Masson, 1934). Professeur à l'Université de Moscou, ce même auteur a préconisé en 1937 que tout hôpital « soit en contact constant avec un observatoire astronomique » et équipé d'une salle « revêtue de cuirasses » pour protéger les malades « contre les radiations solaires et cosmiques nuisibles ».
5. Lyall Watson, *Histoire naturelle du Surnaturel* (Albin Michel, 1974).
6. Et l'eau, élément extrêmement sensible aux pressions cosmiques, constitue en majeure partie la masse corporelle de tous les organismes vivants (65% pour l'homme). Le biologiste italien Giorgio Piccardi a démontré, par des tests chimiques, que les influences planétaires pouvaient affecter l'eau des cellules humaines.

nouvelle Lune, affecte dans les champs le métabolisme des pommes de terre, déclenche les sarabandes de rats au plus profond des égouts et le moindre rayon de l'astre des nuits, chanté par les poètes, active les cultures microbiennes dans les bocaux des biologistes. Des huîtres, exilées dans un laboratoire à 1 600 kilomètres de tout rivage, continuent de bâiller ponctuellement à l'heure de la marée, mais d'une marée théorique qui se produirait là où elles se trouvent si le laboratoire était en bordure de mer, c'est-à-dire à l'heure où la Lune plafonne au méridien du lieu. Charles Dickens raconte que, selon une croyance fortement ancrée chez les insulaires de la Mer du Nord, les enfants naissent le plus souvent à la marée haute, tandis que le retrait des flots signale la fin des agonisants: « Le long de la côte, me dit Mr Peggotty, le peuple meurt toujours avec le reflux, comme il naît avec le flux. Il s'en va quand la mer s'en va. » Messagère de vie et de mort, la Lune est aussi soupçonnée d'ouvrir le sommeil aux cauchemars, de harceler les urémiques, les pneumoniques, les hémorragiques, les épileptiques, les grands nerveux, les « lunatiques », et de pousser dans les rues sombres les déséquilibrés dangereux. On connaît la formule consacrée de la presse à sensation relatant le dernier méfait du « maniaque » ou de « l'assassin de la pleine Lune ».

Tout le monde, bien entendu, n'est pas d'accord sur tout, et les controverses sont nombreuses. Quand, par exemple, le chimiste suédois Svante Arrhenius se base sur l'examen de 11 807 cas pour avancer que le cycle féminin pourrait être tributaire des phases lunaires, le gynécologue allemand Hosemann réfute aussitôt la proposition sur la foi d'observations tout aussi probantes.[7] C'est ainsi dans tous les domaines et les statistiques sont dociles. Mais il n'en faut pas moins admettre l'évidence d'une immixtion sidérale déterminante dans la chimie intime de la vie et l'homme, que ça lui plaise ou non, s'y trouve lui-même exposé peu glorieusement au même titre qu'un tubercule, un rongeur, un mollusque ou une bactérie. De là à accepter sans broncher l'idée d'un Cosmos tyrannique le conditionnant déjà physiquement, intellectuellement, et disposant de plus de sa personne de la naissance à la mort, il y a, évidemment, un grand pas à franchir: celui que l'astrologie fit allégrement il y a cinq mille ans.

7. Michel Gauquelin, *L'astrologie devant la science* (Encyclopédie *Planète*).

De Cham au Fakir birman

> « Si le Soleil se tient à la place de la Lune, le roi du pays sera ferme sur son trône... Si Mars s'approche des Gémeaux, un roi mourra et il y aura de l'inimitié... »
>
> *(Tablettes astrologiques chaldéennes)*

Considérée à l'origine comme secret d'État et jalousement réservée aux rois, l'astrologie ne fut libéralisée — ou, plus exactement, commercialisée — qu'au IIIe siècle avant notre ère par les Grecs démocrates et mercantiles, grâce à l'astucieuse trouvaille de « l'horoscope individuel pour tous ». À Athènes, puis à Rome, les « chaldei »[8] pullulèrent aussitôt comme sauterelles en Égypte et leur clientèle populaire se recruta d'abord parmi le sous-prolétariat des esclaves, la hantise des lendemains étant toujours plus présente dans les classes extrêmes de la société. Effrayés par les conséquences politiques de cette vulgarisation galopante, les détenteurs du pouvoir, après avoir vainement tenté de l'enrayer, s'avisèrent d'en tirer parti selon leur imagination. Auguste, l'héritier de César, ordonna l'affichage de l'horoscope impérial, sans doute assez flatteur pour inspirer confiance au peuple, et frappa de la monnaie à son signe de naissance, le Capricorne. Mais, plus méfiants que leur prédécesseur, ou moins bien traités par le Cosmos, les empereurs Tibère et Domitien ne voulurent prendre aucun risque. Ayant fait dresser en secret les thèmes astraux des principaux patriciens romains, ils expédièrent *ad patres* tous ceux que les planètes dénonçaient comme rivaux possibles.

L'irrésistible ascension d'une nouvelle religion enfin fraternelle, encore toute pure de l'eau lustrale et du sacrifice de ses martyrs, aura pour effet — du moins en Occident et pour un demi-millénaire — de reléguer dans l'ombre les déchiffreurs d'étoiles aux prétentions divinatoires. Dieu étant seul maître de l'avenir, les néophytes chrétiens ne peuvent plus concevoir décemment que Mars, Vénus ou Jupiter y soient aussi pour quelque chose. « Si Dieu est juste, déclare saint Ephrem au IVe siècle, il ne peut avoir établi les astres généthliaques[9], en vertu desquels les hommes deviennent néces-

8. Nom donné aux premiers astrologues romains, l'astrologie étant originaire de la Chaldée.
9. C'est-à-dire déterminants pour l'homme à sa naissance.

sairement pécheurs. »[10] Malheureusement, les affaires du monde n'allant pas mieux pour cela, cet immense courant d'espoir est voué à l'essoufflement. Les premières erreurs d'une Église ressuscitant déjà l'orgueilleuse splendeur romaine, les vaticinations délirantes des prophètes bibliques menaçant l'humanité d'un nouveau Déluge expiatoire et surtout, peut-être, le silence opposé par un Tout-Puissant impénétrable aux questions angoissées de ses créatures vont conduire peu à peu celles-ci à demander de nouveau aux astres les réponses qui leur sont refusées.

C'est l'avènement de l'imprimerie à caractères mobiles, donc moins onéreuse, qui va favoriser ce regain de l'astrologie en la démocratisant définitivement. Après le succès de la fameuse *Bible* de Gutenberg, sortie des premières presses en 1448, ce sera rapidement celui des almanachs ou calendriers prophétiques vendus par des colporteurs jusqu'au fond des campagnes. Ces ouvrages enseignent ce qu'il convient de savoir de l'horlogerie céleste pour mieux soigner le bétail, cultiver la terre et ordonner son existence. Ils prédisent en outre les événements de l'année, le temps qu'il fera, le résultat des récoltes (« l'an sextil pluye, froment abonder... »), indiquent le moment le plus favorable pour prendre un bain, se raser, se purger, etc. sans oublier d'analyser (avec une extrême indulgence) l'individualité de chacun selon sa planète tutélaire:

Qui sous Jupiter sera né
Bénin, gracieux sera trouvé,
Sera riche de grande substance,
Sage, discret, de grande science (...)
De nobles faits entremettable,
Chantant, riant et véritable,
En marchandise droicturier,
D'or et d'argent grand trésorier.[11]

Pour gagner sa vie quand il voyage, Nostradamus compose de ces almanachs qu'il propose de porte en porte. Mais,

10. Nous avons vu que, loin de réfuter l'astrologie, certains docteurs de l'Église, comme saint Augustin, la condamnaient uniquement pour son amoralité et son essence démoniaque.

11. *Le Grand Kalendrier & Compost des Bergiers,* qui serait le premier almanach populaire imprimé en langue française (1491).

comme certains de ses confrères plus honnêtes ou moins prudents, il n'y dit pas que des choses plaisantes et, dans son style bien personnel, il annoncera ainsi une année 1565 particulièrement fertile en calamités de toutes sortes:

Pire cent fois cest an que l'an passé.
Même aux plus Grands du règne & de l'Église
Maux infinis, mort, exil, ruine, cassé.
À mort Grande estre, peste, pluye & bise.

Il est évident que de tels présages, répétés et commentés dans les chaumières, risquaient d'affoler le bon peuple qui n'en demande pas tant pour cela et les autorités avaient vu le danger. En France, les États provinciaux d'Orléans (1560), Blois (1579), Bordeaux (1583), jetèrent tour à tour l'interdit sur les faiseurs et vendeurs d'almanachs. Sans grands résultats pratiques puisque, cent ans plus tard, le 31 juillet 1682, le roi en personne, Louis XIV, signera encore un édit exécutoire qui n'aura guère plus d'effet.[12] Bref, bon an, mal an, plus ou moins sous le manteau suivant les époques et les moeurs, cette astrologie des masses continuera néanmoins de prospérer jusqu'au XXe siècle où la grande presse mondiale lui ouvrira un jour ses colonnes et, avec ses énormes moyens de diffusion, en fera d'un coup la fortune.

C'est à Paris, en 1934, qu'un nommé Sarim Maksoudian, dit « le Fakir birman », qui porte barbe, turban et soigne sa publicité en se faisant « crucifier » et « enterrer vivant », réussit à convaincre la directrice d'un périodique à grand tirage, *Le Journal de la Femme,* de lancer une rubrique astrologique par signes zodiacaux.[13] L'idée est tout simplement géniale, le cobaye bien choisi pour l'expérience et le succès, immédiat, va dépasser tous les espoirs. Menacés dans leur vente, des

12. Rappelons qu'en 1942, lorsque la victoire de l'Allemagne en guerre commencera de s'avérer plus problématique, le gouvernement hitlérien interdira toute pratique de l'astrologie, déclarant celle-ci « privilège singulier » de l'État, comme au temps des antiques despotes chaldéens ou assyriens.

13. Français malgré son nom, « le Fakir Birman » a laissé des Mémoires *(Mes souvenirs et mes secrets,* Armand Fleury, 1946) dans lesquels il raconte avoir reçu les confidences de plus de 500 000 consultants. Ayant commis l'erreur de révéler à une cliente vindicative les prouesses extra-conjugales de son mari et poursuivi en justice par ce dernier, il dut cesser d'exercer. Sa fin est restée mystérieuse: on le trouva pendu dans son appartement.

magazines concurrents se hâteront d'emboîter le pas et, pour répondre à cet engouement nouveau qui gagnera bientôt l'étranger, on verra même des quotidiens d'information perfectionner le procédé en offrant chaque matin un « horoscope du jour ».

La compétition étant vive, on fait assaut d'imagination. Pour rassurer sans doute la lectrice snob et ingénue, choquée de se retrouver dans le même panier astral que sa bonne ou sa concierge née aussi Vierge ou Poisson, des journaux ne craignent pas d'intituler « Strictement personnel » une partie de leurs prédictions imprimées en italique.[14] Plus tard, venu le règne du Sexe-Roi et sous couleur de « cuisine astrologique », d'autres innoveront une section « aphrodisiaque » où les cordons-bleus mal aimés pourront puiser des idées utiles: *Si votre Bélier se montre malgré tout trop calme, n'hésitez pas à lui préparer un curry au mouton ou encore une poêlée de piments sautés dont il est friand...* ou, si le défaillant est Cancer: *Procurez-vous des graines d'orvale, plus communément connue sous le nom de sauge sauvage. Sa réputation l'a fait nommer « toute-bonne »...*[15] On serait tenté de dire qu'on ne peut arrêter le progrès si la plupart de ces « potions magiques » n'avaient pas déjà mitonné pendant des siècles dans les vieux almanachs de nos aïeules.

Les « trafiquants d'étoiles »

> VERSEAU — Amour: *Bonne ambiance à condition d'être deux, sinon l'on risquerait de se sentir un peu perdu... Évitez les gens du Sagittaire...* — Travail et argent: *Journées heureuses et importantes pour certains... Ne parlez pas trop... Pas de chance en bourse avant le 1er décembre* — Santé: *Bonne à condition d'être en forme, sinon voir le médecin... Pas d'imprudence vers le 29. L'entrée d'Uranus en maison XII demandera toujours de prendre des précautions pour la santé (maladie souvent violente)...* BALANCE — *Vos rapports affectifs s'amélioreront si vous vous intéressez davantage à votre partenaire... Bonne entente avec le Bélier* — Vous et les

14. Comme l'hebdomadaire *Elle* qui touche 3 millions de lectrices et lecteurs, soit une moyenne de 250 000 pour chacun des 12 signes du zodiaque.
15. *Marie-Claire* (nov. 1974).

autres: *Très bon jour de chance le 24 si vous savez en profiter...*[16]

Qui n'a pas cédé à la curiosité de chercher le signe le concernant dans ces bric-à-brac du zodiaque? Les « mages » de service superbement indifférents, ne jugeant pas nécessaire d'accorder leurs « pronostics » souvent contradictoires d'un journal à l'autre, on peut s'étonner que leurs adversaires déchaînent une si grosse artillerie pour réduire à néant ce qui est déjà inexistant. Mais il faut sans doute que cela soit dit et répété, même si c'est prêcher dans le désert, et c'est partout le même son de cloche, plus ou moins agressif selon le pouvoir d'indignation: « Une énorme fumisterie... C'est absurde en bonne astrologie... Des banalités prudentes, passe-partout et dépourvues de tout fondement... Le morne travail de ces fonctionnaires du Cosmos est avant tout alimentaire et ne peut être le fait d'un astrologue sérieux... Il est malheureusement certain que des astuces aussi grosses continuent d'être rentables... » etc.[17]

Notons, cependant, que tous les professionnels ne désapprouvent pas entièrement cette astrologie de bazar (qu'ils ne dédaignent pas de pratiquer à l'occasion), estimant qu'elle peut inciter le grand public à s'intéresser de plus près à la véritable. Sous-entendu probable: en drainant vers leurs cabinets les esprits un peu plus curieux, anxieux d'en savoir davantage.

Les prophètes de l'I.B.M.

Au siècle du « forcing » et de la mécanisation à tout prix, l'apparition des ordinateurs devait obligatoirement fasciner les grossistes de la profession. Leur calcul était simple: l'utilisation de ces machines de science-fiction (encore réputées infaillibles) présenterait le double intérêt d'industrialiser le rendement tout en conférant au produit un précieux vernis scientifique emprunté au dernier cri d'une technique avant-gardiste.

Le premier horoscope électronique fut dressé en Allemagne, le 16 novembre 1967, pour le compte du magazine

16. Extraits d'horoscopes de journaux canadien et français.
17. Cela vaut également pour les offres d'horoscopes par correspondance des petites annonces, provenant généralement d'inconnus « de toute confiance », domiciliés dans des boîtes postales.

féminin *Constanze,* édité à Düsseldorf. Le coup d'envoi était donné et les Américains eurent vite fait de mettre au point des super-engins horoscopiques, dignes des gadgets de la NASA et capables de livrer en 90 secondes un thème astral imprimé de sept pages. Les dépliants publicitaires en esquissent une description impressionnante, propre à faire rêver les moins imaginatifs. Un clavier d'une vingtaine de touches permet d'établir l'organigramme du consultant d'après toutes ses coordonnées imaginables: date et lieu de naissance, signalement et présentation physique, emploi, salaire, bagage universitaire, fiche de santé (avec analyses médicales, numération globulaire[18], taux de sucre, d'urée, etc.), longévité des parents et grands-parents, et tutti quanti. Nourri de ce pudding signalétique servi sur carte perforée, l'ordinateur le digère instantanément, clignote de tous ses circuits, explore en une fraction de seconde pas moins de 65 millions d'aspects planétaires et de combinaisons analytiques encavés dans ses mémoires magnétiques, et pond son horoscope dans le délai indiqué. Gigantesque travail, ajoute la publicité, qui mobiliserait normalement pendant trois ans une équipe de dix astrologues-experts, également astronomes et mathématiciens, consacrant un total de 90 000 heures, à raison de 8 par jour, à l'étude du même thème astral. Qui hésiterait à s'offrir cela pour la modique somme d'un dollar?[19]

« Une sensibilité océanique frissonnante d'amour universel... »

Une machine semblable, peut-être un peu moins sophistiquée mais joliment baptisée *Ordinastral,* opéra pendant quelque temps au Ménil-le-Roi, près de Paris. Son promoteur, un astrologue notoire, annonçait dans la presse qu'il offrait à sa clientèle, « pour 70F seulement » (environ 14 dollars), une « carte légendée de votre ciel astral », une « analyse en profondeur de votre personnalité », un « calendrier annuel du rythme de votre existence », ainsi qu'une étude prévisionnelle « des périodes fastes et néfastes de votre vie pour les

18. Nombre des globules rouges et blancs contenus dans un millimètre cube de sang.

19. Cité par Robert Charroux, *Le Livre du mystérieux inconnu* (Robert Laffont, 1969). Depuis, l'inflation n'a pas épargné l'astrologie électronique américaine et il faut compter 20 dollars.

dix ans à venir ». Hélas, les Français n'étant pas encore disposés à payer un tel prix pour apprendre à mieux se connaître, l'affaire ne tarda pas à péricliter.

Il faut dire aussi que l'éphémère *Ordinastral* avait connu ce qu'on pourrait appeler pudiquement quelques incidents de parcours. L'occasion était trop belle, en effet, pour que les irréductibles ennemis de toute astrologie n'essayent pas de le mystifier. Avec la collaboration de *Science et Vie,* une revue de vulgarisation scientifique, le psychologue-statisticien Michel Gauquelin lui soumit les coordonnées de naissance d'une dizaine de « personnalités » camouflées sous des noms d'emprunt. L'ordinateur avala le tout sans méfiance et le résultat fut désastreux, du moins pour son père spirituel.

En fait, tous les personnages malicieusement proposés à son analyse avaient défrayé la chronique criminelle au cours des cinquante dernières années. Coupable d'un double meurtre et condamné en 1954 aux travaux forcés à perpétuité, l'un d'eux, Albert Millet, se vit gratifier électroniquement d'un « caractère gai, agréable, chaleureux, plein d'entrain et de bonne humeur communicative (...) fait pour le bonheur... » Guy Desnoyers, curé d'Uruffe, un village meusien du pays de Jeanne d'Arc, grand trousseur de jupons paroissiaux et le plus odieux de tous les tueurs, était « timoré, timide (...) rangé, un Saturnien tendant à vivre sous le régime d'un coup de frein donné à l'instinct... »[20] Mais, pour la touche de lyrisme apportée à son portrait « psycho-astrologique », la palme revenait assurément au trop fameux Dr Petiot, accusé de soixante-trois crimes, dont vingt-sept « homologués »: « Nature bien insérée dans les normes du social, éprise des convenances et pourvue d'un sens moral, bourgeois bien pensant, digne citoyen (...) Cet être vénusien est baigné d'une sensibilité océanique frissonnante d'amour universel... » Et, s'enferrant jusqu'au bout, l'incorrigible *Ordinastral* prédisait au bon docteur, guillotiné vingt et un ans plus tôt, une décade paradisiaque toute juteuse de félicités.[21]

20. En décembre 1956, l'abbé Desnoyers abattit d'une balle dans la nuque l'une de ses maîtresses, Régine Fays, 19 ans, qui était enceinte. Puis, ayant éventré le cadavre, il défigura au couteau le visage du « fruit du péché ». Condamné à la détention perpétuelle.
21. Pendant l'occupation allemande, Petiot, authentique médecin établi à Paris et se disant résistant, s'offrait à faire sortir clandestinement de France les personnes (surtout des Juifs) qui fuyaient la police ennemie. Le jour du « départ », il les convoquait chez lui et les assassinait pour les dépouiller de leur argent. Condamné à mort en 1946.

Des esprits candides pouvaient craindre après cela que les monstrueuses bourdes d'un robot stupide, aussitôt diffusées généreusement par ses tourmenteurs, n'aient un effet fâcheux sur le crédit de la Profession. Mais celle-ci en a vu d'autres (et ne s'en porte pas plus mal) depuis qu'avec leurs gros sabots Képler, Copernic et Galilée ont piétiné son univers en faisant tourner la Terre autour du Soleil. Dès l'année suivante, le 15 juin 1968, un autre ordinateur I.B.M. 360-30, surnommé *Astroflash* et programmé par le même parrain[22], commençait de fonctionner à Paris, sur les Champs-Élysées. Et la publicité, imperturbable, entonnait de nouveau son chant de sirène:

> « À partir d'une date de naissance (quantième, heure et lieu), l'appareil calculera les données astrologiques de la carte du ciel et en fonction de la position des planètes sur le ciel natal, composera devant vous un portrait psychologique individualisé qui n'occupe pas moins de sept grands feuillets (texte français ou anglais à la demande). Peut-être êtes-vous sceptique sur la véracité des analyses astrologiques? Aussi nous vous offrons la possibilité de constater leur bien-fondé pour vous-même, pour vos proches ou, éventuellement, pour des personnalités (...) Éternelle, universelle, n'ayant nul besoin d'explication scientifique pour faire éclater sa vérité, l'astrologie passionne chaque jour davantage les foules de notre temps. *Astroflash* a mis à son service les extraordinaires ressources de l'électronique, la rigueur et la rapidité des ordinateurs (...) C'est extraordinaire! s'écrient avec enthousiasme neuf personnes sur dix, en Amérique comme en Europe. Alors, faites l'essai vous aussi, et vous serez convaincu! »

Cette fois, les affaires seront meilleures et même, rapidement, excellentes. Deux ans après, *Astroflash* aura déjà débité son demi-million d'horoscopes, mais moins élaboré, travaillant sur des organigrammes simplifiés, ses ambitions sont

22. André Barbault.

plus modestes et ses tarifs plus accessibles. Les meilleures opérations se font toujours sur les masses.[23]

Les spécialistes reconnaissent que tous ces appareils sont des calculateurs corrects (comme l'était, d'ailleurs, *Ordinastral)* et donnent même quelquefois des résultats acceptables. Néanmoins, les horoscopes ainsi obtenus ne peuvent être que très incomplets et se situent qualitativement entre la broutille astrologique des journaux et le travail artisanal d'un professionnel compétent.[24] Il reste encore aux machines appelées frauduleusement « cerveaux » à apprendre à raisonner, choisir et interpréter, et on peut trouver souhaitable que les apprentis sorciers de l'électronique ne parviennent jamais à leur déléguer ce pouvoir.

Des histoires de jumeaux

> « *Madame Fernande*
> *Son don de médium est inscrit dans son ciel de naissance*
> *Née un 14 décembre, comme le célèbre occultiste Nostradamus...* »
>
> (Publicité de voyante)

L'astrologie, qui se veut une science mathématique, repose au départ sur un compromis. Prétendre chronométrer la naissance à une seconde près, comme une simple compétition sportive, est assurément illusoire et un pince-sans-rire papal, saint Grégoire, a posé ainsi la question: « Certains enfants mettent plus longtemps que d'autres à sortir du ventre de leur mère; n'auraient-ils pas la tête et les pieds qui naîtraient sous des signes différents? » Mais si, bien sûr, répliquent les astrologues qui savent montrer à l'occasion autant d'humour qu'un Saint-Père, c'est même ce qui explique qu'on

23. En août 1974, il en coûtait 15F (3 dollars) pour « une étude de caractère » et 30F (6 dollars) pour « un calendrier prévisionnel de 6 mois » ou « un Adam & Ève » (thèmes comparés d'un couple). Devenu parfait polyglotte, *Astroflash* s'exprime aussi à présent en espagnol, allemand, hollandais et italien.

24. Dans le cas d'*Astroflash*, les horoscopes sont fondés uniquement « sur le signe Ascendant, le signe solaire et la position des 4 planètes rapides, Soleil, Lune, Vénus et Mercure ». D'autre part, si la machine calcule les aspects et les positions des Maisons, il n'en est pas tenu compte dans l'interprétation. (Jacques Sadoul, *L'Énigme du zodiaque*, J'ai Lu, 1973).

puisse avoir un cerveau puissant et des jambes grêles (ou l'inverse).

Soupçonnés de choisir la facilité en basant toutes leurs spéculations sur l'heure de la naissance — alors que celle de la conception, véritable début de la vie mais délicate à préciser, est sans doute plus décisive — les mêmes répondent que les deux moments sont importants, mais que l'emprise cosmique s'affirme évidemment d'une manière plus profonde sur un être complet que sur la semence dont il est né. Si le raisonnement peut séduire à prime abord, il aide mal à comprendre, par exemple, que les bébés potelés du mois de mai (cités plus haut) doivent surtout leur poids exceptionnel aux effets bénéfiques de leur ciel de nativité. La logique la moins exigeante conduit à penser plutôt qu'ils en sont déjà redevables entièrement à des influences antérieures qui ont pu les « marquer » dès l'imprégnation de l'ovule maternel.[25]

Sans se proposer d'épuiser ici le dossier de l'accusation, il y a également cette irritante question des destins jusque-là dissemblables, réunis occasionnellement par un concours de circonstances et tranchés par une cause commune. « Sur un groupe d'individus, les influences universelles priment les particulières », plaide la défense, jamais prise de court, devant les 100 000 atomisés d'Hiroshima qui remplacent avantageusement aujourd'hui, comme « pièces à conviction », les légionnaires romains de la bataille de Cannes. Mais l'argument n'ayant d'autre valeur que celle qu'on peut lui prêter, contentons-nous de remarquer qu'il se réfère curieusement à une idée de fatalité réfutée d'ordinaire par la plupart des astrologues.

Quant au sort souvent différent des jumeaux — fait tangible, celui-là, qui aurait convaincu Hitler de l'inanité des horoscopes[26] — la disparité des destins tiendrait de l'inter-

25. C'est l'astrologue Claude Ptolémée (IIe siècle) qui opposa le premier à ses dénigreurs la théorie d'une action astrale plus prépondérante sur « l'homme complet » que sur son embryon. Pour satisfaire tout le monde, l'astucieux Grec ajoutait que, d'ailleurs, la naissance ne pouvant se produire que sous un ciel identique à celui de la conception, les deux actions se complétaient harmonieusement. Si la première partie de cette affirmation reste à démontrer, la seconde convainc davantage. Mais ce qui serait encore plus vraisemblable, c'est que toute la gestation soit soumise au « diktat » cosmique.

26. Témoignage de sa secrétaire particulière, Christa Shröder. (Voir plus loin *L'Occultisme et le Grand Reich de 1 000 ans*).

valle séparant les deux naissances, au cours duquel la mécanique céleste a continué de tourner inexorablement. Ce qui, en somme, revient à dire, à la façon du pape Grégoire, que dans toute paire de jumeaux l'un serait « la tête » et l'autre « les pieds ». Toutefois, l'explication semble beaucoup moins destinée à définir une règle qu'à essayer d'en justifier les exceptions et les traités d'astrologie relatent plus volontiers des exemples de jumeaux aux existences parallèles.

Le plus souvent cité, ce cas de jumelage astral se présente comme un conte de fée.[27] À Londres, le 4 juin 1738, naquirent à des heures voisines un roi et un forgeron. Le premier, George III[28], fut couronné à l'âge de vingt-deux ans, le jour où le second, Samuel Hemming, devenait le patron d'une petite forge. Ils prirent femme l'année suivante, tous deux le 8 septembre 1761, eurent chacun autant de fils et de filles, s'alitèrent aux mêmes époques, souffrant des mêmes maladies, et moururent d'un commun accord le 30 janvier 1820, à quelques heures de distance.

Certains trouveront inconvenant de vouloir comparer le sort doré d'un potentat à celui d'un pauvre bougre aux mains calleuses. D'autre part, quelques coïncidences, si extraordinaires soient-elles, ne feront jamais la preuve définitive d'une direction astrale quelconque et ce Samuel Hemming, bon sujet britannique très fier de sa date de naissance, aura pu aider le hasard à continuer de modeler vaguement sa vie sur celle de son « jumeau » royal. Cependant, de telles accumulations de rencontres — les exemples sont nombreux — laissent malgré tout songeur et la Science elle-même, bonne fille, ne refuse pas d'apporter parfois un peu d'eau au moulin des astrologues.

Ayant examiné, au cours de trente années, les dossiers de 27 000 paires de « jumeaux de sang » (nés d'un même accouchement), le Dr F. J. Kallmann, de l'Institut psychiatrique de New York, déclarait en 1955 en citant quelques cas typiques: « Tout être porte en lui une horloge réglée à sa naissance et qui détermine notamment les maladies et les accidents. » C'était là un fameux cadeau qu'il faisait à la Profes-

---

27. On appelle « jumeaux astraux » les individus qui, bien que de parents différents, sont nés avec les mêmes coordonnées de temps et de lieu.
28. Le règne de George III fut marqué par la conquête du Canada qui appartenait à la France (1763) et la perte des colonies anglaises d'Amérique, futurs États-Unis (1783).

sion, mais avant que celle-ci n'ait eu le temps de savourer pleinement ce triomphe inattendu, les éternels sceptiques passaient à la contre-attaque. Selon eux, les conclusions du Dr Kallmann, portant exclusivement sur des cas de « vrais jumeaux », ne pouvaient appuyer d'aucune façon les prétentions de l'astrologie.[29] Ce n'est pas parce que leurs thèmes astraux sont identiques que ces jumeaux parfaits connaissent des destinées souvent semblables, mais bien parce que, nés d'un même oeuf, ils se sont partagé le même bagage héréditaire. Sinon, ajoutaient ces empêcheurs de danser en rond, pourquoi les « faux jumeaux », nés aussi le même jour et parfois mêlés à des « vrais », leurs frères, auraient-ils des caractéristiques et des vies différentes?[30]

Quatre ans plus tard, les travaux d'un autre chercheur allaient servir beaucoup plus efficacement la cause de l'astrologie.

Trois expériences concluantes

En 1959, le psychologue américain Vernon Clark persuade vingt astrologues de se prêter courageusement à des expériences toujours un peu risquées pour leur standing professionnel. La première consiste en ceci: étant donné les horoscopes de dix personnes exerçant chacune un métier bien défini, et connaissant ces dix métiers, trouver qui exerce quoi. Les sujets appartiennent aux milieux les plus divers: il y a notamment un musicien, un vétérinaire, un comptable, un montreur de marionnettes et Clark, très éclectique, a même choisi une prostituée. Dix-sept astrologues sur vingt sortiront très honorablement de cette première épreuve avec un pourcentage de réussite de cent pour un contre le hasard.

Deuxième expérience: Clark soumet à ses cobayes dix paires d'autres horoscopes à chacune desquelles il a joint une

---

29. Rappelons qu'on distingue deux sortes de « jumeaux de sang »: les « vrais » qui ont été conçus à partir d'un oeuf unique et se ressemblent totalement, et les « faux », issus de deux ou plusieurs ovules fécondés simultanément, qui peuvent être de sexe différent et n'avoir aucune similitude physique ou caractérielle.
30. La génétique, qui a aussi ses lacunes, n'explique pas encore très clairement que les oeufs d'une même ovulation, fécondés par une même semence, puissent transmettre des « bagages héréditaires » présentant fréquemment des dissemblances considérables.

liste d'événements datés concernant seulement l'un des deux sujets (mariage(s), naissance(s) d'enfant(s), changement(s) de situation et mort). Les astrologues doivent déterminer pour chaque paire d'horoscopes celui auquel correspond chaque liste. Trois vont y parvenir sans la moindre erreur et les autres s'en tireront avec une proportion de succès supérieure à cent pour un contre le hasard.

La dernière expérience porte sur dix nouvelles paires d'horoscopes. Il est précisé que dans chacune un sujet est atteint de paralysie cérébrale et, sans autres renseignements, il s'agit de le désigner. Cette fois encore, faisant honneur à leur science, les vingt participants obtiennent sans difficulté un pourcentage de réponses exactes qui ne peut rien devoir au jeu de pile ou face.

Ces tests ont permis à Clark de s'assurer de trois choses: les caractères dominants d'un individu semblent effectivement influencés à sa naissance par les dispositions cosmiques; avec une marge d'erreur acceptable, l'astrologie est capable de les discerner sur un simple examen de son horoscope; donc, en théorie, elle peut prétendre les prévoir ainsi que certains événements capitaux qui jalonneront son existence. Mais l'Américain, prudent malgré tout, se bornera à déclarer que « les astrologues opérant sur un matériel qui ne peut provenir que des seules indications de naissance, sont susceptibles de réussir à distinguer une personne d'une autre. » Ce qui constitue tout de même un précieux satisfecit accordé à la profession.[31]

Cette conclusion mesurée, résultant de statistiques conduites scientifiquement avec un maximum de rigueur, fera-t-elle autorité dans un débat commencé il y a vingt siècles? Évidemment, non, ce serait trop facile et d'autres statisticiens, certainement tout aussi consciencieux et compétents, vont s'employer bientôt à reposer le problème.[32]

---

31. Lyall Watson, *Histoire naturelle du Surnaturel*.
32. D'autres études statistiques favorables à l'astrologie et considérées longtemps comme « définitives » — celles de Paul Choisnard (1908), du Suisse Karl Ernst Krafft, le soi-disant « astrologue d'Hitler » (1939), etc. — n'ont pas échappé non plus à « la pioche » des démolisseurs.

Le maquis de la statistique

> « ...Oui, la Lune participe aux marées, mais elle ne vous conseille pas dans le choix d'un billet gagnant; oui, Jupiter est une belle planète, mais sa présence au milieu de votre ciel de nativité ne garantit en rien votre succès au baccalauréat (il vaut mieux avoir étudié le programme). »
>
> — PAUL COUDERC, astronome.

C'est d'abord un magazine parisien, *Lectures pour tous,* qui convie perfidement quatorze astrologues réputés à une petite partie de devinettes d'une simplicité apparemment enfantine pour ces spécialistes. Le journal leur communiquera en vrac les noms et les coordonnées de naissance de trois célébrités de l'époque (un champion cycliste, un comédien et un présentateur de la Télévision) et il leur suffira de reconstituer le puzzle. Cela suppose que tous les protagonistes sont affligés d'une bonne foi assez confondante pour ne pas être tentés de se renseigner discrètement, mais il doit en être ainsi car pas un ne réussira à rétablir correctement un seul état civil. « Tous les opérateurs se sont trompés à ce jeu de colin-maillard », écrira plaisamment (mais un peu méchamment) l'instigateur de ce « divertissement » qui amusera un moment ses lecteurs aux dépens de la Profession.[33]

Celle-ci échaudée, M. Gauquelin, déjà nommé, devra déployer toute sa diplomatie pour réunir de son côté les quelques volontaires nécessaires à une expérience qui préfigure l'offensive qu'il lancera plus tard contre *Ordinastral,* à l'avènement de l'astrologie électronique. Mais, heureusement pour les « anti-astrologues », il y aura toujours des téméraires (ou des oublieux) et les ayant enfin trouvés, il leur soumet une liste de vingt naissances anonymes. Avertis qu'il s'y trouve, mélangés, un nombre égal de citoyens sans reproche et d'assassins qui ont déjà, comme on dit, payé leur dette à la société, ils n'auront rien d'autre à faire qu'à séparer le bon grain de l'ivraie.

Écoutons M. Gauquelin rendre compte des résultats: « Ils choisissaient pour criminels aussi bien les personnes les plus respectables que les autres, tout à fait indifféremment et conformément au hasard. Pour ces candidats de bonne foi, la

33. *Lectures pour tous* (juillet 1963).

surprise fut totale. Et nous connaissons même un astrologue qui en a tiré la conclusion qui s'imposait: l'astrologie est incapable de distinguer, même globalement, le thème de naissance d'un criminel qui finira sur l'échafaud et celui d'un brave et honnête père de famille. » D'autres, dit-il encore, s'excuseront plus subtilement en alléguant que « sous chaque honnête homme se cache un assassin qui s'ignore et que, par conséquent, leur science ne saurait distinguer les vrais des faux criminels. »[34]

Après ce double échec, ce serait manquer d'objectivité que de ne pas mentionner une demi-réussite qui fut d'ailleurs à l'origine d'un livre, l'auteur, jusque-là incrédule, en ayant déduit qu'il y a tout de même « quelque chose » et décidé, de ce fait, d'écrire une étude sur la science des astres. Dans cet ouvrage, *L'Énigme du zodiaque,* M. Jacques Sadoul rapporte en détail l'expérience qu'une curiosité bien légitime l'incita à faire à son tour sur l'instigation d'une amie. Celle-ci, la chanteuse Françoise Hardy, lui avait confié avoir « eu l'occasion de consulter à plusieurs reprises un astrologue en renom pour

---

34. Michel Gauquelin, *L'Astrologie devant la science.*

Par ailleurs, désireux de confondre définitivement l'astrologie, M. Gauquelin a eu la patience d'étudier les naissances de 25 000 notabilités européennes (hommes d'État, écrivains, grands médecins, chefs militaires, etc.). À sa stupéfaction, il s'aperçut qu'elles correspondaient, pour chaque profession et avec une fréquence qui faisait refuser toute idée de hasard, à des conjonctions astrales similaires. Mais, contrairement aux assertions des astrologues, les signes de nativité n'avaient aucun effet sur les prédispositions des sujets et la Balance, entre autres, ne « faisait » pas plus d'artistes que le Bélier de militaires. Étendant ses recherches à 30 000 autres naissances plus modestes, il constata alors que les enfants avaient tendance à naître sous certains aspects cosmiques ayant déjà présidé à la naissance de leurs parents et il en arriva à envisager l'hypothèse d'une « hérédité planétaire ».

Cela est loin de simplifier les choses et n'explique pas que, par exemple, Pascal ait pu avoir pour père un receveur d'impôt, Victor Hugo un général de Napoléon ou Hitler un employé des douanes. Quant aux influences des planètes natales sur le choix d'une carrière, Jean-Baptiste Morin de Villefranche, qui dressa l'horoscope de Louis XIV, les avait déjà identifiées pareillement au XVIIe siècle: « Mars, en bon état céleste: hommes de guerre, avocats, médecins... — Jupiter, en bon état céleste: les hommes de gouvernement, hommes d'État, chanceliers, hommes politiques... », etc. Toujours est-il que, pour le moment, cet énorme rapport statistique n'a fait que ranimer un débat qu'il était censé conclure. Considéré par les astrologues comme la preuve indubitable de l'authenticité de leur art, il est jugé aussi faux qu'absurde par leurs adversaires.

lui demander de faire l'étude psychologique de son propre caractère ou de celui de certains de ses amis », et les descriptions obtenues à partir de dates de naissance anonymes avaient été « si réussies » qu'elle était maintenant convaincue de la réalité de cette science.

Écartant tous ceux qui, même prestigieux, recourent à une publicité quelconque pour renouveler leur clientèle, M. Sadoul fixa son choix sur dix praticiens connus uniquement du grand public pour être les auteurs d'ouvrages astrologiques techniques ou pour collaborer aux quelques rares revues vraiment sérieuses de la profession. Sportivement et bénévolement, ceux-ci acceptèrent de jouer le jeu et pour ne pas risquer de fausser les cartes en leur soumettant son propre thème astral, « les astrologues — par métier — étant de fins psychologues », il leur communiqua celui de Mlle Hardy en spécifiant seulement qu'il s'agissait d'une jeune femme.

Sept « candidats » sur dix définirent assez correctement le caractère du sujet que l'un décrivit même comme devant être une personne « charmante, très jolie, grande et mince ». Aucun ne parvint à cerner avec exactitude son métier de chanteuse-compositrice que quatre seulement relièrent à un milieu artistique ayant des contacts avec le public (l'un avançant celui de danseuse, un autre celui de comédienne). Mais, par contre, tous, sans exception, pressentirent ou décelèrent dans sa vie une enfance troublée par de graves problèmes familiaux (mésentente ou séparation des parents) et l'un d'eux calcula que cela avait dû se produire quand le sujet était âgé de trois ou quinze ans, ce qui était vrai pour le premier chiffre.

« Cela ne suffit évidemment pas à prouver la réalité de l'astrologie qu'il faut juger, non sur un cas isolé, mais en fréquence de réussites », reconnaît le narrateur qui s'avoue néanmoins persuadé par ces quelques résultats positifs « que les astrologues — ou du moins certains d'entre eux — n'étaient pas les charlatans que les rationalistes du XVIIIe siècle ont mis au ban de la science officielle ».[35]

Que faut-il penser de tous ces tests qui, tour à tour, confirment ou infirment, réhabilitent ou démystifient, sans que rien n'autorise à suspecter leur impartialité? Notre propos se limite ici à enregistrer les scores en laissant au lecteur le soin de son édification. Le bilan n'est pas exhaustif et tout laisse

35. *L'Énigme du zodiaque*, J'ai Lu.

supposer que partisans et adversaires ne se lasseront pas de sitôt de se jeter à la tête des nouvelles statistiques aussi probantes que contradictoires.[36]

Il en est au moins une, pourtant, qui ne prête guère à la controverse. « Si les astrologues s'étaient plus occupés de la statistique pour justifier scientifiquement la prévision astrologique, a écrit Jung, ils auraient découvert depuis longtemps que leurs dires reposaient sur des bases vacillantes. »[37] Au moment d'aborder l'aspect prévisionnel de l'astrologie, il paraît évident qu'on pourra s'en faire une représentation plus juste en ne retenant que les seules prédictions portant sur des événements contrôlables historiquement et certifiées par des écrits rendus publics par avance. Car — est-il besoin de l'ajouter? — on ne compte plus celles que d'innombrables disciples de Cham n'ont que le tort de révéler oralement ou une fois les faits accomplis.

Pas de guerre en 1939

> « Jésus étant né à Bethléhem en Judée, au temps du roi Hérode, voici des mages d'Orient arrivèrent à Jérusalem, et dirent: « Où est le roi des Juifs qui vient de naître? car nous avons vu son étoile en Orient et nous sommes venus l'adorer. »
>
> — SAINT MATTHIEU, 2

---

36. Citons encore cette question intéressante et très débattue: le passage de certaines planètes peut-il provoquer la mort? Oui, affirme un statisticien (Paul Choisnard), « l'aspect le plus dangereux est le passage de Mars sur le Soleil de nativité. Ce transit est trois fois plus fréquent dans les cas de mort qu'à d'autres moments quelconques (...) Avec Saturne, les conjonctions et les oppositions semblent ici égales, et à peu près deux fois plus fréquentes dans les cas de mort qu'à d'autres moments quelconques (...) Ce sont là des preuves formelles que la mort n'arrive pas pour l'homme sous n'importe quel ciel... » Faux, rétorque un autre (Michel Gauquelin) après avoir comparé les horoscopes de naissance et de mort de 7 482 personnes, « l'influence prétendue néfaste de Mars et de Saturne, s'ils passent sur le Soleil de naissance, est totalement inexistante. Les astrologues, malgré tout, continuent et continueront encore longtemps à calculer dans leurs pronostics l'influence « maléfique » des combinaisons planétaires étudiées ici. Mais on peut affirmer maintenant qu'ils n'ont aucune raison de le faire. » *(L'Astrologie devant la science)*.
37. C. G. Jung, *Naturerklärung und Psyche* (1952).

On peut mettre au crédit de l'astrologie d'avoir su lire dans le ciel la naissance du Sauveur, puisque les fameux « rois mages » — saint Jérôme l'a admis — n'étaient autres probablement que trois prêtres-astrologues venus de la Chaldée voisine. Mais la chronique nous laisse malheureusement les témoignages de plus d'échecs que de réussites. En 1179, c'est la publication des lettres prédictives d'un certain Jean de Tolède — Salomon ben David de son vrai nom — qui plonge dans la terreur l'Orient et l'Occident civilisés. Ces messages annoncent pour le mois de septembre 1186 une funeste conjonction des planètes dans la Balance, signe d'un cataclysme universel: la Terre tremblera et s'ouvrira, tandis que d'effrayantes tempêtes achèveront de la ravager. Des millions d'hommes angoissés se préparent au pire. On aménage des cavernes et des caves en Allemagne, en Perse, en Mésopotamie; Alexis II, empereur de Byzance (qui ne s'appelle pas encore Constantinople) fait murer à tout hasard les fenêtres de son palais; l'archevêque de Canterbury, primat d'Angleterre, ordonne des prières et des jeûnes. Naturellement, « l'année maudite » se terminera sans autres inconvénients majeurs et la légèreté du fâcheux Jean de Tolède sera vite pardonnée dans l'allégresse générale.[38] Une douzaine de ses émules pourront continuer impunément à calculer d'autres fins du monde pour 1230, 1487, février 1524, date à laquelle, d'après l'Allemand Johannes Stöffler qui n'ira pas non plus de main morte, un nouveau Déluge engloutira l'humanité.[39]

Le XVIIe siècle semble plus favorable aux adeptes anglais d'Uranie, muse des astrologues. Nous avons nommé déjà William Lilly qui pronostiqua quinze ans d'avance, en indiquant l'année, le grand incendie de Londres de 1666. John Heydon, lui, commença par se couvrir de ridicule en prédisant la fin ignominieuse au bout d'une corde du dictateur régicide Olivier Cromwell qui préférera mourir dans son lit en 1658. Mais la monarchie restaurée deux ans après, le nouveau roi, Charles II, fera exhumer le cadavre du meurtrier de son père pour l'exposer au gibet.

Deux siècles de rationalisme ayant ensuite relégué l'astrologie au grenier des vieilles superstitions, c'est de nouveau sous le signe de la malchance qu'elle fait, cahin-caha, sa rentrée officielle dans l'Histoire. Plutôt encline de nature à bros-

38. L. Couderc, *L'Astrologie* (1952).
39. Voir plus loin *Témoignages et Curiosités (Vrai ou faux?)*.

ser l'avenir sous des couleurs sombres, est-ce le fait d'être enfin sortie de son long silence qui lui inspire en 1939 un optimisme assez insolite pour surprendre ses fidèles même les plus convaincus? Alors qu'un bruit de bottes résonne déjà aux frontières, le numéro de septembre des *Cahiers astrologiques* d'Alexandre Volguine, bréviaire français des astrologues dits « scientifiques », imprime en caractères gras cette nouvelle rafraîchissante: « Ce numéro paraissant aux heures troubles peut apporter au lecteur apaisement, car la guerre mondiale n'est pas inscrite dans le ciel de l'Europe. »[40] Trois jours plus tard, le mot sinistre s'y étalait en majuscules, mais nullement déconcerté par les aléas du métier, un autre « jongleur d'étoiles » allait s'empresser de publier un livre de prévisions extrêmement encourageantes sur le déroulement des hostilités. L'auteur annonçait notamment la rapide déconfiture des hordes hitlériennes devant l'habituel génie de l'état-major français, la puissance du lion britannique et la victorieuse résistance de la petite Belgique galvanisée par son roi...[41]

« Il y a une fatalité sur cet homme... »

Tous les ans, traditionnellement à l'automne, des astrologues continuent de risquer leur réputation en portant à la connaissance du public les résultats de leurs travaux sur l'année à venir. Ces publications sont toujours assurées d'une vente très confortable, leur ton généralement pessimiste flattant chez le lecteur moyen cette curiosité instinctive et un peu morbide que l'homme nourrit secrètement pour les malheurs qui menacent autrui. Ainsi, faisant bonne mesure, l'une d'elles ne prédit rien moins pour 1962 que la fin de la Ve République française, l'abdication du shah d'Iran suivie de l'établissement d'un régime démocratique, la chute du colonel Nasser, un tournant « grave, très grave » dans l'histoire d'Israël, la menace pour la Chine d'une « épouvantable épi-

40. Déjà, *L'Avenir du monde,* « revue mensuelle d'astrologie, d'occultisme, d'hermétisme et d'arts divinatoires », avait paru en mai 1939 avec ce gros titre reproduit deux fois en première page: « LA GUERRE N'AURA PAS LIEU ».
41. Gabriel Trarieux d'Egmont, *Essai de prévisions sur la guerre.* Ouvrage publié en décembre 1939, six mois avant la capitulation de Léopold III de Belgique, le rembarquement à Dunkerque du corps expéditionnaire anglais et l'entrée des Allemands dans Paris (mai-juin 1940).

démie, une famine jamais connue depuis des millénaires », et vingt autres événements aussi spectaculaires. Douze mois plus tard, rien de tout cela ne s'était produit, mais l'année avait été bonne pour les amateurs de suspense.[42]

Si une telle constance dans l'égarement peut sans doute amuser « après », il est cependant des erreurs d'une ironie macabre devant lesquelles le sourire s'efface. Au début de novembre 1963 paraissait un nouveau livre de prédictions astrologiques mondiales signé d'un nom estimé, dans lequel on lisait:

> « C'est précisément autour du 30 mai 1965 que la principale crise tend à éclater. Ce qui achève de nous convaincre, c'est la constellation même du président des U.S.A., John F. Kennedy qui a de sérieuses chances d'être reconduit à la présidence par la nation américaine aux élections de novembre 1964. Son Soleil — il est du 29 mai — est à 7° Gémeaux, juste à l'endroit où se produira l'éclipse solaire du 30 mai 1965. Comment, en cet anniversaire, ne pas le voir touché au coeur de sa puissance, de son prestige, de son autorité? Nous ne pensons pas que ce soit l'individu qui soit menacé, mais le représentant des U.S.A. dont il est le symbole solaire. »

42. À titre de curiosité, relevons les prévisions pour 1975 du Libanais Abdul Hafiz Attar, reproduites dans divers journaux, dont le *Daily Star* de Beyrouth: aggravation de la crise énergétique (le prix du pétrole doublera); terribles secousses sismiques au Liban et en Australie (ce continent sera rayé de la carte du monde par un tremblement de terre); bombardement par l'aviation israëlienne de La Mecque, la ville sainte de l'Islam (prélude à une troisième guerre mondiale); décès du président américain Gerald Ford, du premier ministre britannique Harold Wilson, du général Franco, du premier ministre rhodésien Jan Smith et assassinat par balle du président Mao Tsé-Toung... D'autre part, au cours de cette année particulièrement néfaste aux présidents, Miss Svetlana Godillo, une astrologue de Washington, « craint » que l'ex-président Nixon ne soit aussi assassiné (dans un parc d'attractions de Floride) et un confrère canadien éprouve les mêmes appréhensions au sujet du président français Valéry Giscard d'Estaing. Notons qu'aucun voyant ne semble avoir désigné nommément les trois premières victimes présidentielles de l'année 1975: Ratsimandrava (Madagascar), le roi Fayçal (Arabie), Tombalbaye (République du Tchad), sans compter le maréchal Tchang Kaï-Chek (Formose) décédé exceptionnellement sans l'aide d'un meurtrier.

Deux semaines après la parution de ces lignes, le 22 novembre 1963, Lee Oswald (ou un autre) changeait le cours de l'Histoire. On a dit et écrit que les astrologues qui « exécutent » périodiquement avec plus ou moins de bonheur telle ou telle personnalité politique, religieuse ou autre, s'étaient tous laissés surprendre par l'attentat de Dallas. C'est ignorer, involontairement ou non — dans les deux camps, on a à l'occasion la mémoire défaillante — une interview remontant au 21 décembre 1961 et publiée à l'époque par le journal *Vu et entendu.* Interrogée par M. Pierre Dumayet, de l'O.R.T.F., sur ce qu'elle prévoyait pour l'année suivante, une célèbre chirolo-astrologue parisienne, Mme Soleil, répondait: « Des ennuis graves en Amérique. Un racisme qui, mon Dieu, ne facilitera pas la tâche du président Kennedy — qui n'ira pas jusqu'à la fin de son mandat. » Et devant le scepticisme de son interlocuteur, elle avait insisté: « Il y a une fatalité sur cet homme ».

Astrologie et voyance

M. Jacques Bergier, coauteur du *Matin des Magiciens* et l'un des fondateurs de la revue *Planète,* fut arrêté en 1944 par les Allemands et déporté à Mathausen. À son arrivée, il n'y était question que d'un détenu astrologue qui avait prédit pour le 1er mai 1945 la libération de tous les prisonniers. Et au jour indiqué, les blindés américains se présentèrent à l'entrée du camp. Des succès aussi éclatants sont assez rares dans les annales de l'astrologie pour qu'un auteur qui rapporte aussi l'anecdote ne puisse s'empêcher d'ajouter: « Je connais tellement de prédictions d'astrologues modernes ou anciens qui se sont révélées fausses qu'il convient de saluer cette performance parfaitement datée et annoncée plus d'un an d'avance. »[43]

Ce qui nous frappe davantage, c'est le nom du déporté prophète de Mathausen, Alexandre Volguine. Car il s'agit bien du directeur des *Cahiers astrologiques* qui n'avait pas hésité, en septembre 1939, à affirmer que la guerre n'était pas inscrite dans le ciel européen. Comment imaginer raisonnablement qu'un même homme, un même praticien, utilisant vraisemblablement les mêmes méthodes de travail, puisse

43. Jacques Sadoul, *L'Énigme du zodiaque.*

aussi bien et aussi totalement s'enfoncer dans l'erreur que s'élever à la réussite? Si l'astrologie est essentiellement une science reposant en principe sur l'infaillibilité des chiffres, comment s'expliquer de tels écarts dans ses résultats?

Des études sérieuses (encore des statistiques!), entreprises notamment en Allemagne et aux États-Unis, ont établi sans doute possible que les prédictions d'un petit nombre d'astrologues — toujours les mêmes — s'avéraient parfois justes dans une proportion excluant tout hasard et que, chose curieuse, cela tenait plus à leur « talent » qu'à leur savoir astrologique. Qu'est-ce que le talent d'un astrologue? Les enquêteurs ont-ils voulu substituer cet euphémisme aux mots que, pour leur part, Jung et de nombreux parapsychologues n'ont pas craint de prononcer: clairvoyance et télépathie? En somme, dans un langage moins diplomatique, la question reviendrait-elle à se poser ainsi: certains astrologues — une poignée — ne seraient-ils pas des médiums qui s'ignorent ou préfèrent ne pas s'avouer tels?

Elic Howe, l'auteur anglais du *Monde étrange des astrologues* et lui-même astrologue occasionnel, laisse passer le bout de l'oreille: « Je regrette de ne pouvoir terminer ce livre sur des conclusions précises et définitives. Les preuves dont on dispose indiquent qu'on peut déduire certaines informations d'un horoscope, mais je ne puis expliquer pourquoi. » Mme Luce-Claire Muriel, astrologue aussi, va un peu plus loin: « Il faut s'inspirer des enseignements astrologiques, mais ne jamais les copier car l'interprétation doit jaillir du cerveau de l'astrologue lui-même. »[44] Est-ce un demi-aveu qui autorise à supposer que tout l'arsenal de l'astrologie, du moins dans son option purement prévisionnelle, ne serait en définitive, les astres n'y étant pour rien, qu'un support de voyance, une mancie parmi les autres?

Nous verrons plus loin que la voyance n'est pas forcément une faculté permanente et native, et ne se révèle soudain chez certains individus qu'à la suite d'un choc physique ou émotionnel tel qu'un accident, une maladie, la perte d'un être cher ou tout autre événement dramatique comme, par exemple, la guerre. Cela pourrait peut-être expliquer tout à la fois les échecs d'un astrologue déjà doué de médiumnité et la performance soudaine de celui qui ne l'était pas encore.

44. Cité par Robert Tocquet, *Les Pouvoirs secrets de l'homme* (1963).

Quelques opinions (pour ou contre)

« Vingt années d'études ont convaincu mon esprit rebelle de la réalité de l'astrologie. »

— JOHANNES KEPLER (1571-1630)

« Pour les mauvaises doctrines, je pense déjà connaître assez ce qu'elles valent pour n'être plus sujet à être trompé ni par les promesses d'un alchimiste, ni par les prédictions d'un astrologue; ni par les impostures d'un magicien, ni par les artifices ou la vanterie d'aucun de ceux qui font profession de savoir plus qu'ils ne savent. »

— DESCARTES, *Discours de la méthode (1596-1650)*[45]

« Quand on conviendrait qu'en conséquence de la liaison qui est nécessairement entre tous les êtres de l'univers, il ne serait pas impossible qu'un effet relatif au bonheur ou au malheur de l'homme dût absolument coexister avec quelques phénomènes célestes, en sorte que l'un étant donné, l'autre résultât ou suivît infailliblement — peut-on jamais avoir un assez grand nombre d'observations pour garder en pareil cas quelque certitude? »

— DIDEROT, *L'Encyclopédie,* au mot « *astrologue* » (1713-1784)

« Méfiez-vous des Cassandre, âmes couchées. L'homme véritable se secoue et fait l'avenir. »

— ALAIN, philosophe (1868-1951)

« Nous sommes nés à un moment donné, en un lieu donné, et nous avons, comme les crus célèbres, les qualités de l'air et de la saison qui nous ont vu naître. L'astrologie n'en prétend pas davantage. »

— C. G. JUNG, *L'Homme à la recherche de son âme* (1875-1965)

45. Notons qu'au nom du matérialisme, Descartes nia également le principe de la circulation du sang découvert par l'Anglais William Harvey, l'existence du vide démontrée expérimentalement par Pascal, les lois de Galilée sur la chute des corps et les mouvements de la Lune, etc. Puis, se croyant illuminé par le ciel, il se rendit en pèlerinage dans une église parisienne.

« En dépit de tous les arguments défavorables à l'astrologie — et ils sont nombreux — le fait demeure que quelques astrologues, et il y en a peu, ont le pouvoir inexpliqué d'analyser avec précision les caractères d'un individu et sa personnalité, tels que les leur révèle le symbolisme cosmique de l'horoscope. » — LOUIS MAC NEICE

« Les influences que j'admets sont *globales,* leur action se fait sentir non sur des individus en particulier mais sur tous les sujets et ceux-ci réagissent plus ou moins selon leurs tendances organiques héréditaires et aussi, en bien des cas, suivant l'emprise de leur volonté éclairée par l'intelligence. »

— Abbé MOREUX

« Face à la science, l'astrologie moderne, comme celle d'hier, reste une doctrine imaginaire. Prédire l'avenir en consultant les astres, c'est tromper le monde ou bien se tromper soi-même. »

— MICHEL GAUQUELIN

« Je me refuse à croire que tout cela est charlatanisme. Sans doute n'y a-t-il là rien de fatal. Selon la phrase latine, les astres inclinent, ils ne déterminent pas. » — GABRIEL MARCEL, philosophe.

Le prix Goncourt et l'Astrologue

« Je pense que c'est une erreur de l'esprit que de repousser le fait astrologique à partir d'une position rationaliste, positiviste ou marxiste (...) Il y eut des papes et des rois astrologues. Or, tout système de pensée qui fut important pour l'histoire humaine mérite d'être considéré et apprécié, conservé, adapté, utilisé (...)

Je n'avais jamais consulté d'astrologue avant cette Autrichienne installée à Rome et qui, à onze mois de distance, m'annonça, pour le 6 décembre

1948, une constellation qui devait projeter sur ma carrière un éclat particulier et bénéfique.

Le prix Goncourt me fut attribué le 6 décembre 1948. »[46]

— MAURICE DRUON
Académicien français, ex-ministre des Affaires Culturelles, auteur des *Rois maudits*, des *Grandes familles*, etc.

---

46. *Janus*, n° 8 (octobre 1965).

V Voyance et voyants

Expériences personnelles

Dans *Ce soir à Samarcande,* l'auteur dramatique Jacques Deval fait dire à un personnage que certaines femmes voient l'avenir « comme une chatte y voit la nuit ». Michelet, lui, s'écriait, toujours excessif ou misogyne: « Pour un sorcier, dix mille sorcières! » Une statistique encore récente ramène cette proportion à un chiffre plus vraisemblable: vingt-neuf voyantes pour un voyant, ce qui est déjà impressionnant. Mais il n'est besoin que de fréquenter un peu les officines de la « sorcellerie » pour constater bientôt que l'effectif féminin de la profession est largement majoritaire. Outre que les femmes, par nature, offrent un terrain plus propice à la médiumnité, une autre raison explique peut-être cette suprématie numérique. Dans la plupart des cas petit métier subsidiaire aidant à boucler le budget familial, la voyance, authentique ou non, se pratique commodément chez soi et n'empêche nullement, entre deux fuites dans le futur, de vaquer aux tâches ménagères.

Immanquablement séduite par la dernière « bonne adresse » communiquée par quelque enthousiaste aussi incorrigible, nous nous sommes retrouvée maintes fois dans une salle à manger, une chambre ou une cuisine convertie pour la circonstance en cabinet de consultation. Presque aussi souvent, d'ailleurs, nous sommes repartie déçue, mais plus riche d'un souvenir ou d'une anecdote pittoresque. Il y a eu cette « stakhanoviste » de l'occultisme qui, un oeil sur la pendule, abattait régulièrement son « pigeon » en quinze minutes, dans un vacarme étourdissant de chants de canaris en cage, de sonneries de téléphone mêlées au timbre de l'entrée, et qui, de plus, prenait elle-même les communications et faisait office de portière. Elle nous réclama 10 dollars pour quelques « illuminations » dont elle se montra très fière et qui tombaient toutes à côté, et nous mit rapidement dehors parce qu'on faisait queue dans son antichambre.

Il y eut cette cartomancienne qui vendait accessoirement des talismans infaillibles contre l'intempérance et les infidélités de « l'homme aimé » et avait décidé que c'était là notre problème. Elle vendait ainsi astucieusement au prix fort les rebuts de sa garde-robe dont elle avait une pleine armoire et qu'elle disait imprégnés de son fluide. Alors que nous hésitions, jouant le jeu, à donner 300 dollars d'un antique manteau deux fois trop vaste pour nous, elle rétorqua sans se démonter qu'il n'était pas nécessaire de le porter et qu'en le touchant simplement, chaque matin, le charme serait aussi efficace. Notre marchandage mesquin continuant malgré tout, elle extirpa dédaigneusement de sa friperie un pullover défraîchi, déjà nettement moins coûteux bien que tout autant chargé de magie. Nous l'avons laissée avant qu'elle nous propose son grigri de dernier choix, sans doute quelque sous-vêtement magnétisé, décoloré par les lessives.

Nous nous rappelons aussi cette charmante vieille dame grabataire qui consultait dans sa chambre où stagnait un air épais. Protégée par une surdité à toute épreuve et son appareil accoustique étant en panne ce jour-là, elle ne cessait de s'interrompre de manipuler ses cartes pour fourgonner en marmonnant dans une boîte à biscuits remplie de piles hors d'usage. Comme nous lui tendions ses honoraires pour abréger la séance, elle s'en saisit avec une joie enfantine, s'écriant qu'elle allait pouvoir s'acheter une pile neuve et que, la prochaine fois, sa « sono » remise en état, elle nous étonnerait par sa science.

Il y eut encore cette extralucide qui monnayait l'avenir selon un tarif progressif: plus on désirait en savoir et plus il fallait payer. Il y eut également... mais il y en a eu tant d'autres. Cependant, si la quête est longue et décourageante, il peut arriver — rarement — de faire des « découvertes » qui récompensent l'obstination et ne manquent pas de laisser songeur.[1]

Rencontre avec une voyante

La guerre a marqué Mme M. G. qui est lituanienne et juive. Elle a vu les occupants nazis torturer l'une de ses parentes, voyante célèbre dans son pays, pour l'obliger à dénoncer les

1. Sans complaisance pour la profession, une voyante parisienne bien connue du monde du spectacle a déclaré que sur vingt-trois de ses confrères et consoeurs consultés à propos d'un problème personnel, deux seulement « étaient tombés juste ». (Elisabeth Antebi, *Ave Lucifer*, Calmann-Lévy, 1970)

membres d'un réseau de résistance. Elle vit aujourd'hui en Amérique et si elle pratique elle-même la voyance, c'est un peu par nécessité thérapeutique, car si elle reste quelques jours sans dire ce qu'elle appelle avec humour ses « stioupidities », des migraines intolérables ne tardent pas à la harceler. Cela advient en général quand le ciel est dégagé et clair. Au contraire, si le temps est sombre, elle ne capte aucun « cliché » et c'est pour elle un grand repos. Elle réagit aussitôt aux maux physiques les plus cachés de ceux qui l'approchent, éprouvant les mêmes douleurs pareillement localisées. Réciproquement, dès qu'on est en sa présence, on ressent l'impression curieuse d'une fulgurante onde de chaleur dévalant au long des vertèbres. Des personnalités du monde politique, des affaires, de la finance et aussi des policiers ne dédaignent pas de recourir à ses services. Comme support de voyance, elle utilise les tarots avec un peu de chiromancie. Il ne lui est possible de « travailler » que dans le calme le plus absolu. Le moindre bruit provoque en elle comme une souffrance et il lui faut ensuite de longues minutes de silence pour retrouver sa concentration. Mme M. G. « lit » les prénoms ou les patronymes des diverses entités qui traversent ses visions — ou n'en distingue que quelques lettres, mais dans ce cas, ordinairement, les noms se complètent plus tard.[2] Ne parlant que l'anglais et sa langue maternelle, si l'une de ses « voix intérieures » échappe à son entendement, il lui arrive de la transcrire sur le papier par un mot ou une phrase d'un idiome ignoré d'elle, mais toujours familier à la personne qui la consulte. Enfin, un « cliché » étranger à celle-ci peut s'imposer brusquement dans son esprit, interceptant tous les autres, et elle doit s'en débarrasser avant de pouvoir poursuivre. Nous l'avons vue interrompre une consultation pour décrire brièvement un visiteur, assis sur tel siège dans la pièce voisine, et demander qu'il entre au plus vite. Elle venait de recevoir un « message » le concernant.

Lors de notre première entrevue, entre autres choses personnelles, Mme M. G. nous parla de nos deux soeurs et de nos deux frères en les prénommant sans erreur et dépeignit en détail la maison de notre enfance, y situant exacte-

---

2. Une voyante montréalaise, Mme Jeanne de Grasse, nous a dit aussi voir s'inscrire des initiales au-dessus des visages inconnus qu'elle perçoit dans ses transes.

Chiromancien donnant une consultation (XVIe siècle).

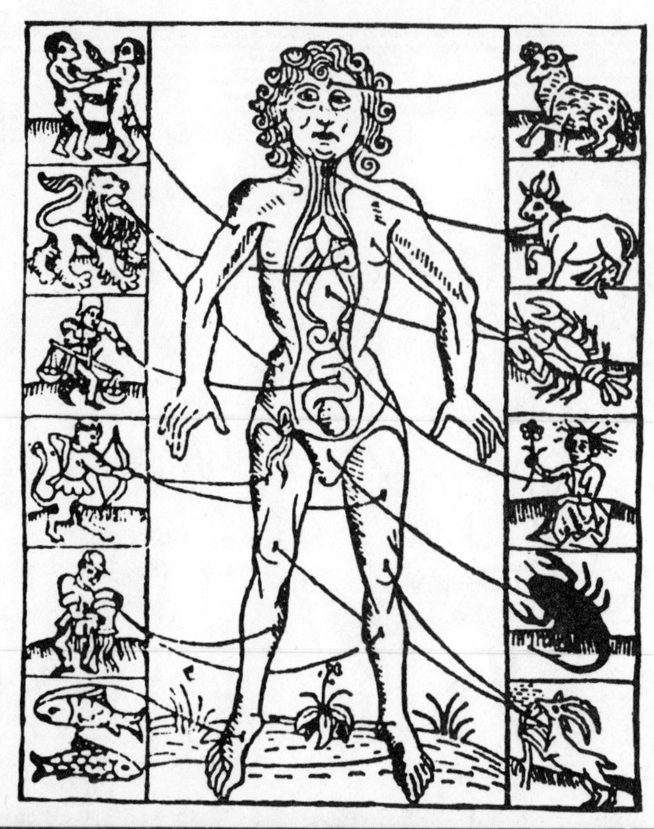

Médecine
astrologique
(XVe siècle).

Foire annuelle
de l'occultisme
à Montréal.

Napoléon 1er. Le « Petit Homme rouge des Tuileries » lui prédit-il qu'il serait empereur?

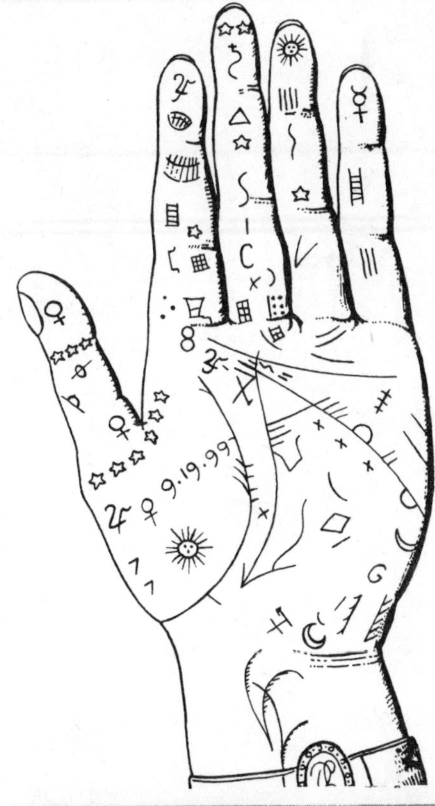

La main astrologique de Napoléon 1er d'après Mademoiselle Lenormand.

Hitler et Eva Braun, ou de l'Histoire au musée de cire.

HOROSCOPES D'UN ÉCRIVAIN ET D'UN DICTATEUR

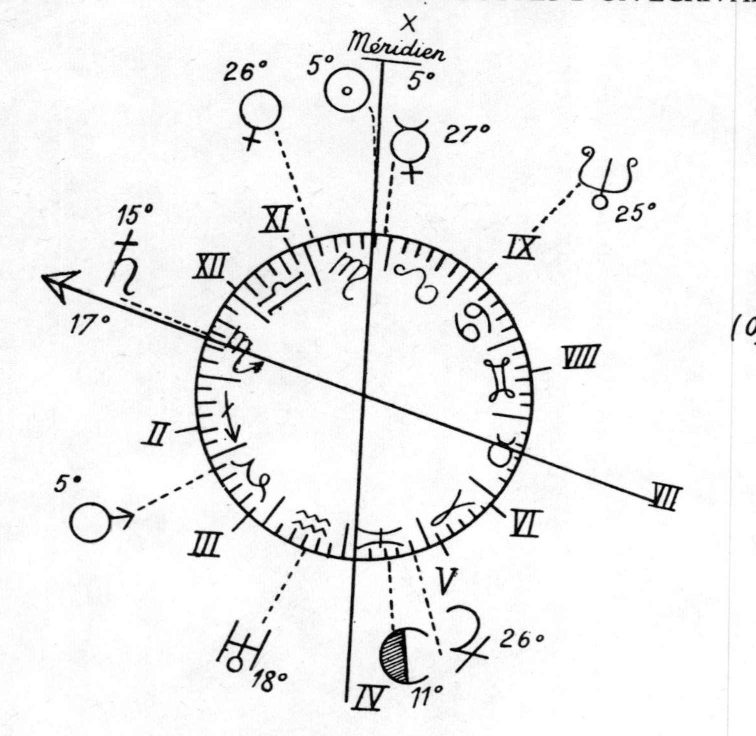

HOROSCOPE DE GŒTHE

Thème natal de Wolfgang GŒTHE, (28 août 1749, midi). Exactement sur l'axe du Méridien, Le SOLEIL (☉), présage de célébrité, encadré par Mercure (☿) planète de l'intelligence et de la littérature, et par Vénus (♀), planète de la poésie et de l'art. A l'Orient se lève SATURNE (♄), planète des méditations profondes, dans le Scorpion, signe de l'Occultisme et des métamorphoses — et aussi de la Médecine et de l'Alchimie.

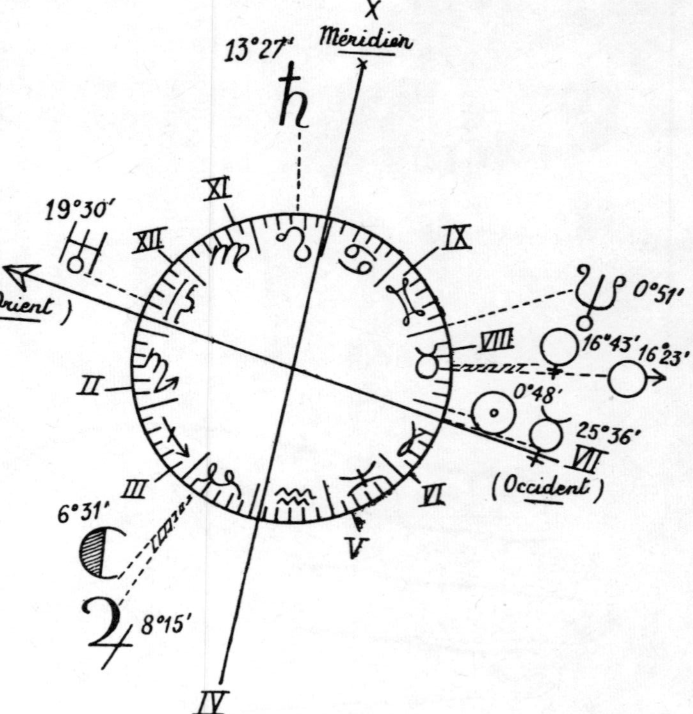

HOROSCOPE D'HITLER

Thème natal d'Adolf Hitler (20 avril 1889 à 18 h 21' à Braunau). On voit au Méridien SATURNE (♄), présage d'élévation suivie de chute. A l'Orient URANUS (♅), planète des novateurs, mais aussi des instables. Un important groupe planétaire (SOLEIL, MERCURE, MARS, VÉNUS) occupe, à l'Occident, la maison VII, celle de la vie publique, des associés, des partenaires et des ennemis.

« J'annonce vérité simplement et sans pompe
Et mon présage vrai nullement ne me trompe. »
— NOSTRADAMUS

Jean Manolesco: une « victime » du règlement 4.176.

Antoine, le Montréalais à quatre pattes qu'un médium parisien, Mme A.G., a pu « voir » à distance ainsi que le vétérinaire qui le soignait.

ment notre chambre dont elle indiqua la disposition et la couleur de la tapisserie. Précisons que nous nous trouvions avec elle dans un appartement de Montréal et qu'elle évoquait ainsi un pavillon de la banlieue parisienne qui a fait place depuis à une construction neuve. Ce jour-là, ses « voyances » s'avérèrent justes neuf fois sur dix. Nous ne l'avons prise en défaut que lorsque nous posions des questions auxquelles elle s'efforçait de répondre, peut-être pour nous satisfaire, mais qui ne devaient éveiller aucun écho dans son subconscient...

Un chat et un vétérinaire

C'est à Paris, en août 1974, dans un salon bourgeois et paisible d'un quartier de la rive gauche encore quasi provincial, que nous avons connu un autre de nos étonnements. Hôtesse accomplie, Mme Anne G. n'accepte de donner que deux ou trois consultations quotidiennes, dont le bénéfice va à ses « oeuvres », et rien en elle ni autour d'elle ne laisse soupçonner l'exercice d'une « science » où elle s'est fait une réputation qui a traversé l'océan. Durant deux heures, nous avons conversé agréablement de choses et d'autres, mais, de temps en temps, notre interlocutrice paraissait sombrer tout à coup dans un court sommeil hynoptique et analysait d'une voix altérée le message médiumnique qu'elle venait de percevoir. C'est au cours d'une de ces transes fugitives qu'après avoir esquissé le geste, incongru chez elle, de se gratter avec énergie sous l'oreille droite, elle nous entretint de notre chat Antoine qui, resté à Montréal, souffrait effectivement d'une otite à l'oreille droite et se grattait à tout instant d'une patte frénétique. Elle dit son caractère assez exceptionnel, sa gourmandise insatiable qui lui donnait un excès de poids, ce qu'il convenait de faire pour y remédier et, sur sa lancée, décrivit avec exactitude le docteur Lubrina auquel nous l'avions confié. C'était si inattendu qu'un silence s'ensuivit. Mme Anne G. avait rouvert les yeux et semblait aussi stupéfaite. Choquée, elle nous assura que c'était la première fois qu'elle « communiquait » avec un chat...

Considérations sur la profession

« Quand j'entre en extase, j'ai près du coeur comme le sentiment que l'âme se détache, et cette séparation se produit ensuite par tout le corps, surtout par la tête et le cerveau. Après cela, je n'ai plus notion d'aucune sensation, excepté celle de me sentir hors de mon corps. » C'est ainsi que l'Italien Jérôme Cardan analysait au XVIe siècle la transe médiumnique, ajoutant avec un plaisir évident que, parvenu à ce stade, il ne ressentait plus les attaques de goutte qui le tourmentaient habituellement.

Nous ignorons si ses confrères d'aujourd'hui entérinent sans restriction ses observations cliniques, mais ils sont quelques-uns, et non des moindres, à admettre que le phénomène, d'ailleurs épuisant, est loin de se renouveler aussi fréquemment que l'exigerait une clientèle toujours plus avide de divination.[3] Il y a peut-être des exceptions: nous verrons des grands médiums, tels que Cayce, Croiset ou Hurkos, qui semblent disposer de leur don comme d'un sixième sens permanent. Néanmoins, et l'on s'en doutait avant cet aveu, il reste que la voyance pure ne se prête guère, en principe, à des horaires rigides de bureau et rien ne garantit sa présence aux rendez-vous qu'elle donne souvent plusieurs semaines d'avance dans certaines officines abondamment achalandées.[4]

Comment le consultant[5] se tire-t-il alors d'affaire quand la grâce l'abandonne momentanément, s'il en a jamais été visité? Il est peu d'exemples où l'on en ait vu un déclarer

---

3. Edith Mancell, *Le Don de lumière.*
4. Notons que la voyance est souvent stimulée par un contact humain, en l'occurence le sujet sur lequel elle doit s'exercer, surtout si celui-ci a une existence particulièrement pleine et variée. Cela expliquerait le peu de valeur des horoscopes électroniques ou dressés par correspondance, ainsi que le vague de leurs pronostics plus ou moins habilement nappés du jargon ronflant de l'astrologie commerciale. Ce serait aussi la raison qui ferait qu'il est plus facile à un voyant de prévoir un destin individuel que des événements d'ordre général. Enfin, à propos de l'occultisme mercantile, citons cette curieuse confidence de l'Américain Edgar Cayce: « Toute personne a un don psychique, mais ce don s'éloigne devant la préoccupation du gain matériel. » Chaque fois qu'il acceptait de prédire quelque opération spéculative, laquelle s'avérait toujours très profitable pour l'intéressé, il avait remarqué qu'il perdait provisoirement son « pouvoir ». Un jour, étant dans le besoin et ayant participé avec des amis à l'achat d'un terrain pétrolifère qu'il avait repéré lui-même au cours d'un sommeil hypnotique, il constata que seul son lot ne recélait aucune goutte d'or noir. (Joseph Millard, *L'Homme du mystère*)
5. Le consultant est celui qui donne la consultation et non celui qui la sollicite, comme il est dit souvent improprement.

sportivement forfait et remettre ses consultations à une date ultérieure tout aussi aléatoire. De tels excès de probité professionnelle, interprétés comme une carence, auraient tôt fait d'ailleurs de vider son salon d'attente.

Mais, disons dans l'idéal, un voyant a d'autres ressources. Il se doit de posséder une puissante intuition capable de saisir, si possible en un instant, ce qu'un psychologue ou un psychiatre pourraient mettre des mois à découvrir scientifiquement. Il sait ce qu'attendent de trouver en lui la plupart des anxieux et des candidats à la névrose qui défilent dans son cabinet: une sorte de surhomme au cerveau universel pouvant d'un coup de sa baguette magique solutionner tous leurs problèmes.

L'expérience lui a appris à classifier leur foule inquiète, composée d'autant d'hommes que de femmes entre la trentaine et la soixantaine. Jusqu'à quarante ans, les premiers ne s'intéressent presque exclusivement qu'à leur carrière. À cinquante, celle-ci réussie ou non, ils commencent à se demander s'ils n'ont pas passé à côté d'autre chose de plus important. C'est l'âge désabusé des examens de conscience, d'une certaine nostalgie née de la lassitude, des désirs secrets d'évasion, des curiosités troubles trop longtemps refoulées et annonciatrices des tentations du démon de midi. Chez les femmes, au contraire, le romanesque prime, mais, la quarantaine venue, elles sont prises de panique devant l'autre versant de leur vie et, refusant l'inévitable, entendent lutter par tous les moyens. Pour tous, en général, la mort n'est pas une grande préoccupation, à moins qu'il ne s'agisse de celle des autres, celle qui pourrait mettre fin à une union devenue pesante, libérer une place convoitée ou un héritage tardant à combler leurs voeux. Et quand on ne le sollicite pas ouvertement de faire un peu de magie noire, le consultant surprend parfois dans un regard comme une invitation candide à seconder la fatalité.

Il a tout vu, tout entendu dans son bureau-confessionnal. On peut aussi bien l'entretenir d'un ennui de santé que de l'éducation d'un enfant, d'un procès à plaider ou d'une crise mystique, toutes choses qui, dans un monde plus logique, seraient du ressort du médecin, de l'orienteur, de l'avocat ou du prêtre. Mais il lui faut répondre à tout, conseiller, aplanir, modérer, redonner confiance et, surtout, rester prudent et mesurer ses responsabilités. Car tout ce qu'il dira sera recueilli précieusement, ruminé, décanté, tourné et retourné — et peut-être compris de travers avec les conséquences que cela implique. La moindre phrase pouvant prêter involontairement à confusion sera toujours traduite par l'intéressé dans le sens que celui-ci désire.[6]

Il est un autre danger contre lequel des observateurs mettent en garde les piliers des antichambres de devins. Ces derniers ne sont que des hommes et des femmes qui ont aussi une vie privée et des problèmes personnels. Or nombre d'entre eux auraient une fâcheuse propension à « projeter » inconsciemment sur ceux qui viennent les consulter leur propre image et leurs complexes: excès d'embonpoint, mortifications diverses, insatisfaction sexuelle, androphobie ou misogynie et autres inhibitions pouvant altérer leur jugement et devenir communicatives. Une professionnelle, Mme Françoise Robin, va même jusqu'à dire que « tous les voyants devraient se faire psychanalyser ». Nous lui laisserons naturellement toute la responsabilité d'une affirmation aussi inquiétante, nous réservant de penser qu'auprès de certains psychiatres le risque n'est souvent pas moins grand.[7]

Comment devient-on voyant?

Une chronique moyenâgeuse prétend que, dès son enfance, sainte Hildegarde, qui fut abbesse des bénédictines de Rupertsberg, en Rhénanie, « voyait les choses futures comme si elles étaient présentes ». Le duc de Saint-Simon relate dans ses *Mémoires* un cas semblable de médiumnité précoce dont il eut connaissance par le duc Philippe d'Orléans. En 1706, la maîtresse de celui-ci, Mlle de Séry, avait recueilli chez elle une orpheline âgée de huit ans qui lisait l'avenir dans le verre d'eau et le futur régent, impatienté comme beaucoup de

6. Les obscurités ou les tournures à double sens, utilisées sciemment dans le doute, sont des artifices vieux comme la profession et ainsi, quoi qu'il arrive, le voyant a toujours raison. Ce n'est pas pour rien que du mot *sibylle* (prophétesse) on a tiré l'adjectif *sibyllin*. Cicéron rappelle l'exemple de Pyrrhus II, roi d'Épire, qui fit la guerre à Rome sur la foi de l'oracle de Delphes et subit une cuisante défaite à Bénévent en 275 avant J.-C. La prédiction avait stipulé: « Aio te, Aecide, Romanos vincere posse » et il réalisa seulement que cela pouvait tout aussi bien signifier: « Je dis que tu peux vaincre les Romains » que « Je dis que les Romains peuvent te vaincre ».
7. Elisabeth Antebi, *Ave Lucifer*.

Français par la longévité abusive de Louis XIV, avait prié la fillette de « voir » la mort du vieux monarque.

« Alors, nous dit Saint-Simon, elle fit avec justesse la description de la chambre du roi à Versailles, et de l'ameublement qui s'y trouva, en effet, à sa mort; elle le dépeignit dans son lit, et ceux qui étaient debout auprès de son lit ou dans la chambre: un petit enfant avec l'Ordre tenu par Mme de Ventadour — sur laquelle elle se récria l'avoir vue chez Mlle de Séry. Elle leur fit connaître Mme de Maintenon, la figure singulière de Fagon, Mme la duchesse d'Orléans, Mme la princesse de Conti...[8] Quand elle eut fini, M. le duc d'Orléans, surpris qu'elle ne leur eut point fait connaître Monseigneur, M. le duc de Bourgogne, Mme la duchesse de Bourgogne ni M. le duc de Berry, lui demanda si elle voyait des figures de telle et telle façon. Elle répondit constamment que non. L'événement l'expliqua: tous quatre étaient alors en pleine vie et tous quatre étaient morts avant le roi. »[9]

Il ne manque pas d'exemples de manifestations paranormales observées chez des enfants, même très jeunes. À quatre ans, l'Américain Edgar Cayce, que nous aurons l'occasion de retrouver, avait de longues « conversations » avec son grand-père qui s'était noyé accidentellement sous ses yeux. À onze ans, le voyant soviétique Wof Messing, qui se destine au rabbinat pour obéir à Dieu qui lui est apparu, découvre par hasard que cette merveilleuse « vision » n'a été qu'une mauvaise farce montée par son père pour le rendre plus studieux. Bouleversé, il s'enfuit de chez lui, prend sans billet le train de Berlin et présente un fragment de journal au contrôleur qui le poinçonne sans hésiter et souhaite bonne route au resquilleur. En 1939, sur l'ordre de Staline qui veut vérifier son pou-

---

8. La jeune catoptromancienne décrit ainsi le futur Louis XV décoré de l'Ordre du Saint-Esprit (il naîtra seulement quatre ans après la prédiction, en 1710, et aura cinq ans à la mort du souverain); sa gouvernante, Mme de Ventadour; le médecin Fagon, etc.
9. Louis XIV mourut en 1715. En l'espace de quatre années, il avait vu disparaître, emportés par la maladie, Monseigneur le prince héritier, son fils (1711); son petit-fils le duc de Bourgogne ainsi que la femme de celui-ci (à quelques jours d'intervalle, en 1712); et son dernier petit-fils, le duc de Berry (1714). Survécut seul le troisième fils du duc et de la duchesse de Bourgogne qui succéda sur le trône à son bisaïeul. Une telle hécatombe familiale fit soupçonner un moment Philippe d'Orléans, oncle du petit roi, d'avoir aidé un peu le destin pour accéder à la régence.

voir de suggestion hypnotique, Messing se fera remettre 100 000 roubles au guichet d'une Banque d'État en échange d'un simple bout de papier blanc. Mais, complication non prévue par lui, lorsqu'il ira rendre l'argent, une fois son exploit homologué, le malheureux caissier tombera raide, frappé d'un infarctus.[10]

Dans la revue *Planète* (No 40, mai 1968), M. Aimé Michel cite le cas du jeune frère d'une personnalité politique française qui, s'étant brisé le crâne en plongeant dans une piscine, délira pendant une semaine dans un latin académique, langue dont il commençait à peine d'apprendre les rudiments. Devenu berger à douze ans, à la mort de ses parents, le mage Frédéric Dieudonné « voit » flamber la ferme de ses employeurs, située à plusieurs kilomètres du pré où il garde son troupeau, et donne l'alerte à temps pour qu'on éteigne le début d'incendie. La célèbre Mme Soleil, de Paris, qui « sait » qu'elle mourra dans la rue, probablement assassinée, et que le monde s'achemine vers une grande renaissance spirituelle, répond au journaliste Pierre Dumayet: « Ça remonte à mon enfance. Quand je disais: « Il va arriver ça », il arrivait ça. Un jour, j'ai dit: « Le château brûlera ». Et il a brûlé. »[11] M. Belline n'avait qu'une dizaine d'années lorsqu'il prédit à la mère d'un petit aveugle que celui-ci recouvrerait la vue miraculeusement.[12] M. Mario de Sabato, autre voyant parisien bien connu, se souvient qu'une nuit de guerre de 1940, à Bordeaux, alors qu'il venait d'avoir sept ans et que ses parents s'étaient déjà séparés, on le conduisit dans une tranchée-abri, tandis que l'aviation allemande bombardait la ville. Saisi d'une angoisse soudaine, il réussit à persuader sa mère adoptive ainsi que la douzaine de voisins qui s'étaient réfugiés là de rentrer chez eux au plus vite. Et quelques instants plus tard, une bombe écrasait l'abri...[13]

10. Wolf Messing, *Souvenirs* (publiés dans la revue soviétique *Science et religion*, juillet 1968).

11. *Vu et entendu* (21 décembre 1961).

12. M. Belline est l'auteur d'un livre extrêmement troublant, *La Troisième Oreille* (Laffont, 1972). Il y rapporte une tragique expérience personnelle, identique à celle vécue par l'évêque Pike, et les dialogues qu'il eut avec l'esprit de son fils, mort à vingt-deux ans, vingt mois auparavant, des suites d'un accident de la route.

13. Mario de Sabato, *Confidences d'un voyant* (Librairie Hachette, 1971).

« Cette faculté (la voyance) est exceptionnelle, a écrit Alexis Carrel dans *L'Homme cet inconnu.* Elle se développe chez un petit nombre d'individus. Mais elle existe à l'état rudimentaire chez beaucoup de gens. » Il semble que, chez l'enfant comme chez l'adulte, le déclenchement du mystérieux processus des phénomènes para-psychiques soit provoqué ou favorisé le plus souvent par un tempérament mystique, un état morbide, une grande réceptivité à la souffrance d'autrui,[14] un traumatisme violent ou encore un choc affectif, certains de ces facteurs pouvant agir conjointement.

Ce serait seulement à l'âge de trente-six ans, en 1539, que Nostradamus aurait fait ses premières prédictions qui devaient le conduire à composer ses *Centuries.* Établi médecin à Agen et ayant perdu coup sur coup ses deux enfants et sa femme emportés par une épidémie, il entreprit de voyager pour tenter d'oublier son chagrin.[15] Et un jour, disent ses biographes, il croisa sur sa route un novice cordelier devant lequel une impulsion irrésistible le porta à s'agenouiller pour révérer en l'inconnu un futur pape. Le jeune moine, qui s'appelait Felice Peretti, crut avoir affaire à un aimable illuminé, mais quarante-six ans plus tard il recevait la tiare sous le nom de Sixte V ou Sixte-Quint.[16] L'aventure de l'ouvrier peintre hollandais Peter Hurkos n'est pas moins curieuse. En 1943, il se fractura le crâne en tombant de son échelle et quand il reprit connaissance à l'hôpital, il s'aperçut avec stupeur qu'il « lisait », même involontairement, dans la pensée des autres patients. En 1964, devenu entre-temps un auxi-

---

14. Nous avons vu une consultante — et l'exemple n'est pas isolé — porter vivement une main à son ventre avec une grimace de douleur en accueillant pour la première fois une visiteuse qui souffrait d'une ovarite.
15. Dans le contexte contemporain, citons les exemples des voyants Pascal Forthuny et Edith Mancell qui auraient vu se développer leur don après la perte d'un enfant.
16. Ce que Nostradamus n'avait pas prévu ou avait tu par déférence, c'est que Sixte-Quint mourut empoisonné par une faction de cardinaux dans la cinquième année de son pontificat, ajoutant ainsi son nom à l'interminable liste des papes trépassés de mort violente: Jean VIII, Jean X, Jean XII, Boniface VI, Étienne VI, Jean XIV, Clément II, Damase II, Célestin IV, Alexandre VI (qui, au cours d'un banquet, but par distraction le vin vénéneux qu'il destinait à un convive), Pie III, Léon X, Adrien VI, Urbain VII, Grégoire XIV, Clément XIV et quelques autres encore. (Pol Chantraine, *La Vie mouvementée des papes,* Éditions Vert Blanc Rouge, Québec)

liaire précieux pour la police, il sera appelé à Boston pour aider à dépister le fameux étrangleur de femmes.

Il est admis que certaines drogues peuvent aussi solliciter ou stimuler la voyance. Dans l'ancienne Grèce, à Delphes (aujourd'hui le village de Kastri), la Pythie, prêtresse du Temple d'Apollon, rendait ses oracles assise sur un trépied d'or, environnée de vapeurs d'encens produites par la combustion de plantes vraisemblablement hallucinogènes. Après avoir absorbé des champignons « sacrés » appelés *kisos,* les *curanderos* du Mexique (sorciers-guérisseurs indiens) ont la réputation de savoir si un malade se rétablira ou non, et de retrouver les objets volés ou les personnes disparues. Le journaliste américain Ed Samson, rédacteur au *Boston Globe,* avait la particularité de trouver dans l'alcool ses transes médiumniques. Le 11 août 1883, encore ivre d'une beuverie nocturne, il décida de faire une manchette sensationnelle avec sa dernière prédiction: une éruption volcanique allait se produire en Indonésie, entre Sumatra et Java, et provoquerait la mort de dizaines de milliers de gens. Rendu furieux par la lecture de l'article, le propriétaire du journal ordonna à Samson de publier un démenti, mais des dépêches arrivèrent dans la soirée, annonçant que l'explosion du volcan Perbuatan, situé au sud de Sumatra, avait détruit partiellement l'île de Krakatau et fait 36 000 victimes.

Toutefois, la plupart des occultistes ignorent ou prétendent ignorer — et on ne saurait le leur reprocher — l'origine possible de leurs pouvoirs métapsychiques. Cheiro, l'extralucide de la haute société anglaise victorienne, coupait court à toute curiosité en affirmant que c'était pour lui chose naturelle. Ce qui était peut-être exact, car il ne sut pas davantage expliquer pourquoi, à quarante ans, en 1906, il perdit brusquement son don. Au cours de notre enquête dans la province québécoise, un guérisseur-voyant, chez qui l'on prenait son tour sans rendez-vous et anonymement, nous cloua littéralement sur le seuil de son bureau en nous interpellant ainsi: « Mademoiselle Mady ou Maly, vous n'êtes pas malade. Vous venez pour me questionner, mais je ne vous répondrai rien. » À défaut de révélations intéressantes, cette identification aussi immédiate que déconcertante nous fit penser qu'il devait être très fort. À moins que, doué d'une excellente mémoire visuelle, il n'ait vu notre photographie sur l'un de nos précédents livres ou assisté par malchance à l'une de nos rares apparitions à la télévision.

« L'interprétation de la voyance est un art »

« Lorsque la forêt de Birnam marchera vers Dunsinane, alors ce sera la fin de Macbeth. »
— SHAKESPEARE

Aussi peu subtil que Macbeth dans l'art d'interpréter le jargon des sorcières[17] et son horoscope prévoyant qu'il périrait écrasé par la chute d'une maison, on dit qu'Eschyle crut bon, à soixante-neuf ans, de se retirer en rase campagne. Mais un aigle maladroit, qui avait kidnappé une tortue, lui laissa tomber sa proie sur la tête et l'illustre auteur des *Perses* et de *L'Orestie* connut ainsi, en l'an 456 avant J.-C., un trépas beaucoup plus original que celui de ses héros tragiques. Il y a aussi l'histoire de cet homme, condamné selon les astres à être tué par un cheval, qui avait eu toujours grand soin d'éviter tout rapport avec l'un de ces quadrupèdes. Jusqu'au jour où un coup de vent décrocha une lourde enseigne sur laquelle il n'eut même pas le temps de lire qu'il était passé par hasard devant *l'Auberge du Cheval noir*.

Bien que très certainement apocryphes, ces deux anecdotes que rapporte Collin de Plancy dans son *Dictionnaire infernal* n'en démontrent pas moins toute la difficulté de percer correctement les voies souvent malicieuses du destin. Les rêves prémonitoires peuvent également prêter à de regrettables erreurs d'interprétation. Valère Maxime, un très sérieux historien latin du Ier siècle nous conte cette savoureuse aventure survenue au père d'Annibal, le général carthaginois Amilcar Brusca. Alors que ses navires investissaient Syracuse, il entendit en songe une femme lui annoncer qu'il souperait en ville le lendemain. Sûr de la victoire, il commanda l'assaut dès l'aube, mais le dieu de la guerre lui fut contraire et s'il goûta néanmoins à la cuisine sicilienne, ce fut comme captif des Romains.

Ce problème de décryptage reste le grand souci de nos devins modernes. « Les clichés que nous recevons sont sans aucune précision, reconnaît Mme Françoise Robin, elle-même voyante, et le plus difficile n'est d'ailleurs pas de les recevoir, mais de les bien interpréter. » Étant allée consulter une collè-

17. On sait qu'une troupe ennemie, qui assiégeait son château, se camoufla sous des branches coupées et la forêt de Birnam parut ainsi se mettre en marche.

gue, elle eut la surprise de l'entendre s'écrier à l'adresse de l'amie qui l'accompagnait:

— Oh! Vous ferez un beau mariage! Vous épouserez un facteur!

Tout aussi interloquée, l'intéressée avait esquissé un sourire contraint, mais elle n'en convolait pas moins quelques mois plus tard avec l'homme de sa vie — un officier de marine. Ce dernier lui étant apparu dans sa vision vêtu d'un uniforme et coiffé d'une impressionnante casquette, la consultante en avait déduit un peu vite qu'il ne pouvait être que facteur, un fonctionnaire des Postes représentant pour elle le parti inespéré. Et Mme Robin ajoute que « toute l'excellence d'une prédiction dépend du degré de connaissances et d'évolution du voyant. »[18]

Cela paraît si évident que des occultistes italiens, réunis en congrès à Palerme, auraient envisagé la création d'une « Académie nationale » où seraient dispensés des cours de culture générale à l'intention de leurs confrères trop ignorants ou trop candides.[19] Mais est-ce vraiment la solution? Si l'on en croit certains observateurs, les médiums les plus doués sont le plus souvent des êtres simples, et la connaissance engendrant naturellement l'esprit critique, sinon le scepticisme, risque d'émousser leur réceptivité.[20]

M. Belline, déjà nommé, compare la voyance à « une illumination fulgurante », une sorte d'instantané photographique d'événements figurés sous une forme soit abstraite, soit réaliste. Toutefois, une représentation symbolique peut être plus explicite qu'une image concrète. Recevant l'acteur américain Tyrone Power, il « vit », l'espace d'un éclair, la main de celui-ci se refermer sur un coeur sanglant. Pour lui, l'allégorie était sans ambiguïté et, effectivement, deux années plus tard, une crise cardiaque foudroyait le comédien pendant le tournage d'un film. Par contre, en novembre 1963, quelques jours avant l'attentat de Dallas, ayant eu une vision de John F. Kennedy « se raidissant et rejetant la tête en arriè-

18. *La Confession d'une voyante célèbre,* propos recueillis par Marcelle Routier pour le magazine *Marie-Claire.*
19. *La Presse,* 21 décembre 1968 (Dépêche A.F.P.)
20. Aux États-Unis, une enquête de la *Mensa,* une association groupant des individus d'un quotient intellectuel supérieur, a établi que les phénomènes de perception extra-sensorielle étaient très rares chez ses membres.

re », il en avait conclu que le président des États-Unis allait être gravement malade. De l'avis de M. Belline, il y a davantage d'obscurités que de lumières dans les « messages » reçus par le devin et « l'interprétation de la voyance est un art ». Nous ajouterons: un art difficile.[21]

Le « rideau noir » et le fiancé qui n'existait pas.

Une catoptromancienne, Mme Rose Figuiola, a décrit également comment ces « messages » s'imposaient à elle. Fréquemment, trois fois sur quatre, des nuages ou un brouillard envahissent sa boule de cristal, puis s'évaporent lentement pour faire place à une image lumineuse, colorée ou non, évoquant « un minuscule écran de télévision ». D'autres fois, malgré toute sa concentration, la boule s'obstine à demeurer limpide mais, perçues par ce qu'elle nomme « l'oeil intérieur », des images aussi précises se forment alors dans son esprit et, souvent sans signification pour elle, sont parfaitement compréhensibles pour la personne qui la consulte. Mme Figuiola souligne aussi l'importance des allégories dans l'interprétation de la voyance. Un chêne majestueux, par exemple, symbolise la sécurité ou la prospérité; un arc-en-ciel annonce l'accomplissement d'un désir ou d'une promesse; les signes du zodiaque l'aident à situer les événements dans le temps, etc. Mais lorsqu'elle « voit » un rideau noir, elle sait par une longue expérience qui, affirme-t-elle, ne l'a jamais trompée, que le sujet intéressé mourra dans les sept jours à venir. Et dans ce cas, elle préfère arrêter la séance sous un prétexte quelconque.[22]

Mildred G. répondit un jour avec impatience à une visiteuse de notre connaissance qui ne cessait de l'interroger sur son fiancé:

— Que voulez-vous que je vous dise? Je ne le vois pas, il n'existe pas!

Le mariage devant être célébré quinze jours plus tard, la jeune fille prit le parti de s'en amuser. Et dans la semaine qui suivit, son fiancé se tua en voiture. La consultante n'avait-elle vraiment rien « vu » ou bien « le rideau noir » était-il déjà tombé, la dissuadant de parler?

21. *À la recherche du temps futur,* propos recueillis par Frédéric Royer *(Elle).*
22. George Langelaan, *Les Faits maudits* (Encyclopédie *Planète,* 1967).

Les deux mémoires

Parmi toutes les théories qui ont été échafaudées à propos du phénomène de la voyance, l'une peut séduire par son audace, encore qu'elle réfute le libre arbitre et implique nécessairement la thèse de l'homme « programmé ». Mais sans ce postulat et si le futur n'est pas déjà déterminé, comment concevoir le don de prémonition qui est censé permettre d'explorer l'avenir? Bref, nous aurions deux mémoires: l'une, claire et aisément explorable, qui se rappelle le passé; l'autre, obscure, ignorée et normalement impénétrable, *qui se souvient du futur.* Tous les événements de notre vie, de la naissance à la mort, s'y trouveraient en quelque sorte imprimés comme sur les bandes magnétiques d'un double ordinateur, passant de la seconde à la première à mesure de leur accomplissement. Mais une forte tension d'esprit (stimulée par le jeu des cartes, la boule de cristal, etc. ou simplement par l'ambiance de la consultation) serait susceptible à notre insu d'éveiller notre « mémoire obscure », et le voyant ne serait qu'un télépathe qui, captant et interprétant des images pour nous indiscernables, nous ouvrirait ainsi la porte sur l'avenir. Cela n'explique pas toutefois que certains consultants puissent opérer à distance sur des sujets non prévenus ou même décédés.

Le portrait de l'Étrangleur

En arrivant à Boston où le sadique aux treize meurtres continuait de semer la terreur, Peter Hurkos déclara aux enquêteurs qu'il voyait passer des images « comme à la télévision » et que son travail se bornerait à leur dire « comment elles passent ». Mâchonnant l'un de ses gros cigares hollandais et un whisky sur glace à portée de la main, il procéda par psychométrie, sa méthode habituelle, et tout en palpant les vêtements d'une victime, s'attaqua aussitôt au portrait de l'assassin. Les magnétophones de la police ont enregistré ses paroles dont nous résumons l'essentiel:

> « Je sens l'homme qui a tué. Je le vois... (Un détective lui demande s'il s'agit d'un homme de couleur) Non, c'est un Blanc, mais... il se rend noir... Il n'est pas très grand, un mètre soixante-dix, soixante-quinze... (Avec un crayon, il indique sa taille sur le mur) Il pèse cent trente, cent quarante livres... Il a un nez pointu, une cicatrice à la main gauche...

une blessure par une machine, une sorte de Diesel... Pas de sensibilité dans son pouce, mauvaise peau, quelque chose... (Il réclame un plan de Boston) Je vois l'homme vivre ici... Oui, c'est un prêtre... Non, pas un prêtre, lui docteur dans un hôpital... Non, pas docteur, ni prêtre... Il ressemble à un prêtre, il s'habille comme les prêtres, j'en vois beaucoup avec lui... Je le vois dans une maison blanche, beaucoup de fenêtres... Il parle français, anglais... Oui, j'entends accent français... Il parle comme ça, comme une fille... (Hurkos imite une voix de fausset et s'exclame brusquement:) Bon Dieu! L'enfant de salaud, lui pédéraste!... Je vois la jeune fille, elle aime danser, pas vieille, jeune fille... Je vois l'homme... Il vient de l'hôpital, ensuite dans le sous-sol... Une chose dont je ne suis pas certain, c'est s'il entre par la porte devant ou par la porte derrière... Mais il connaît le chemin... Il a un bâton et il s'en sert pour taper partout dans la chambre, déchirer les rideaux... »

Les péripéties du drame semblaient se dérouler sans interruption devant Hurkos comme les séquences d'un film. Après avoir décrit en détail la scène hallucinante du viol, il entreprit d'analyser dans son anglais approximatif les motivations du tueur:

« Il adore les chaussures. Quelque chose ne va pas chez cet homme. Il cherche dans les armoires, pas pour l'argent, pour les chaussures... C'est comme ça dans sa tête, ça travaille... Dieu marche pieds nus, alors quand il la tue, il faut que la fille ait des chaussures... Mais il doit être propre pour Dieu. Il se lave ensuite les mains dans les toilettes. Jamais de bains... Il ne dort pas dans un lit, pas de matelas, sur le plancher. Quand il a tué, il dort comme Dieu, sur le bois et sur les clous... Voilà ce que je vois, très bien. Quand je ne vois pas, je ne dis rien... »[23]

---

23. Gerold Frank, *The Boston Strangler,* The New American Library (1966) et, pour la version française, Calmann-Lévy (1968).

Cette première séance terminée, le médium, très fatigué, ruisselant de sueur, se réconforta avec un nouveau cigare et un autre verre de whisky. Tout ce qu'il venait de dire allait être bientôt confirmé, sauf sur le point principal. Un maniaque sexuel d'une cinquante d'années, bien connu dans les hôpitaux psychiatriques, était la réplique vivante du portrait de celui qu'il estimait être l'assassin. Efféminé, blessé au pouce gauche, l'homme, un vendeur itinérant de chaussures de femmes, avait appartenu quelque temps à la communauté française des trappistes du Séminaire Saint-Jean de Boston. On découvrit en outre chez lui une confession écrite de ses obsessions ainsi qu'une curieuse comptabilité des crimes de l'Étrangleur. Mais tout cela ne constituait pas forcément un faisceau de preuves suffisantes et nous reviendrons sur cette affaire en reparlant de Peter Hurkos.[24]

---

24. Voir plus loin au chapitre *L'Occultisme et la police.*

VI La galerie de portraits de l'occultisme

Nostradamus (1503-1566)

Une histoire judéo-marseillaise?

Nostradamus: son nom, trop beau pour être tout à fait vrai, éclate comme une fanfare, impressionne et séduit. Est-ce la trouvaille d'un charlatan de génie ou, plutôt, au départ, une « galéjade » du bon méridional qu'il n'a cessé d'être toute sa vie? Car il naquit, vécut, mourut au pays de Marcel Pagnol, entre Avignon, Arles et Marseille, et rien ne permet d'affirmer qu'après quatre siècles, Michel de Nostre-Dame serait encore aussi universellement connu s'il n'avait pas eu l'idée sensationnelle de latiniser son nom.[1]

Un nom qui n'était déjà qu'un autre pseudonyme relativement encore frais. Son père, médecin de profession — d'autres disent notaire royal — s'appelait bien Jaume ou Jacques de Nostre-Dame et avait épousé une amie d'enfance, Reynière ou Renée de Saint-Rémy, mais quand on sait que les deux grands-pères, médecins également, appartenaient à la tribu d'Issachar, ces noms presque trop chrétiens prennent aussi l'apparence d'une plaisanterie.

Il faut dire qu'à l'époque, les rois de France avaient la déplorable coutume d'équiper leurs armées aux frais des seules communautés israélites, et les Juifs lassés d'être périodiquement saignés à blanc ne pouvaient échapper à cet impôt spécial qu'en se faisant « nouveaux chrétiens ». C'était la ruine ou le baptême. On imagine le clin d'oeil des aïeuls, lorsqu'ayant opté pour le moindre mal, dix ans seulement avant la naissance de leur petit-fils, ils décidèrent que leurs familles se nommeraient désormais Nostre-Dame et Saint-Rémy. Ce zèle roublard de néophytes dut faire chez les Issachar le sujet d'une bonne histoire juive à la sauce marseillaise.

1. C'était l'usage, chez les médecins et les astrologues de prendre un pseudonyme latin aussi sonore que possible. Ainsi l'astronome allemand Régiomontanus se nommait en réalité plus platement Johann Müller.

Les Amis de Nostradamus

À Saint-Rémy-de-Provence,[2] rue Hoche, anciennement rue des Barri, on peut encore voir la maison où Nostradamus vit le jour le 14 décembre 1503 à midi. À 25 kilomètres de là, à Salon-de-Provence, autre petite ville tout aussi ensoleillée, son tombeau continue d'être un lieu de pélerinage et les Salonais sont fiers que deux rois, Louis XIII et Louis XIV, aient daigné lui faire en personne l'honneur d'une visite. Nostradamus est un des leurs et l'association locale qui s'active à perpétuer son souvenir s'appelle très familièrement *Les Amis de Nostradamus,* comme une amicale de pêche ou de pétanque. Le mage a son portrait à l'huile exposé dans la salle d'honneur de la Mairie et deux statues en ville, dont la plus récente fut inaugurée en 1966, à l'occasion de son quatrième centenaire.[3] C'est un record de popularité battu seulement par quelques saintes visionnaires ou guérisseuses, providence de municipalités à vocation plus touristique qu'industrielle.

« Tout mort prez du lict & du banc... »

Des contemporains sans doute jaloux ont accusé Nostradamus d'être inspiré par le démon Baël qui, dit-on, est affligé d'une triple tête et de pattes d'araignée et doit bien être le plus laid de l'enfer. Mais l'homme, sur ses portraits, rassure tout de suite: les yeux et la bouche spirituels, rayonnant d'intelligence et de bonté, c'est plutôt le visage d'un ami qu'on souhaiterait avoir que celui d'un sorcier inquiétant acoquiné avec un diable.

La vie du personnage ne dépare pas son image. Étudiant prometteur et débrouillard à l'École de Médecine de Montpellier que fréquente également Rabelais,[4] il améliore son

2. C'est dans ce même Saint-Rémy que Vincent Van Gogh séjourna un an, pensionnaire de l'asile, après s'être tranché l'oreille dans une crise de folie. Il y peignit cent cinquante tableaux entre mai 1889 et mai 1890.
3. Cette statue, hardiment futuriste, a connu plusieurs aventures. Larguée d'un hélicoptère sur son socle édifié en bordure de l'autoroute d'Avignon, elle fut renversée par un camion en 1970. Des mauvaises langues prétendirent que le fantôme de Nostradamus, ne pouvant s'habituer à la sculpture moderne, avait fait faire une fausse manoeuvre au chauffeur du poids lourd.
4. François Rabelais (1494-1553), bénédictin, médecin, professeur d'anatomie, écrivain. Auteur de *Gargantua* et de *Pantagruel.*

ordinaire en fabriquant des « philtres d'amour » et des « fardements et senteurs pour illustrer et embellir la face », qu'il propose avec un bagou convaincant aillé d'accent provençal. Médecin compétent et courageux, luttant pour imposer quelques sommaires principes d'hygiène désapprouvés par la Faculté, on le trouve au premier rang dans toutes les épidémies de peste qui ravagent régulièrement le sud de la France, à Bordeaux, Narbonne, Toulouse, Marseille, à Aix-en-Provence,[5] à Lyon. Il est partout, infatigable, soignant le pauvre comme le riche, et miraculeusement préservé. La publication des *Centuries* l'ayant soudainement rendu célèbre à 52 ans, Catherine de Médicis, la reine passionnée d'astrologie, le fait appeler à Paris. Ce n'est pas une invitation qu'il est possible d'éviter, mais bien que couvert d'or et nommé médecin-conseiller ordinaire du roi Henri II, il se hâte de reprendre le chemin de sa chère Provence qui vaut pour lui toutes les capitales.

En 1555, cela fait déjà huit ans qu'il est installé à Salon. Il a toujours donné de sa personne, il a vu beaucoup de souffrances dont il a eu lui-même sa part. Devenu riche, même très riche, mais resté attentif à toutes les détresses — on dit en Provence qu'on ne se présente jamais chez lui en solliciteur sans repartir avec une pièce d'or — il subventionne, entièrement ou en partie, la construction d'hôpitaux, de routes, de ponts, le creusement du canal de Craponne qui fertilisera les plaines asséchées de la région de Salon.[6] Veuf, il s'est remarié avec Anne Ponce Gemelle, une veuve aussi, sans fortune, qui lui donnera trois fils et trois filles. Il est heureux, entouré d'amis, et n'aspire plus qu'à une retraite simple et tranquille dans sa vaste maison du quartier Farreiroux.

C'est là qu'il fermera les yeux « en bon chrétien le 2 juillet 1566, entre 3 et 4 heures du matin, après avoir été tourmenté par les gouttes qui, dégénérées en hydropisie, le suffoquèrent au bout de huit jours, ayant prédit l'heure et le jour de sa mort », dit une vieille gravure le représentant.

En vérité, il semble bien que Nostradamus n'avait prévu sa fin que pour l'année suivante, exactement quinze mois plus tard. Simple erreur de pronostic ou — quitte à compro-

5. C'est à Aix-en-Provence, à la Bibliothèque Méjanes, qu'on peut voir le meilleur portrait de Nostradamus, peint par son fils César.

6. Canal de Craponne: du nom de l'ingénieur qui a dirigé les travaux, Adam de Craponne, né à Salon et ami de Nostradamus (1527-1574).

mettre un peu sa renommée posthume — pieuse supercherie pour disparaître « par surprise » en épargnant à son entourage l'épreuve d'un suspense prolongé? Les *Présages,* une suite de 141 quatrains couvrant mois par mois une douzaine d'années, s'achèvent brusquement sur ces derniers vers teintés d'un humour serein:

> *Novembre (1567)*
> *De retour d'Ambassade, don de Roy, mis au lieu,*
> *Plus n'en fera, Sera allé à Dieu,*
> *Parens plus proches, amis, frères du sang,*
> *Trouvé tout mort prez du lict & du banc.*[7]

Le trésor de Salon-de-Provence

Si Nostradamus a apparemment peu de secrets pour ses biographes, il pose tout de même quelques questions qui n'ont jamais reçu de réponses vraiment satisfaisantes. En premier lieu, sa fortune, si considérable que bien qu'ayant légué à ses héritiers l'équivalent de 3 millions de dollars-or, le bruit courut — et court toujours — qu'il s'était fait inhumer avec dans son tombeau des Cordeliers. Ce magot mis à part, il est évident que ce ne sont pas ses honoraires de médecin de province ni ceux, même fastueux, d'astrologue de la Reine, qui ont pu lui permettre de financer des constructions publiques aussi importantes que celles énumérées plus haut. Uniquement pour le canal d'irrigation de Craponne, sa contribution a été évaluée à 2 millions de dollars-or et, chose impensable aujourd'hui, il ne s'agissait pas d'opérations spéculatives, mais de dons sans contrepartie.

Des auteurs ont tenté d'expliquer l'origine de ce pactole philanthropique par l'affiliation du Mage de Salon à une société occulte, telle que la Maçonnerie, la Rose-Croix ou le Temple, dont il aurait été le mandataire. On voit mal le but poursuivi par des donateurs anonymes faisant répandre leurs bienfaits sur ce seul petit coin de Provence. Alors? Faut-il imaginer un Nostradamus alchimiste, possédant la connaissance de la pierre philosophale qui transmute le plomb en or?

7. Interprétation suggérée: « Ayant terminé mon passage ici-bas, mis au lieu de repos, je n'userai plus de mon pouvoir divinatoire, ce don royal, car Dieu m'aura rappelé à lui. Femme, enfants, amis, frères de race (les Juifs) m'auront trouvé, déjà froid, étendu entre mon lit et le banc. »

Deux cents ans plus tôt, le libraire parisien Nicolas Flamel, catholique dévôt et soi-disant alchimiste à ses heures, s'était déjà rendu populaire par de semblables largesses qui, selon la légende, ne lui coûtait que la peine de chauffer ses creusets et d'y transformer, poids pour poids, du mercure en métal précieux. Il apparut par la suite qu'il tirait plus humainement ses ressources de l'habile gestion des biens d'usuriers juifs ayant fui la rapacité des contrôleurs royaux. Pourquoi cette explication toute simple ne vaudrait-elle pas également pour le néo-chrétien Michel de Nostre-Dame, devenu le banquier clandestin des Issachar, ses « frères du sang », restés rétifs au baptême?

L'énigme Nostradamus

Composée d'environ 5 000 vers plutôt médiocres, son oeuvre prophétique qui groupe les *Centuries*, les *Sixtains* et les *Présages*, serait supposée couvrir l'avenir de l'Europe, de l'Afrique et d'une partie de l'Asie jusqu'en 3 797.[8] Contrairement à l'affirmation gravée sur son tombeau, il est probable que cette entreprise énorme doive plus à la voyance qu'à l'astrologie pure. Visionnaire sans aucun doute, Nostradamus paraît s'être contenté le plus souvent de transcrire ses « clichés » comme il les recevait, sans souci de la chronologie.

Il prévient d'ailleurs, sans mâcher ses mots, que son travail ne s'adresse pas au premier venu, et il en a rendu volontairement l'approche difficile parce qu'il juge indispensable « que de tels événements ne soyent manifestez que par aenigmatique sentence ».[9] C'est une mesure de prudence: promettant plus d'épines que de roses, il préfère n'être compris que de quelques rares initiés, moins prompts que les masses à s'émouvoir devant des lendemains apocalyptiques. Le résultat est là: un texte obscur, rebutant, compliqué de latin francisé, d'expressions provençales, de métaphores, d'ana-

8. « Ce sont de perpétuelles vaticinations, pour d'icy à l'année 3 797 » *(Épître à César)*. Regrettant peut-être d'avoir donné cette précision, Nostradamus écrira ensuite que ses prophéties s'étendent jusqu'au « commencement du VIIe millénaire ». *(Lettre à Henri II)*.

9. « Profane vulgaire et ignorant, n'y touchez pas,
Et que tous les Astrologues, lourdauds, barbares, s'en éloignent (...) »
(Traduction du 100e quatrain de la VIe Centurie, exceptionnellement rédigé en latin)

grammes et autres embrouilles souvent gamines, le tout encore aggravé d'une orthographe très personnelle et des fautes de typographie des éditions successives.

Bien entendu, s'estimant désignés par le prophète, d'innombrables chercheurs tentent depuis quatre siècles de décrypter ces rébus poétiques et publient aussitôt leurs dernières découvertes qui font déjà l'objet de plusieurs milliers d'ouvrages.[10] Si l'on y trouve parfois des révélations étonnantes selon lesquelles, par exemple, prévoyant Hitler et de Gaulle, Nostradamus les aurait appelés très familièrement « Le Grand Chameau » et « La Grande Perche »,[11] leur lecture reste décevante pour celui qui y chercherait des interprétations toujours convaincantes. Il y a trop de « peut-être », de « sans doute », de « il est possible », quand ce ne sont pas tout simplement des aveux de complète impuissance.

À remarquer encore les fréquents désaccords entre commentateurs, même à propos de prophéties censées se rapporter à des faits déjà lointains. Lorsque Mgr Christiani *(Nostradamus, Malachie et Compagnie)* reproche au devin de n'avoir pas su prédire la tragédie de la Saint-Barthélémy, pourtant « la honte de son siècle et si proche de lui » (1572), pour M. Serge Hutin *(Les Prophéties de Nostradamus),* le massacre est très clairement annoncé dans plusieurs quatrains, leur auteur ayant été jusqu'à « voir » le roi Charles IX, saisi par la folie meurtrière, tirer aussi sur les Protestants:

> *Paris coniure un grand meurtre commettre...* (III-51)
> *Le Noir*[12] *farouche quand aura essayé*
> *Sa main sanguine par feu, fer, arcs tendus,*
> *Trestous le peuple sera tant effrayé*
> *Voir les plus grands par col et pieds pendus.* (IV-47)

Mais s'il est encore relativement facile de faire « coller » certaines prédictions avec des événements passés (on a cru y déceler l'annonce des révolutions française, russe, espagnole, chinoise, l'invention de la bombe atomique et des spoutniks, l'assassinat du président Kennedy, les greffes du

10. Parmi les derniers titres parus: Jean-Charles Pichon, *Nostradamus en clair* (1970); Serge Hutin, *Les Prophéties de Nostradamus* (1972); Josane Charpentier (la voyante Jessica), *Le Grand Secret de Nostradamus,* etc.
11. 68e quatrain de la Ve Centurie et 37e quatrain de la VIIe Centurie.
12. Anagramme de « roi », souvent employé par Nostradamus qui le fait précéder d'un N pour dérouter davantage le profane.

coeur, etc.), la plus grande prudence devient générale dès qu'on se hasarde dans le futur.

C'est pour avoir négligé d'observer cette règle essentielle qu'un nommé Colin de Larmor commit, en 1925, une bourde magnifique à laquelle a mal survécu sa réputation de « spécialiste » de Nostradamus. Il avait, hélas, vu juste, en décelant dans un quatrain l'approche d'une seconde guerre mondiale, mais la suite de son interprétation devait s'avérer digne d'un film des Marx Brothers. Au cours de ce conflit, les Américains mettraient à feu et à sang les Îles Britanniques, faisant « pâlir de frayeur » les Anglais; la Tour de Londres s'écroulerait quand le roi y serait prisonnier, mais avant on aurait vu le monarque se promener en chemise près d'un pont![13]

À mesure que les événements démentent impitoyablement les décrypteurs malchanceux et redonnent tout leur mystère aux casse-tête vicieux de Nostradamus, d'autres chercheurs proposent de nouvelles solutions davantage dans le vent de l'Histoire. Exemple: le dernier quatrain de la deuxième Centurie:

Dedans les isles si horrible tumulte,
Bien on n'orra qu'une bellique brigue
Tant grand sera des prédateurs l'insulte,
Qu'on se viendra ranger à la grand ligue.

En 1940, le Suisse Karl Ernst Krafft, qu'on a surnommé « l'astrologue d'Hitler », bien qu'il devait mourir au camp de Buchenwald, en avait donné l'interprétation suivante: « Les maux que ces pirates (les Anglais) infligeront aux autres nations seront si grands que l'Europe se liguera contre l'Angleterre pour mettre fin à ses dépradations » et cela ne pourra être que la guerre totale (bellique brigue).[14] Dans le climat

---

13. Colin de Larmor, *Les Merveilleux Quatrains de Nostradamus* (1925). Le malheureux était tombé aussi sur ces autres vers:

La forteresse auprès de la Tamise
Cherra par lors, le Roy dedans serré,
Auprès du pont sera veu en chemise
Un devant mort, puis dans fort barré. (VIII-37)

Depuis, des confrères ont avancé qu'il s'agissait de la captivité et de la décapitation du roi Charles Ier (1649), bien que la Tour de Londres n'ait pas chu pour cela.

14. Karl Erns Krafft, *Comment Nostradamus a-t-il entrevu l'avenir de l'Europe.* Éditions Snellew, Bruxelles (1941).

des premiers mois du second conflit mondial, la chose avait paru très possible. En 1972, le même quatrain connaît une autre interprétation mieux adaptée au goût du jour et présentée plus prudemment sous la forme interrogative: « La grande insurrection irlandaise contre l'Angleterre? »[15]

Faut-il en conclure que Nostradamus n'est pas contrariant et qu'il est possible de lui faire dire tout ce qu'on veut bien lui suggérer?

Et pourtant...

Le 30 juin 1559, à l'occasion des mariages des princesses royales, un tournoi (sorte de duel courtois entre cavaliers) a lieu à Paris, rue Saint-Antoine. Âgé de quarante et un ans, Henri II qui porte un heaume doré et a déjà lutté avec le duc de Savoie, son gendre, et le duc de Guise, défie amicalement le capitaine de sa garde écossaise, le jeune Gabriel de Montgoméry. Au deuxième assaut, la lance de ce dernier soulève accidentellement la visière de son casque, lui crève un oeil et atteint le cerveau. Un an plus tôt, presque jour pour jour, Nostradamus avait dédié au roi la première édition de ses Centuries dont l'une contenait ces vers:

> *Le lyon jeune, le vieux surmontera*
> *En champ bellique par singulier duelle:*
> *Dans cage d'or les yeux lui crévera,*
> *Deux classes une, puis mourir, mort cruelle.* (I-35)[16]

C'est l'exemple classique, cité dès qu'on parle de lui, de ce que peut réserver Nostradamus quand il daigne se laisser comprendre. Il en est d'autres, tout aussi troublants, comme le quatrain sur Varennes. Pourquoi le prophète s'intéresse-t-il brusquement à ce minuscule village perdu dans le nord-est de la France, où il n'est jamais allé, où il ne s'est encore rien

15. Serge Hutin, *Les Prophéties de Nostradamus* (1972).

16. L'astrologue italien Lucas Gauric avait déjà averti Catherine de Médicis que son époux devrait « éviter tout combat singulier en champ clos, notamment aux environs de sa quarante et unième année, parce qu'à cette époque de sa vie le roi serait menacé d'une blessure à la tête qui pourrait entraîner la cécité ou la mort ». (Guy Breton, *Histoires d'amour de l'Histoire de France,* Tome II).

passé d'important, et qui ne sera le témoin que d'un seul grand fait historique: l'arrestation d'un roi, fuyant un Paris révolutionnaire pour tenter de gagner l'étranger?

De nuict viendra par la forêt de Reines
Deux pars voltorte herne la pierre blanche
Le moine noir en gris dedans Varennes
Esleu cap, cause tempête, feu sang tranche. (IX-20)

Le texte est rébarbatif, mais il faut reconnaître que l'interprétation qu'on en donne n'est pas trop tirée par les cheveux. C'est effectivement à minuit et demie, le 21 juin 1791, que Louis XVI et sa famille sont arrivés à Varennes, après avoir traversé la forêt de Reines. « La Herne » et « La Pierre Blanche » étaient alors des lieux-dits sur la route de Paris. « Le moine noir en gris » désigne clairement le souverain qui s'est déguisé d'une redingote grise, « noir » étant encore ici l'anagramme de « roi » et « moine » symbolisant la grande religiosité de Louis XVI, peut-être le seul monarque français à ne pas avoir eu de maîtresses. « Esleu cap »: par dérision, les révolutionnaires l'appellent Capet, du nom de son lointain ancêtre Hugues Capet, fondateur de la dynastie. La nouvelle de sa fuite a fait l'effet d'une « tempête » et il mourra deux ans plus tard sous le tranchet de la guillotine.

Ce n'est pas tout. De retour à Paris, il est consigné au Château des Tuileries, construit sur l'emplacement d'une ancienne fabrique de tuiles. Son cousin, le duc d'Orléans, qui flirte avec la Révolution — donc, un traître — sera l'un de ceux qui l'enverront à l'échafaud;[17] enfin, à Varennes, il a été reconnu et arrêté par le maire du village, un protestant, et par un nommé Sauce, épicier et marchand d'huile. Cela, Nostradamus paraît l'avoir aussi prévu:

(...) Retour conflit passera sur la thuille:
Par cinq cents un trahyr sera titré,[18]
Narbon[19] *et Saulce par quarteaux avons d'huille.* (IX-34)

17. Député à la Convention, Philippe d'Orléans, dit Philippe-Égalité, votera la mort du roi et sera lui-même exécuté la même année (1793).
18. Une assemblée politique révolutionnaire, créée en 1792, porta le nom de « Conseil des Cinq Cents ».
19. Nostradamus désigne parfois les protestants par le mot « Narbon », de Narbonne, ville qui fut un de leurs fiefs pendant les guerres de religion.

Nous parlerons plus loin de quelques quatrains qui s'appliquent curieusement à l'aventure napoléonienne. Mais Nostradamus fut-il « antigaulliste » par anticipation? Aurait-il « vu » le vieux maréchal Pétain, accusé de trahison et « enseveli » vivant dans une petite île vendéenne, tandis que le général de Gaulle, auréolé de gloire, tirait tout le profit de son sacrifice?

Le bon vieillard tout vif ensevely
Près du grand fleuve par fausse soupçon:
Le nouveau vieux de richesse ennobly,
Prins à chemin tout l'or de la rançon. (III-72)

On peut comprendre pourquoi, malgré de nombreux mécomptes, des milliers de chercheurs continuent de se pencher sur les énigmes versifiées du devin de Salon-de-Provence. Le jeu est souvent passionnant.

Les faussaires de Nostradamus

Il était tentant pour les éternels mystificateurs d'essayer d'ajouter aux *Centuries* quelques bons produits de leur cru. Ils ont parfois réussi, puisque des commentateurs les ont incorporés de bonne foi à l'oeuvre de Nostradamus, allant jusqu'à admirer sa « virtuosité symbolique ». Tel ce quatrain sur Louis XIV, trop astucieux pour être authentique et dont le texte, par ailleurs, malgré l'orthographe truquée, est très loin de rappeler le charabia du provençal:

Quand le fourchu sera soustenu de deux paux
Avec six demy-corps et huit sizeaux ouverts,
Le très puissant seigneur, héritier des crapaux,
Subjuguera sous soy en partie l'univers.

Le décryptage est amusant (ce n'est pas nous qui l'avons fait!): le « fourchu », c'est la lettre V qui rappelle la forme d'une fourche. Soutenu par deux « paux » (pluriel fantaisiste de pal, pièce verticale d'une armoirie), ce V devient un M, chiffre romain équivalant à 1 000. Les six « demi-corps » sont des moitiés de O, autrement dit des C (chiffre romain correspondant à 100) et les huit « ciseaux ouverts » évoquent autant de X (ou 10 en chiffre romain). En mettant tout cela bout à bout, on obtient une date, 1680. Enfin, « l'héritier des crapaux » n'est autre que celui des Mérovingiens, les premiers rois de France, dont l'emblème était le crapaud qui, déformé et stylisé, serait devenu la fleur de lys.[20] Il s'agit bien de Louis XIV, lequel, en 1680, sera au faîte de sa puissance.

Mais tout cela n'est que divertissement d'intellectuel ou flatterie de courtisan. En 1940, lorsque les troupes allemandes envahiront la France en franchissant la frontière belge, près de Sedan, d'autres faussaires impudents usurperont encore le prestige de Nostradamus. Walter Shellenberg, le chef du contre-espionnage nazi, note dans ses *Mémoires:*

> « Le moral français fut également très ébranlé par un petit pamphlet d'apparence innocente qui était largement distribué par nos agents et largué par nos avions. Imprimé en français, avec l'indication qu'il s'agissait des prophéties de Nostradamus — nombre de ses prophéties y étaient effectivement incluses — cette petite brochure prédisait de terrifiantes destructions par des « machines volantes », insistant sur le fait que le sud-est de la France serait préservé de ces horreurs. Jamais, en préparant ces brochures, je n'aurais imaginé qu'elles dussent faire un tel effet. »[21]

Dans quel but faire prophétiser par Nostradamus que les bombardements aériens épargneraient le sud-est de la France? Les chefs militaires allemands avaient grand intérêt à ce que les populations civiles, fuyant devant l'invasion, n'aillent pas encombrer les abords de Paris et les ports de la Manche et de l'Atlantique.

Les services secrets anglais, rendant aux nazis la monnaie de leur pièce, devaient aussi utiliser Nostradamus pour saper leur moral. Louis de Wohl, un Juif hongrois réfugié à Londres, composa pour eux un petit recueil de fausses prophéties, soi-disant édité en Allemagne par une maison spécialisée naguère dans les ouvrages d'occultisme. L'une de ces « prédic-

20. Il est à remarquer qu'effectivement l'emblème de la monarchie française évoque davantage la silhouette du crapaud que celle de la fleur du lys.
21. W. Shellenberg, *Le Chef du contre-espionnage nazi parle* (Juillard).

tions », rédigées en vieux français avec des commentaires en allemand, ne prévoyait rien de moins que l'assassinat d'Hitler:

> *Hister qu'en luitte et fer au fait bellique*
> *Aura portez plus grand que luy le pris*
> *De nuit au lit six luy feront la picque*
> *Nud, sans harnois subit sera surprins.*[22]

Suivait la traduction allemande: « Quand Hister (Hitler), dans sa guerre, aura remporté plus de victoires qu'il n'en eut fallu pour son bien, surpris dans son lit, la nuit, nu et sans son armure, il sera assassiné par six hommes. »

Épitaphe du tombeau de Nostradamus
(Église des Cordeliers de Salon-de-Provence)

> *Icy reposent les os de l'Illustre Michel Nostradamus, de qui la divine plume fut seule, au sentiment de tous, jugée digne d'écrire, sous la direction des Astres, tous les événements qui arriveront sur la terre. Il a vécu 62 ans 6 mois 17 jours. Il mourut à Salon le 2 juillet 1566. Postérité, ne lui enviez pas son repos. Anne Ponce Gemelle souhaite à son époux la véritable félicité.*

Mademoiselle Lenormand
La voyante de l'empereur (1772-1843)

Ce qu'on peut lire dans une poignée de cendres

Jeune provinciale plutôt laide et grassette, venue chercher fortune à Paris en pleine tourmente révolutionnaire, Marie-Anne Adélaïde Lenormand, qui disait l'avenir depuis l'âge de sept ans, avait commencé par tirer les cartes aux chefs de la République naissante, Robespierre, Saint-Just, Hébert et consort.[23] Puis la plupart de ceux-ci étant passés eux-mêmes

22. *Nostradamus prophezeit den Kriegsverlauf (Nostradamus prophétise le cours de la guerre).*
23. Elle raconte, dans ses *Mémoires,* que Robespierre « fermait les yeux en touchant les cartes et frissonnait devant le neuf de pique ».

au « rasoir national », comme on appelait la guillotine, elle avait eu la chance d'exercer son art pour une Martiniquaise, Marie-Rose de Beauharnais, veuve un peu nymphomane d'un officier guillotiné, en charge d'un fils et d'une fille, et maîtresse de Paul Barras, le nouvel homme fort du moment. Or, cette Marie-Rose allait devenir bientôt la première dame de France sous le prénom à peine plus impérial de Joséphine, sobriquet affectueux dont la gratifierait un petit général corse en compagnie duquel elle entrerait dans l'Histoire.[24]

En 1794, Napoléon Bonaparte avait d'ailleurs eu aussi l'occasion de consulter Mlle Lenormand alors qu'en disponibilité sans solde, il traînait son sabre dans les ministères en quémandant une affectation conforme à ses ambitions qui étaient déjà très grandes. Vêtue en « Américaine », c'est-à-dire en femme « peau-rouge », la devineresse lui avait fait répandre une poignée de cendres sur un papier et avait prononcé des paroles étonnantes. Le commandement qu'il sollicitait en vain lui serait accordé « en dot » lorsqu'il épouserait une charmante Créole, veuve et mère de deux beaux enfants; après quoi, il irait se couvrir de gloire en Italie et la patrie reconnaissante lui décernerait le titre du « plus illustre des Français ». Et refusant d'en dire davantage, car la suite, selon elle, s'avérait trop incroyable, elle lui avait conseillé de se méfier de son orgueil qui le conduirait sans doute très haut, mais pourrait tout aussi bien le ramener plus bas qu'avant.[25]

Trois ans plus tard, le général Bonaparte pourra constater que la première partie de la prédiction s'est réalisée point par point. Barras, le protecteur de « Joséphine », ravi de se débarrasser d'une maîtresse onéreuse et vieillissante, s'est empressé de la lui céder avec un brevet de commandant en chef dans la corbeille de mariage; la campagne d'Italie a été triomphale et aussi très rémunératrice, et, devenu un héros national à vingt-neuf ans (sa femme en a trente-cinq), il se sent en appétit pour s'attaquer immédiatement à la suite.

24. Joséphine-Marie-Rose ne fut pas trop surprise par sa prodigieuse aventure. Dans le *Mémorial de Sainte-Hélène,* Las Cases, secrétaire de Napoléon en exil, rapporte cette confidence de l'empereur déchu: « On sait que Joséphine croyait aux pressentiments, aux sorciers; on lui avait dit, dans sa jeunesse, qu'elle ferait une grande fortune et serait souveraine. »

25. Don Néroman, *La Grande Encyclopédie des Sciences occultes* (1947).

La prophétie de saint Césaire

Mlle Lenormand avait-elle eu connaissance d'un manuscrit du VIe siècle découvert en 1789, cinq ans avant cette mémorable consultation, dans les archives de l'Évêché d'Arles? Attribué à saint Césaire, qui fut évêque de cette ville, le texte annonçait, entre autres choses, la venue d'un « capitaine illustre sorti de la Méditerranée », laquelle évoquait étrangement celle du jeune officier corse. « Comme l'Aigle, poursuivait le prophète arlésien, il monte et vole avec orgueil, presse le Saint des Saints dans ses serres aiguës. C'est en vain. Lui-même est enchaîné, il rompt audacieusement ses fers une fois. Mais la fortune contraire le lie au milieu des flots jusqu'à la mort. »

C'était, en quelques lignes écrites douze siècles auparavant, le raccourci saisissant d'un destin fabuleux qui s'accomplirait en moins de vingt années. Tout y était: la naissance dans une île méditerranéenne, la gloire militaire, l'envol orgueilleux de l'Aigle (symbole impérial), l'emprisonnement d'un pape (Pie VII) qui n'accorderait pas assez vite l'annulation d'un premier mariage; puis la chute, la captivité et l'évasion hardie de l'île d'Elbe avec le dernier sursaut des Cent Jours et la malchance de Waterloo; enfin, la longue agonie à Sainte-Hélène, « au milieu des flots ».

Le satrape à la « teste raze »

Il y a aussi les *Centuries* de Nostradamus que, vu sa profession, Mlle Lenormand n'a certainement pas ignorées. C'est avec insistance et dans un langage moins hermétique qu'à l'accoutumée que le mage de Salon-de-Provence prophétise le règne d'un empereur né « près d'Italie »:

> *Un empereur naistra pres d'Italie*
> *Qui à l'Empire sera vendu bien cher,*
> *Diront avecques quels gens il se rallie,*
> *Qu'on trouvera moins prince que boucher.* (I-60)

Traduisons: le peuple paiera un lourd tribut à cet empereur qui, parmi ceux dont il s'entourera — tous des parvenus comme lui — fera davantage figure de boucher que de souverain.[26] Ce qui n'est guère courtois, mais Nostradamus semble n'éprouver aucune sympathie pour cet « aventurier » qui s'appellera d'ailleurs d'un nom comme jamais aucun roi de France n'aura porté: « Du nom qui oncques ne fut au Roy Gaulois... » (IV-54) Puis il prévient les générations futures: cet empereur sera un tyran.

> *De la cité marine et tributaire,*
> *La teste raze prendra la satrapie,*
> *Chasser sordide qui puis sera contraire,*
> *Par quatorze ans sera la tyrannie.* (VII-13)

« La cité marine et tributaire », c'est bien sûr, Ajaccio, la ville natale et le port principal d'une île dépendante de la France qui l'a achetée aux Gênois en 1768, un an seulement avant la naissance du futur empereur. Étonnante vision prophétique, « la teste raze » désigne explicitement le général Bonaparte qui sacrifiera sa longue chevelure à son ascension sociale et sera surnommé par ses soldats « le Petit Tondu ». Mais, avertit encore Nostradamus, il ne sera pas choisi par le peuple, il « prendra la satrapie », il s'emparera du pouvoir (coup d'État du 18 Brumaire 1799) et deviendra lui-même un satrape, c'est-à-dire un dictateur à la fois civil et militaire. Ce sera, en quelque sorte, un « régime de colonels ». Il fera des guerres sordides pour dépouiller les nations vaincues,[27]

---

26. Napoléon Ier paraît avoir été effectivement un empereur « cher ». En 1811, sa liste civile (le traitement qu'il s'était alloué) coûtait annuellement au Trésor public quelque 100 millions de francs actuels (environ 20 millions de dollars). Ses dix-huit maréchaux n'étaient pas oubliés et touchaient également des soldes rondelettes: Berthier, près de 5 millions de francs actuels ($1 million); Davout, 3,5 millions ($700 000.); Ney, 2,8 millions ($560 000.); Soult, 2 millions ($400 000.); etc. Au divorce du couple impérial, « Joséphine » avait exigé et obtenu entre autres bénéfices, une « pension alimentaire » de 15 millions ($3 millions).

    L'expression « moins prince que boucher » peut s'appliquer aussi aux guerres napoléoniennes qui furent coûteuses en vies humaines malgré les moyens encore artisanaux de l'époque: Austerlitz, 23 000 tués; Eylau, 50 000; Wagram, 55 000; la campagne de Russie, 300 000, etc. On se souvient peut-être du « mot historique » de l'empereur au chancelier autrichien Metternich: « Eh, que me fout à moi la mort d'un million d'hommes? » Et celui qu'il prononça le 11 février 1809 devant le comte Roederer qui le rapporta dans son *Journal:* « La France? Je couche avec elle et elle me prodigue son sang et ses trésors. »

27. Proclamation de Bonaparte à ses troupes avant la campagne d'Italie: « Soldats, vous êtes nus, mal chaussés, mal nourris. Je vais vous conduire dans les plaines les plus fertiles du monde. De riches provinces, de grandes villes seront en votre pouvoir. Vous y trouverez honneur, gloire et richesse! »

mais le sort lui sera enfin contraire et son règne tyrannique aura duré quatorze ans. Autre précision stupéfiante: arrivé au pouvoir en 1800, Napoléon s'y maintiendra jusqu'en 1814.

« Morts au blanc territoire… »

Comme inquiet, horrifié, Nostradamus revient à la charge en insistant sur les origines modestes du personnage qui, parvenu au plus haut rang, ne craindra pas d'être sacrilège:

> *De soldat simple parviendra en Empire,*
> *De robe courte parviendra en robe longue,*
> *Vaillant aux armes en Église ou plus pyre,*
> *Vexer les prestres comme l'eau fait l'éponge.* (VIII-57)

Traduisons encore: ce simple militaire s'élèvera jusqu'au trône et portera le long manteau du sacre (comme on le voit sur le tableau de David). Homme de guerre, il s'attaquera « vaillamment » à l'Église — voire au Pape, ce qui est pire — « vexant » les prêtres (du latin *vexare,* tourmenter) comme l'eau « vexe » l'éponge en l'envahissant.[28] Saint Césaire fait aussi allusion aux démêlés frénétiques de Napoléon avec le Pape Pie VII qui aura ce mot resté célèbre: « Tragoediante! Comoediante! »

Et Nostradamus poursuit l'empereur jusqu'au bout de son destin. Il a prévu la trahison des maréchaux grassement payés, la défaite, les derniers combats d'arrière-garde dans une France envahie par les rois coalisés:

> *Prest à combattre fera défection,*
> *Chef ennemi obtiendra victoire,*
> *L'arrière-garde fera défension,*
> *Les défaillants morts au blanc territoire.* (IV-75)

Ces « défaillants » qui font cruellement défaut et auraient pu sans doute rétablir la situation, ne seraient-ils pas les 300 000 soldats perdus deux ans plus tôt dans l'hiver russe, pendant la retraite de la Grande Armée, et qui sont morts « au blanc territoire »?

---

28. En 1809, Napoléon s'empara des États pontificaux et confisqua des « biens d'Église » évalués à plus de 600 millions de francs actuels ($120 millions).

La voyante et l'empereur

Mlle Lenormand profita naturellement de l'extraordinaire réussite de ce couple aux dents longues, les citoyens Bonaparte, et, habile dans toutes les mancies, devint la sibylle favorite et comblée de la Cour impériale.[29] Elle prétendait tenir ses pouvoirs de l'enseignement des « Maîtres des charmes magiques », les Pharaons-Dieux mis récemment à la mode par l'expédition d'Égypte (1798). Mais ses tendances au charlatanisme, inhérentes à la profession, ne diminuaient en rien chez elle un réel talent divinatoire nourri d'une exceptionnelle intuition.

Ses *Mémoires,* parmi beaucoup d'invraisemblances et de vantardises, abondent en anecdotes sur l'intérêt que portait l'empereur aux choses de l'occultisme.[30] On prétendait mê-

---

29. En plus des cartes et de la cendre, elle pratiquait le blanc d'oeuf, le marc de café, le plomb fondu, les mèches de bougies, le verre d'eau et les miroirs. Le tragédien Talma et le peintre David, deux amis de l'empereur, comptèrent également parmi ses clients célèbres. Ce qui, en 1805, n'empêcha pas un policier de noter dans son rapport: « La demoiselle Lenormand, se disant cousine de Charlotte Corday (la meurtrière du sinistre Marat, l'homme à la baignoire), habitant rue de Tournon et tenant un bureau d'écrivain public pour couvrir ses manoeuvres, fait métier de tireuse de cartes. Les imbéciles de première classe viennent la consulter en voiture; les femmes surtout y affluent... » (Gilette Ziegler, *Histoire secrète de Paris, la ville dont le prince est un démon,* Éditions Stock, 1967).
30. Par contre, il en plaisantait volontiers en public. Un soir, alors qu'il n'était encore que simple général, raconte le financier Ouvrard, « il prit le ton et les manières d'un diseur de bonne aventure, s'empara de la main de Mme Tallien (une amie de Marie-Rose, sa future femme) et débita mille folies. Chacun voulut offrir sa main à cet examen. Mais quand vint le tour de Hoche, il parut s'opérer un changement dans son humeur. Il examina attentivement les signes de la main qui lui était présentée, et d'un ton solennel dans lequel perçait une intention peu bienveillante, il dit: « Général vous mourrez dans votre lit! » Ce qui, à l'époque, était considéré comme de la dernière inconvenance de la part d'un militaire et, l'autre s'étant fâché, il dut s'excuser.

    Ajoutons, car le monde est petit, que Marie-Rose de Beauharnais avait été la maîtresse du général Hoche et espéré un moment s'en faire un mari. Mais celui-ci avait déclaré « qu'on pouvait bien se passer un moment une catin pour maîtresse, mais non la prendre pour femme légitime ». Bonaparte, au courant de cette muflerie, avait-il voulu punir son auteur en le ridiculisant? Ironie du sort, ce fut lui qui mourut « bourgeoisement » dans son lit à cinquante-deux ans, d'un mal mystérieux qui laisse encore la médecine perplexe.

me, aux Tuileries, qu'il prenait conseil du petit « Homme rouge », un fantôme familier du château que Marie-Antoinette, la reine décapitée, avait aperçu autrefois. Il semble que Napoléon, à l'exemple de beaucoup de « fonceurs » ait été affligé d'un fort complexe d'infériorité. Dans ses *Souvenirs prophétiques d'une Sibylle,* publiés prudemment après l'abdication, en 1814, Mlle Lenormand reproduit un croquis de la main gauche de l'empereur qui constitue un véritable document historique. Si les annotations astrologiques sont « absolument aberrantes », au dire des experts modernes, le dessin, très probablement exécuté d'après nature, montre un index, doigt de l'ambition, nettement plus court que le médius, ce qui révélerait chez le sujet ce handicap souvent stimulant. Le même ouvrage nous fait connaître aussi la main de l'impératrice dont l'annulaire, doigt de Mercure, trahit des troubles d'ordre sexuel, fait rapporté par les historiens. [31]

Ce ne sont toutefois pas ces ennuis intimes qui empêchèrent « Joséphine » d'assurer la dynastie impériale, puisqu'elle avait pu donner deux enfants à son précédent mari, le comte de Beauharnais. Et pour sa part, Napoléon avait fait également ses preuves, hors du lit conjugal, avec une demoiselle Éléonore de la Plaigne et, peut-être aussi, disent certains, avec sa propre belle-fille, la jeune Hortense de Beauharnais. Toujours est-il qu'en 1809, désespérant d'avoir un héritier légitime, ou soucieux de donner à celui-ci une mère plus représentative, il résolut de se séparer de la compagne des premiers jours. [32] Consultée comme chaque fois, avant toute grande décision, Mlle Lenormand lui fournit de tels détails sur son projet encore tenu secret qu'il la fit arrêter sur-le-champ, craignant qu'elle n'ait la langue trop longue. Elle resta douze jours enfermée dans un cachot et n'en sortit qu'après la conclusion du divorce impérial, ayant eu tout le temps de méditer sur les limites au-delà desquelles une voyante raisonnable se doit de devenir aveugle.

Comme de juste, dès qu'elle fut libérée, « Joséphine »

---

31. Fred Gettings, *Le Livre de la Main,* Éditions des 2 Coqs d'Or, 1969.
32. « Comment me séparer de cette bonne femme à cause que je deviens plus grand? » aurait-il dit au comte Roederer, oubliant que cinq ans plus tôt, à la veille du sacre, il avait confié au même: « Si j'avais été en prison au lieu de monter sur le trône, elle aurait partagé mes malheurs. Il est juste qu'elle partage ma grandeur. Elle sera couronnée, dût-il m'en coûter deux cent mille hommes. » (Roederer, *Bonaparte me disait)*

s'empressa de lui demander de l'éclairer sur son avenir de divorcée. Matériellement plus que confortable, celui-ci s'annonçait cruellement solitaire pour une femme de quarante-six ans. Mais cette séparation devait signifier aussi pour l'inconstant la fin de sa période de chance et l'ex-impératrice dira, avec plus de compassion que d'amertume: « Je voyais s'avancer à grands pas l'espèce de prophétie qui me fut faite à l'époque de mon divorce. Elle annonçait que du moment où Napoléon me délaisserait, il cesserait d'être heureux. » Ce sera bientôt, en effet, la désastreuse campagne de Russie, prélude à l'effondrement final.[33]

« *The Straggling Astrologer* »

À la débâcle de l'Empire, comme beaucoup de bonapartistes, Mlle Lenormand jugea utile de changer d'air et la « perfide » Angleterre, où sa réputation l'avait précédée, lui offrit un exil doré. C'est à elle que l'on doit la publication de la première revue astrologique connue: *The Straggling Astrologer of the Nineteenth Century, or Magazine of Celestial Intelligences, conducted by the celebrated Mademoiselle Le Normand, of Paris*. Édité à Londres chaque samedi et vendu trois pennies, l'hebdomadaire présenta en couverture de son douzième numéro, daté du 21 août 1824, l'horoscope de Sa Majesté anglaise George IV. L'astrologie et les affaires n'ont pas de patrie. C'était ce même George IV qui avait fait déporter Napoléon à Sainte-Hélène où l'ancien petit général était mort trois ans plus tôt.

« *Je reçois tous les jours de 9 à 6...* »

Marie-Anne Adélaïde Lenormand laissa une élève qui, dit-on, fut meilleure cartomancienne et, si cela était possible, encore plus habile commerçante. Adèle Moreau, une forte personne à lorgnon, comme nous la montre son portrait,

33. Après sa première abdication, Napoléon fut déporté à l'île d'Elbe où il débarqua le 3 mai 1814. Le 29, vers onze heures du soir, comme il s'entretenait avec un ami, le général Bertrand, il fondit brusquement en larmes sans raison apparente. Au même instant, à la Malmaison, près de Paris — des suites d'une angine infectieuse ou empoisonnée par un bouquet vénéneux offert « galamment » par Talleyrand — Joséphine mourait en prononçant son nom.

rouvrit le bureau parisien de sa protectrice et fut la première à utiliser la publicité imprimée dans une profession jusque-là discrète où les bonnes adresses se communiquaient de bouche à oreille. Dans une formule qui devait faire école, Mlle Moreau informait ainsi ses éventuels clients qu'elle « recevait » tous les jours chez elle, 5, rue de Tournon, à Paris, de 9 heures à 6 heures, à l'exception des dimanches et des jours fériés.

Autre innovation: il était possible aussi de la consulter par correspondance en lui faisant parvenir l'empreinte de sa main gauche ou son effigie en daguerréotypie. C'était également la première fois qu'une voyante « travaillait » sur cette invention encore toute récente qu'on appellerait bientôt plus simplement la photographie.[34]

Qui fut le petit « Homme Rouge »?

Le 10 août 1792, la rumeur inquiétante de Paris révolté franchit les grilles closes des Tuileries où Louis XVI demeure consigné depuis sa fuite manquée et son arrestation à Varennes. Ce matin-là, la reine Marie-Antoinette est chez elle en compagnie de Mme Campan, sa secrétaire, lorsque les deux femmes entendent un bruit suspect dans le couloir. Elles se précipitent, effrayées, et voient un petit homme, une sorte de « lutin » rouge, disparaître dans un escalier. Le même jour, le gouvernement révolutionnaire décrétera la déchéance du roi qui sera conduit avec sa famille à la prison du Temple.[35]

1804. Le nouvel hôte des Tuileries, le général Bonaparte, nommé Premier Consul à vie à trente et un ans, songe à monter plus haut encore. Dans la nuit du 20 mars, un grenadier de faction aux jardins, fait feu un peu nerveusement sur une mystérieuse silhouette rouge, vaguement lumineuse, qui ne tient pas compte de ses sommations, et il brûle sa poudre aux moineaux. Le petit « Homme » reviendrait-il chaque fois qu'un grand événement se prépare, comme la chute d'une royauté ou la naissance d'un empire?[36]

Cependant, la garde accourue à la détonation commence à se poser des questions en ramassant dans une allée un man-

---

34. Adèle Moreau, *L'Avenir dévoilé et la chiromancie nouvelle* (1853).
35. Jeanne-Louise Campan (1752-1822), *Mémoires*.
36. L'Empire sera institué deux mois après, le 18 mai 1804.

teau d'écarlate et une lanterne encore chaude. Depuis quand un fantôme a-t-il besoin d'un falot pour se guider dans l'obscurité et, s'apeurant du coup de fusil d'un maladroit, perd-il sa cape en détalant? Le lendemain matin, le très vieux bibliothécaire du palais, le citoyen Bonaventure Guyon, sera découvert sans vie dans la chambre qu'il occupait sous les combles. Il est mort d'un arrêt du coeur et la police consulaire s'empressera d'escamoter le corps qui sera inhumé furtivement. Quant à l'étrange incident de la nuit, les témoins seront fermement invités à l'oublier au plus vite, sous peine de sanctions disciplinaires. Mais il faut croire que les militaires n'en commettront pas moins des indiscrétions, puisque l'anecdote nous est parvenue. [37]

Qui était exactement ce Guyon presque octogénaire auquel le Premier Consul, en s'installant aux Tuileries, avait aussitôt octroyé une petite sinécure à la bibliothèque? Son histoire paraît bien rocambolesque, mais les précisions qu'y apportent de nombreux écrits de l'époque lui confèrent néanmoins un certain fond d'authenticité. En 1773, Louis XV régnant encore, le bénédictin Pierre Leclère, prieur de Saint-Pierre de Lagny, dans le diocèse de Meaux, s'est acquis une réputation de devin qui a largement débordé les murs de son couvent et ne laisse pas d'agacer les autorités religieuses. Devant le duc-évêque de Rohan, grand aumônier de la Cour, venu de Paris pour l'interroger, il aura l'imprudence de répéter que le roi va s'éteindre dans les douze mois à venir et que vingt années ne se passeront pas ensuite sans que son successeur ne périsse de mort violente, non par fait de guerre ou attentat, mais par sentence du peuple et supplice sur l'échafaud. Cette prophétie sacrilège frisant le crime de lèse-majesté, l'enquêteur préférera supposer que le malheureux prieur n'a plus tout son esprit et le Père Leclère, délié de ses voeux, sera discrètement rendu au siècle, c'est-à-dire à la vie laïque. [38]

Pendant la Révolution, on retrouve celui-ci à Paris où, sous le nom de Bonaventure Guyon, il tient au 13 de la rue de l'Estrapade un bureau d'astrologue dont il vit misérablement. Sur sa porte, une pancarte avise les rares visiteurs

---

37. Paul Christian, *L'Homme Rouge des Tuileries* (1863).
38. Louis XV mourra effectivement l'année suivante et Louis XVI sera exécuté dix-neuf ans après (1793).

qu'il est « professeur de mathématiques célestes, donne des consultations infaillibles sur tout ce qui peut intéresser l'avenir heureux ou malheureux des citoyens et citoyennes de Paris » et, ce qui, en ces temps dangereux, est une habile façon de protester de son civisme, « prédit, en particulier, les futurs triomphes de la Patrie ».

Est-ce cette dernière spécialité qui incite le général Bonaparte à venir frapper chez lui le 15 août 1795? Plus « chômeur » que jamais, en dépit des pronostics optimistes de Mlle Lenormand, le Corse a fêté tristement son vingt-sixième anniversaire et éprouve la nécessité de se remonter un peu le moral. Il repartira, furieux, la tête pleine de vains bavardages. Gloire, puissance et fortune, ces charlatans ne connaissent que ces mots. Le vieux n'a-t-il pas été jusqu'à lui affirmer sans rire qu'une comète ayant présidé à sa naissance, quelque part dans la constellation du Taureau, une ascension fulgurante le porterait « au plus haut poste auquel un homme puisse accéder »? Pourquoi pas un trône de roi ou d'empereur? Bonaparte n'a plus le temps de rêver. Puisque ces ânes de ministres ont refusé ses services, il ira les offrir à des gens moins obtus. Justement, les monarchistes se rassemblent à Paris pour tenter un coup de force contre la République. Avec, à leur tête, un artilleur de sa trempe, le Directoire ne pèserait pas lourd...[39]

Et, brusquement, toute sa carrière va se décider en moins de vingt-quatre heures. Le 14 octobre au soir, comme il négocie encore âprement le prix de son ralliement avec ses nouveaux employeurs, il est appelé d'urgence aux Tuileries où Barras, affolé, s'est enfin souvenu qu'il existait et lui demande d'écraser l'insurrection imminente. Réaliste, il n'hésite pas, une fois de plus, à retourner sa redingote; il improvise un plan de bataille pendant la nuit et, dans l'après-midi du 15, ses canons couchent sur le pavé cinq cents de ses alliés de la veille. Les royalistes matés, il est acclamé comme le sauveur de la Révolution, qui, il faut bien le dire, a eu chaud.

Célèbre du jour au lendemain, tout ce qui compte dans

39. La France est alors gouvernée par un comité de cinq « directeurs », dont Paul Barras, déjà cité, l'amant de Marie-Rose de Beauharnais. C'est ce même gouvernement que Bonaparte renversera pour son compte quatre ans plus tard, le 18 Brumaire de l'an VIII de la République (9 novembre 1799).

le régime se dispute l'honneur de l'avoir à sa table. Invité chez Barras, il ne résistera pas au charme de cette Créole des îles que Mlle Lenormand avait « vue » dans sa poignée de cendres. On sait les suites de la rencontre. Mais, les dîners mis à part, la gloire est-elle vraiment payante? C'est raisonnable pour un début, la République a su faire un geste. Le général a même été en mesure de « dépanner » sa mère qui, réfugiée à Marseille, s'échine à laver du linge pour nourrir une nichée de futurs rois et princesses. Avec une lettre de change de 50 000 louis — l'équivalent de 4 millions de francs actuels (800 000 dollars) — Mme Loetitia pourra laisser la blanchisserie en soupirant: « Pourvu que ça dure! »[40]

Réconcilié avec l'occultisme, Bonaparte retournera plusieurs fois rue de l'Estrapade et lorsqu'il se fera nommer Premier Consul, après avoir chassé Barras et sa clique, il logera Guyon aux Tuileries pour l'avoir près de lui à demeure. Mais, craignant le ridicule, malgré tout, ce sera toujours secrètement qu'il ira le rejoindre sous les toits où, loin des oreilles indiscrètes, le vieux mage déchiffrera à son intention les messages prophétiques des astres. En 1804, ce dernier commence de donner des signes de fatigue et accumule les bizarreries. Il ne sort plus que la nuit et erre dans le château, affublé d'une houppelande rouge, couleur de la « lumière astrale ». Manqué de peu par une sentinelle au cours d'une de ses promenades insolites, il remontera chez lui, affolé, et son coeur n'y résistera pas...

Telle est, ou aurait été l'histoire de l'ancien prieur de Saint-Pierre de Lagny devenu, au déclin de sa vie, l'astrologue de Napoléon. Voulut-il malicieusement, par son accoutrement et ses sorties nocturnes, entretenir une légende née sans doute des angoisses d'une reine déjà prisonnière surprenant un mouchard chargé de l'espionner? Toujours est-il qu'après lui, le petit Homme Rouge va continuer de bien se porter. À chaque grande occasion — la chute de l'Empire, la mort de l'ex-empereur ou celle du roi Louis XVIII — il se trouvera des gens apparemment sensés pour affirmer l'avoir croisé dans quelque corridor obscur. Mieux encore: en 1830, le marquis de Montereau, un officier de Charles X, jurera mordicus avoir été accosté par le fantôme dans la nuit

40. *Napoléon vu par Henri Guillemin* (Éd. de Trévise, 1969).

du 27 au 28 juillet, alors que Paris en armes s'apprêtait de nouveau à marcher sur les Tuileries. Très poliment, celui-ci lui aurait annoncé la fin de la dynastie des Bourbon et, faisant jaillir du feu de l'ongle de son pouce frotté sur le pavé, il lui aurait même allumé sa pipe! Il semble que ce soit là la dernière apparition de l'Homme au manteau écarlate.

Cheiro, « le charlatan honnête » (1866-1936)

Londres au temps de Sherlock Holmes

Le décor: un quartier bourgeois derrière Baker Street, dans le Londres du siècle dernier. Un « bobby » au casque en pain de sucre veille à l'entrée d'une petite maison victorienne entourée d'un jardinet soigneusement entretenu. À l'intérieur, dans le salon du rez-de-chaussée, des messieurs graves se penchent sur le corps d'un vieillard assassiné à coups de tisonnier et l'empreinte d'une main se dessine mélodramatiquement en rouge sur la tapisserie d'un mur.

Comme toujours, Scotland Yard a dépêché ses meilleurs agents, mais les indices sont maigres et l'enquête piétine. Soudain, entre un jeune homme, malgré le policier de garde. Vêtu élégamment — haut-de-forme, frac, canne à pomme d'or — il s'exprime avec aisance en dépit d'un accent étranger et s'informe courtoisement s'il peut se rendre utile. Sans attendre la réponse, le nouveau venu examine l'empreinte sanglante et se met à décrire sans hésitation celui qu'il considère comme le meurtrier: un adolescent de bonne famille, proche parent du mort dont il garde la montre en or dans la poche gauche de son pantalon.[41]

Ce discours extravagant doit rappeler aux inspecteurs les fumeuses théories policières qu'un jeune romancier d'Edimbourg, Arthur Conan Doyle (1859-1930), prête à l'un de ses nouveaux personnages, un détective amateur qu'il a appelé Sherlock Holmes. Sans la présence de deux journalistes qui semblent l'accompagner, ils mettraient volontiers le plaisantin à la porte, mais celui-ci les salue déjà et leur tend sa carte en les assurant que Cheiro, le grand Cheiro, a été très heureux de leur rendre ce petit service...

Le surlendemain, on arrêtait l'assassin dont le signale-

41. George Langelaan, *Les Faits maudits,* Encyclopédie *Planète* (1967).

ment correspondait point par point à celui fourni par l'intrus: c'était le fils de la victime; comme indiqué, la montre était retrouvée dans sa poche gauche; et le nom de Cheiro, encore ignoré la veille, « faisait » la première page de tous les journaux londoniens.

Disciple d'un brahmane!

D'où venait ce jeune Cheiro qui savait utiliser si admirablement de telles méthodes publicitaires? Louis de Hamon de son vrai nom et comte authentique, il prétendait revenir des Indes où il avait appris d'un vieux brahmane les secrets de la chiromancie.[42] À cette époque, en Angleterre, les occultistes hindous étaient aussi à la mode que l'avaient été les Pharaons dans la France de Napoléon. À l'exemple de Mlle Lenormand, Louis de Hamon, alias Cheiro, choisissait bien ses références. Mégalomane et peu scrupuleux, il a laissé des *Mémoires* qui, comme ceux de la voyante de l'empereur, rapportent beaucoup de faits douteux où il apparaît toujours sous le jour le plus favorable. Mais tout cela ne parvient pas à altérer l'image de l'homme qui restera l'une des plus remarquables figures de l'histoire de l'occultisme. Excellent chirologue, magnétiseur, grand intuitif, ses dons exceptionnels sont attestés par la considération et les témoignages des plus hautes personnalités de son temps.

Adopté en quelques semaines par le Tout-Londres des années 1890, l'invité de tous les salons, la curiosité de tous les soupers, Cheiro ouvrit sur Bond Street un luxueux cabinet de consultation qui fut immédiatement très fréquenté. Dans une pièce discrète et feutrée, revêtue entièrement — plancher, murs et plafond — de riches tapis orientaux et décorée des plantes vertes ornementales indispensables au style de l'époque, il reçut jusqu'en 1895 tout ce qui comptait en Angleterre et sur le continent.

La main de Sarah Bernhardt

Furent ses clients: le Prince de Galles, fils de la reine Victoria et futur Édouard VII (1841-1910); Lord William Ewart Gladstone, chef du parti libéral et quatre fois premier ministre

42. Fred Gettings,*Le Livre de la Main.*

(1809-1898); le Lord Chief Justice Russel; Lord Herbert Kitchener, qui sera ministre de la guerre (1850-1916); Sarah Bernhardt, en tournée à Londres avec la Comédie-Française (1844-1923); une personnalité ecclésiastique dont il n'a pas révélé le nom; des directeurs de Scotland Yard restés ses admirateurs depuis le crime de Baker Street, etc.

C'est en 1894, dans un bureau du War Office, que Cheiro prédit à Lord Kitchener qu'il aurait à assumer les plus hautes et les plus lourdes responsabilités de sa carrière au cours de sa soixante-quatrième année. Kitchener avait alors 44 ans et était major général dans l'Armée d'Égypte. Vingt ans plus tard, en août 1914, nommé ministre de la guerre dans ces heures sombres de l'Histoire, il devait organiser la mobilisation de toutes les forces britanniques.

Cheiro ne « vit » pas le premier conflit mondial et le confesse sportivement: « Combien peu d'entre nous alors pensaient que 1914 verrait éclater la plus terrible guerre du siècle ».[43] Comme beaucoup de voyants, il avait plus de bonheur dans les prédictions d'ordre personnel. Il essaya bien d'élargir le champ de ses prophéties dans un livre qui connut un succès énorme, *World Predictions,* mais peu se trouvèrent vérifiées par les événements.

Le charlatan honnête

En 1895, à 29 ans, au faîte de sa gloire et de sa fortune, Cheiro décida brusquement de fermer son cabinet londonien et de partir conquérir New York. Il y ouvrit un luxueux bureau où afflua bientôt une clientèle confortable et fut le héros d'une aventure qui n'a pas été très bien éclaircie. Le rédacteur en chef du *New York World* l'accusa-t-il réellement de charlatanisme, le défiant de prouver ses pouvoirs au cours d'une expérience publique? Quand on connaît le goût de Cheiro pour la publicité tapageuse, il est fort possible qu'il ait suggéré lui-même cette idée à un journaliste en quête de copie.

La démonstration eut lieu dans un grand théâtre de Broadway où, devant une salle comble et enthousiaste, il décrivit magistralement douze personnes inconnues de lui sur le seul examen des empreintes de leurs mains gauches imprimées sur des cartons. Refusant d'identifier une treizième empreinte, il déclara que la main était celle d'un assas-

43. *Cheiro's Palmistry for all.*

sin qui se trahirait en se vantant de son crime et terminerait ses jours en prison.

Or, l'homme, un médecin du nom de Meyer, avait été déjà appréhendé par la police. Il était si heureux d'avoir tué sa femme qu'il n'avait pas pu résister au plaisir d'en parler. Cela, Cheiro pouvait l'avoir appris comme tout le monde. Seulement, ce Meyer ne fut pas pendu, comme le public s'y attendait. Reconnu fou, il fut interné dans un asile où il mourut trois ans plus tard.

En 1936, âgé de 70 ans, Cheiro s'effondrait dans une rue d'Hollywood, terrassé par un infarctus. Il était venu dans la métropole du cinéma pensant que sa vie étonnante ferait un bon scénario de film. En 1906, il avait perdu subitement son don de voyance, comme il l'avait acquis, sans raison apparente. Il l'avait fait savoir aussitôt par les journaux et était devenu ce qu'il appelait lui-même « un charlatan honnête ».

Miss Évangéline Adams, l'astrologue de Mary Pickford (1865-1932)

Vers 1895, après l'Angleterre, la mode de l'astrologie « scientifique » avait commencé de gagner timidement les États-Unis où toute pratique divinatoire était aussi hors la loi. Mais le « boom » astrologique américain ne se produirait véritablement que trente-cinq ans plus tard, favorisé par le climat d'une crise économique sans précédent, par l'avènement de la téléphonie sans fil, la T.S.F., et surtout par une femme de tête, Miss Évangéline Adams.

Débarquée à New York un samedi du début du siècle, celle-ci s'était offert le luxe de descendre sur la 5ème Avenue, au *Windsor Hotel,* sans se douter que son séjour y serait aussi bref qu'agité. Pressée de se faire connaître et pensant que le moyen le plus rapide était encore de tirer gracieusement l'horoscope à son logeur, Mr Warren F. Leland, ses calculs l'amenèrent à découvrir qu'une conjonction terriblement maléfique menaçait l'hôtel dans les prochaines heures. Boursicoteur enragé et n'imaginant pas qu'il puisse s'agir d'autre chose que d'un brutal effondrement des cours à Wall Street, l'hôtelier, d'abord inquiet, crut pouvoir se rassurer en se rappelant à propos que la Bourse était fermée le dimanche. Donc, quelqu'un se trompait sûrement, Saturne ou sa nouvelle pensionnaire. Sa belle quiétude fut de courte durée.

Le soir même, un incendie rasait le *Windsor* et Miss Adams se retrouvait sur le trottoir de la 5ème Avenue, sans avoir pu sauver ses valises contenant ses précieux traités d'astrologie. Mais le lundi matin, tout New York répétait son nom.

Dès lors, tout va aller très vite pour elle et sa réputation, entretenue par des réussites non moins spectaculaires, ne tardera pas à traverser les océans. Des têtes couronnées et autres grands de la terre, que le voyage ne rebute pas, prendront peu à peu l'habitude de venir faire sonder leurs planètes dans son bureau du *Carnegie Hall.* Elle y reçoit un vieux client du chiromancien Cheiro: l'ex-prince de Galles, enfin devenu Édouard VII à l'âge de soixante ans, l'éternelle Victoria, sa mère, ayant fini par jeter l'éponge. L'illustre Enrico Caruso, ténor napolitain, ne manque pas de sonner à sa porte chaque fois que l'Amérique l'appelle pour l'entendre chanter *La Tosca* ou *Le Barbier.* Plus près, Hollywood encore vagissant lui fournit un fidèle contingent d'acteurs toujours gourmands d'horoscopes. Parmi eux, la première idole internationale du « cinématographe », Mary Pickford, une ravissante ingénue canadienne de seize ans, très Américaine en affaires et que la publicité surnomme « la petite fiancée du monde » pour ses millions d'amoureux des « salles obscures ».

Et puis, brusquement, en 1914, ce n'est pas la guerre qui préoccupe le plus Évangéline Adams — l'Europe est si loin — mais un mandat d'amener de la justice new-yorkaise. Nous avons fait déjà allusion à ce procès retentissant qui tournera à la confusion des ligues de moralité plaignantes. Bravement, la prévenue a décidé d'assurer elle-même sa défense et se présente devant le tribunal munie de ses Tables astrologiques. Après un savant exposé des aspects techniques de son art, elle propose en démonstration d'établir sur-le-champ l'horoscope de n'importe quelle personne anonyme qu'il plaira à la Cour de choisir. Sceptique, mais intéressé, le juge accepte le pari et lui communique une date de naissance qu'à la reprise de l'audience il avouera être celle de son fils. Car le travail stupéfiant de l'astrologue va faire de Son Honneur le plus chaud des supporters de Miss Adams, et le plus utile en la circonstance. Les attendus du jugement d'acquittement, prononcés aux applaudissements du public, iront jusqu'à préciser que « la défenderesse a élevé l'astrologie à la dignité d'une science exacte ».[44]

En somme — sans vouloir attenter à sa mémoire par une comparaison pouvant sembler désobligeante — Miss Adams a brillamment remporté sa cause un peu à la façon de Phryné, cette célèbre prostituée grecque, modèle du sculpteur Praxitèle, qui fut accusée d'impiété trois cents ans avant J.-C. La merveilleuse beauté de la courtisane, habilement dévoilée au cours d'une plaidoirie achevée en numéro de strip-tease, avait irrésistiblement convaincu les juges athéniens que le « corps du délit » était au-dessus des lois humaines et devait rester en service pour le bien de la communauté.

La carrière d'Évangéline Adams, déjà triomphale, devait atteindre son apogée pour s'y maintenir jusqu'à la fin, le 23 avril 1930, jour où la radio, ce nouveau médium prodigieux, diffusa la première émission entièrement consacrée à la « science » astrologique. Miss Adams tenait seule l'antenne et c'était le début d'une série qui ne prévoyait pas moins de trois programmes par semaine. En un trimestre, la station émettrice reçut 150 000 commandes d'horoscopes et au bout d'un an, les demandes arrivaient au rythme de 4 000 par jour. L'Amérique, au bord du marasme, avait besoin d'être rassurée.

À l'automne 1932, âgée de soixante-sept ans, Miss Adams, fatiguée, annula une tournée de conférences qu'elle était sur le point d'entreprendre. Selon son biographe, Louis MacNeice, il serait possible qu'elle ait « vu » sa mort imminente, et sa disparition fut ressentie comme celle d'une amie irremplaçable. Le 10 novembre 1932, une foule recueillie défila durant plusieurs heures dans le bureau du *Carnegie Hall* transformé en salon mortuaire, tandis que des milliers de télégrammes éplorés affluaient des quatre coins du monde.

Cinq ans auparavant, Évangéline Adams avait publié un ouvrage d'astrologie philosophique, *Your place in the Sun*, dans lequel elle niait le déterminisme planétaire et le caractère fatal de la destinée. « Connaissant la ligne générale de notre destin, écrivait-elle avec optimisme, nous pouvons éviter ce qui nous menace grâce à notre libre arbitre, ou profiter au maximum de la chance qui s'offre à nous. »

À son arrivée à New York, grâce à l'incendie du *Windsor Hotel* et au sacrifice de ses valises, elle avait su en effet saisir la chance. On ne pourrait en dire autant de Mr Warren F.

---

44. Ce jugement a fait jurisprudence aux États-Unis. Si la pratique de la voyance est restée illégale sous ses autres formes, l'astrologie a cessé depuis 1914 de tomber sous le coup de la Loi.

Leland et de ses autres locataires, mais peut-être que pour elle, ce jour-là, les exigences d'une bonne réclame justifiaient quelques holocaustes.

Hanussen, le mage de la Gestapo (1889-1933)

Mage et gentilhomme danois

En 1916, à Lvov, dans l'ancienne Ukraine polonaise, après avoir mené jusqu'à 27 ans une vie à peu près exempte d'histoires, Herschel Steinschneider, fils d'un concierge de synagogue, commet la sottise de rendre mère la fille du rabbin et doit quitter précipitamment la ville.

Il réussit à passer en Russie, alors en guerre contre l'Allemagne, et on le retrouve à Jitomir, engagé dans un petit cirque ambulant. Il commence comme garçon de piste puis, montant en grade, fait tous les métiers des gens du voyage: clown, avaleur de sabres, voyant. Quand il arrive à Vienne en 1918, la guerre terminée, le petit Juif noiraud, laid et bouffi, a pris l'apparence d'un Aryen blond au charme ténébreux et se présente sous le nom d'Eric Jan Van Hanussen, « mage et gentilhomme danois ». Ses biographes supposent qu'il a emprunté sa nouvelle identité à la croix de bois d'une tombe d'un cimetière militaire. Celui qui la portait ne reviendra pas la lui disputer.

Très vite, il fait la conquête de ce qu'il est convenu d'appeler la bonne société. Les salons s'ouvrent pour lui et les chambres à coucher également. En trois mois, il ne comptabilise pas moins de cent maîtresses sur un fichier tenu à jour où sont notés les noms et tous les rendez-vous.[45] Ainsi, auprès des maris, il peut jouer sans risque au devin grâce aux nombreuses confidences recueillies sur l'oreiller.

Les affaires vont bien et, comme il a gardé du cirque le goût des exhibitions en public, il présente régulièrement sur la scène de *l'Apollo* de Vienne un spectacle de voyance, d'hypnotisme et de télépathie. L'occultiste soviétique Wolf Messing, qui l'a connu, rapporte dans ses *Souvenirs* qu'Hanussen était « un curieux mélange d'escroc et de télépathe authentique ». Il commençait toujours son numéro avec deux compères assis dans la salle, et prenant confiance en lui-

45. Robert Charroux, *Le Livre des secrets trahis,* Éd. Robert Laffont.

même, il pouvait continuer sans truquage et donner des résultats incontestables.[46]

Les micros de la Gestapo

En 1923, Hanussen est déjà riche, mais Vienne lui paraît malgré tout un peu provinciale pour ses ambitions. Il va s'établir à Berlin où des amis le présentent à un agitateur politique autrichien, Adolf Hitler, qui dirige un mouvement inspiré du fascisme italien et appelé assez arbitrairement parti national-socialiste ouvrier. Le futur maître du Reich voit tout de suite l'intérêt qu'il peut avoir à utiliser cet aventurier avide, intelligent et apparemment sans scrupules. Hanussen, bien accueilli, va se croire devenu l'oracle et le conseiller occulte du nazisme en pleine ascension. Il subventionne les S.A., les troupes d'assaut de l'hitlérisme dont il s'est institué l'ardent propagandiste, mais cela ne le fait pas négliger sa propre fortune. Il sera bientôt propriétaire de deux revues d'occultisme, dont la *Hanussen Zeitung* tirée à 150 000 exemplaires; il possédera un château près de Berlin, une clinique de repos et, suprêmes signes de la réussite, une Mercedes rouge et un yacht blanc sur le Wannsee.

Dans son somptueux appartement de la Lietzenburgerstrasse, baptisé « Palais de l'Occultisme », il donne de joyeuses réceptions auxquelles participent les plus jolies filles de la grande bourgeoisie berlinoise, et on raconte que ces soirées sont l'occasion de scènes curieuses. Il n'a pas renoncé à se produire sur scène, et la *Scala* affiche « complet » chaque soir quand son nom étincelle en lettres lumineuses sur le fronton du théâtre. Le rideau retombé, Dzino Ismet, son secrétaire libanais, recueille les noms des spectateurs désireux de consulter le Maître en particulier. Il les reçoit chez lui, dans un cabinet baigné d'une clarté mystérieuse et tendu de draperies sombres ornées des signes du zodiaque.

Parmi ces hommes et ces femmes, souvent des membres du Parti, venus s'étendre un instant sur le sofa aux confidences, qui se douterait que derrière les tentures, les murs sont truffés de micros? Il faut lui rendre cette justice, Hanussen n'a pas voulu cela, mais il est pris dans l'engrenage et ses employeurs le tiennent bien.

46. Cela contredit certains auteurs selon lesquels les spectacles de télépathie sont toujours entièrement truqués.

Un cadavre criblé de balles

Célébrité, argent, femmes, *dolce vita* allemande, cela va durer dix ans et, brusquement, ce sera la chute. Est-ce le secrétaire libanais, chassé pour indélicatesse, qui a vendu la mèche? En janvier 1933, le journal hitlérien *Angriff* lance une de ses flèches mortelles qui ne manquent jamais leur homme: Hanussen, le grand Hanussen, le devin inscrit au Parti, est un charlatan doublé d'un escroc qui a eu à rendre des comptes à la justice tchécoslovaque (ce qui est malheureusement exact). De plus, scandale impardonnable, il est indéniablement juif; il a contracté trois mariages, chaque fois avec une Juive; son véritable nom est Herschel Steinschneider et en 1931, au congrès sioniste de Prague, il se serait flatté publiquement d'avoir pour ancêtres « les rabbins miraculeux de Prossvitz ».

En 1933, il est déjà dangereux d'être un Juif en Allemagne, et lorsque le docteur Goebbels, le chef de la propagande nazie, l'accuse d'être un espion anglais, Hanussen proteste et s'affole. Il a d'abord une réaction bizarre: il cherche et trouve un pasteur complaisant qui veut bien, sur le champ, le convertir au protestantisme. Puis jugeant aussitôt cette parade dérisoire, il songe à préparer sa fuite.

Mais il médite aussi un coup de théâtre. Le 24 février, au cours d'une soirée au Palais de l'Occultisme, ses invités — dont plusieurs dignitaires du parti: Hess, Goebbels, Heydrich — l'entendent avec stupeur prédire que le Reichtag va être incendié par les communistes. Effectivement, trois jours plus tard, dans la nuit du 27, le siège du gouvernement est en partie détruit par le feu.

Historiquement, il est établi que l'incendie du Reichtag n'a pas été l'oeuvre des communistes, mais bien celle des nazis qui voulaient créer un climat de terreur à la faveur duquel Hitler pourrait prendre le pouvoir. Hanussen a-t-il vraiment prophétisé cet événement capital ou l'avait-il appris dans son cabinet de l'indiscrétion d'un conspirateur? Et avait-il décidé de l'annoncer publiquement dans l'espoir illusoire de faire hésiter Hitler? Toujours est-il que ce soir-là, il a signé son arrêt de mort.

Le 29 mars, le corps de celui que les journaux appelaient encore récemment « le plus grand voyant de tous les temps » sera retrouvé dans une forêt, près de Potsdam, ligoté de fil de fer et criblé de balles de revolver. Une mise en scène de crime crapuleux dont les Allemands ne seront pas dupes. Ils diront qu'Hanussen a été abattu par la Gestapo parce qu'il avait le dangereux pouvoir de lire dans la pensée des chefs nationaux-socialistes.[47]

La dernière prédiction

En définitive, Hanussen a-t-il été un voyant véritable? Portons à son crédit ce conseil qu'il avait donné au Libanais Daino Ismet: « Ne vous mariez jamais, car vous tueriez votre femme et vous vous suicideriez ». Quatre ans après la fin tragique du play-boy de l'occultisme, en 1937, à Vienne, un croupier en chômage se suicidait après avoir abattu sa femme et son enfant. C'était l'ex-secrétaire infidèle qui, indirectement, avait aussi sur la conscience la mort de son ancien patron.[48]

Edgar Cayce « L'homme-miracle » (1877-1945)

Un si merveilleux grand-père

Dans les années 70 du siècle dernier, un fermier de Christian County, près d'Hopkinsville, eut le privilège de voir naître dans son étable le premier veau à sept pattes de toute l'histoire des États-Unis. Il faut dire que ce village du Kentucky, où les vieilles négresses endormaient les bébés braillards en soufflant sur leurs pieds trois bouffées de pipe, aurait pu fournir en « monstres » le célèbre cirque Barnum. Une vache, jusque-là sans malice, mettait bas sans prévenir une génisse à deux têtes, ou bien des petits cochons venaient au monde avec trois queues, à moins que ce ne fut sans oreilles. Et Christian County que la nature semblait avoir choisi comme champ d'expériences « produisait » également des phénomènes humains.

C'est dans son édition dominicale du 9 octobre 1910 que le *New York Times* imprima ce titre en caractères énormes, chapeautant un article illustré de photographies:

> À L'ÉTAT D'HYPNOSE, UN ILLETTRÉ DEVIENT UN GRAND MÉDECIN! L'étrange pouvoir manifesté par Edgar Cayce stupéfie le monde médical.

---

47. La Gestapo (die Geheime Staatspolizei) n'a été créée officiellement que le 26 avril 1943, après l'arrivée d'Hitler au pouvoir, mais elle existait déjà en tant que police secrète du parti nazi.

48. Élisabeth Antebi, *Ave Lucifer*. Éd. Calmann-Lévy, 1970.

L'adjectif « illettré » dépassait certainement la pensée du rédacteur, mais ces outrances de style sont un fait coutumier du journalisme à sensation.

Cette extravagante aventure avait commencé trente-trois ans plus tôt, le 18 mars 1877 — à Christian County, comme de juste — lorsque Carrie Cayce, la femme du juge, avait accouché d'Eddie, son premier garçon. Naissance apparemment normale, celle-là, et joyeusement arrosée d'un tonneau de whisky par une parenté quasi innombrable qui aurait suffi à peupler tout le comté. Le personnage le plus remarquable de la tribu était à coup sûr le vieux Cayce qui, en plus de découvrir les sources, accomplissait des prouesses déconcertantes pour les adultes. Les soirs de veillée, par exemple, pour distraire la société, il faisait s'envoler la table en la touchant du bout des doigts ou il commandait au balai de danser le « cake-walk » autour de la cuisine. Un si merveilleux grand-père ne pouvait que fasciner un petit garçon tout prêt à le suivre dans un monde où rien n'était impossible.

Cette complicité entre l'aïeul et l'enfant, cimentée d'une adoration mutuelle, devait être brutalement interrompue par un accident stupide. Un jour qu'ils étaient allés se promener avec le cheval, Eddie qui venait d'avoir quatre ans revint seul à la maison. Le vieil homme avait voulu faire boire leur monture et celle-ci, effrayée par le saut d'une grenouille, l'avait entraîné dans la rivière où il s'était noyé sous les yeux de son petit-fils.

Désormais, Eddie ne s'éloigna plus de la ferme, jouant ou chuchotant avec des compagnons qui n'étaient visibles que pour lui et s'effaçaient aussitôt qu'approchait une grande personne. Et souvent, le grand-père Cayce, s'échappant un moment du cimetière de Christian County, venait aussi lui rendre visite.

Une balle de base-ball

Pour son dixième anniversaire, on lui offrit une Bible qu'il jura de relire au moins une fois chaque année de sa vie, de la Genèse à l'Apocalypse. Toutefois, ses performances scolaires se situaient tellement au-dessous du minimum acceptable à la campagne que le maître d'école, un oncle Cayce, confia au juge du même nom sa crainte de le voir rester le dernier des crétins. Ce soir-là, un père blessé dans son orgueil accabla de reproches un ingrat qui, pour toute réponse, piqua du nez sur sa grammaire, brusquement assommé par un sommeil irrésistible. Secoué avec vigueur, Eddie finit par rouvrir les yeux et récita d'un trait sa leçon d'orthographe en épelant sans trébucher les mots les plus difficiles. Il reçut malgré tout une gifle, histoire de le dissuader à l'avenir de se moquer du monde, mais il avait fait une découverte bien agréable. Il savait à présent qu'en reposant quelques minutes, la tête sur un livre de classe, il pouvait en apprendre le contenu par coeur. Grâce à ce procédé commode et exclusif, il devint en moins d'une semaine le « crack » incontesté de l'intelligentsia locale.

À quelque temps de là, au cours d'une partie de baseball, une balle malencontreuse le frappa rudement dans le dos. Rentré chez lui en proie à une agitation inhabituelle, il sombra comme une masse dès qu'on le mit au lit et parla du fond de son sommeil d'une curieuse voix impérative. Il dit qu'il souffrait d'une forte commotion et qu'on le guérirait en lui appliquant sur la nuque un cataplasme d'oignons crus, hachés avec des simples dont il donna les noms. Mr et Mrs Cayce s'efforçaient déjà, tant bien que mal, de s'accoutumer à l'idée d'avoir un fils hors du commun. Ils obéirent à tout hasard et, miracle, le lendemain, Eddie s'éveilla dispos.

À dix ans, sous auto-hypnose, il venait de faire la première de ses milliers de « lectures-diagnostics » qui stupéfieraient un jour le monde médical, ainsi que devait l'écrire un journaliste du *New York Times*.

Autres bizarreries

En 1899, Edgar Cayce, âgé maintenant de vingt-deux ans, se décide à rejoindre ses parents qui sont allés s'établir à la ville voisine. En vérité, il préfère la vie des champs mais, presque chaque nuit, dans ses rêves, une jeune fille inconnue, mystérieusement voilée, revient lui ordonner de partir pour Hopkinsville. Invité chez les amis d'une cousine, peu après son arrivée, il verra cette apparition obstinée se matérialiser devant lui, visage découvert et souriant, en la ravissante personne de Miss Gertrude Evans qu'il épousera quatre ans plus tard.

Les Cayce ayant le sang vif, ses rapports avec son juge de père ne vont pas toujours sans éclats. Un soir qu'il s'est assoupi sur le canapé du salon, après une violente dispute, son lit improvisé s'embrase subitement comme un feu de Bengale.

C'est tout à fait incompréhensible, il n'a pas fumé de cigarette et le poêle est placé à l'autre extrémité de la pièce. Et, chose tout aussi inexplicable, si ce début d'incendie a ravagé son habit neuf, il s'en tire pour sa part sans la moindre brûlure.

Mais pour lui, ce n'est que de la chance. Ce qui peut sembler bizarre aux autres ne le surprend jamais davantage et son principal souci du moment est de trouver une situation. Tout heureux d'avoir décroché un emploi de représentant chez Morton, le papetier de Saint-Louis, il se rappelle à propos ses petites tricheries d'écolier et glisse sous son oreiller un énorme catalogue de ventes pour le mémoriser en dormant.

Il commencera de s'interroger le jour où il devra bien admettre qu'il est tout de même un peu à part. Aussi loin qu'il se souvienne, il a toujours vu les gens entourés de lumière, comme les saints sur les images, sauf que leurs couleurs varient, plus ou moins franches et plaisantes, selon leur état de santé, leur nature ou leurs émotions. Et voilà qu'un hasard lui a fait découvrir qu'il n'appartenait pas à tout le monde de distinguer les auras.[49] D'autres faits, jusqu'ici absolument banals pour lui, seraient-ils aussi exceptionnels? Il va en concevoir une sourde inquiétude qui dégénérera en panique quand il manquera de rendre fou le Dr Wasserman, son nouveau patron.

Ayant laissé la représentation et tâté de la photographie, il travaillait alors comme radiographe dans un hôpital de l'Alabama et pensait vivre un cauchemar quotidien. Chaque cliché qu'il obtenait, pourtant admirablement net et pris suivant les directives, outrepassait en fantaisie les phénomènes

---

49. « Sorte d'auréole visible aux seuls initiés, dans les sciences occultes. » (Dict. Larousse)

D'après l'Écriture, la personnalité de Jésus était si forte que son aura était visible de tous ses disciples: « Son visage brillait comme le soleil et Ses vêtements étaient de lumière ».

L'aura serait formée d'une à quatre couches superposées (selon les individus), la première étant incolore et large de cinq à dix centimètres, les autres variant du bleu au rouge et palpitant continuellement jusqu'à près d'un mètre du corps. Plus ou moins filtrée par les vêtements, elle serait surtout visible autour de la tête et des mains, et une personne nue apparaîtrait entièrement auréolée. La disparition de l'aura précéderait de quelques jours la mort. Les animaux et les plantes irradieraient également des ondes lumineuses, celles des plantes étant plus claires et presque immobiles.

les plus délirants des fermiers de Christian County. Radiographiés par ses soins, la boîte crânienne d'un patient évoquait aussitôt une citrouille de l'*Halloween;* une colonne vertébrale s'allongeait au-delà du coccyx pour dessiner une queue à rendre jaloux un ouistiti; un coeur triple battait dans une cage thoracique ou encore une jambe cassée révélait trois tibias, deux présentant des fractures et le troisième torsadé comme un pied de chaise Louis XIII. Atterré, Edgar Cayce offrira sa démission avant qu'on ne la lui demande en des termes désobligeants.

Ici, évidemment, à moins d'avoir un faible pour la science-fiction humoristique ou les bandes dessinées de Mandrake-le-Magicien, on peut être tenté de hausser les épaules et d'exiger des faits un peu plus convaincants. Mais, depuis le « scoop » du *New York Times,* des centaines d'articles ont étudié le cas d'Edgar Cayce, près de vingt ouvrages solidement documentés ont raconté sa vie ou analysé ses travaux et aucun ne permet au lecteur saturé de fantastique de reprendre contact, même un court instant, avec les rassurantes banalités journalières.[50]

Une ridicule extinction de voix

Il semble qu'une volonté supérieure et maligne a conduit peu à peu Cayce à faire profession de ses dons en vouant à l'échec toutes ses tentatives de vivre une existence normale. En 1901, une nouvelle calamité s'abat sur lui sous la forme d'une ridicule extinction de voix compliquée de terribles maux de tête. Plusieurs médecins ayant avancé l'hypothèse d'une aphonie chronique, sinon définitive, son entourage le convainc en désespoir de cause d'essayer de réitérer sa fameuse expérience de « la balle de base-ball ». Endormi par autohypnose, il recouvre instantanément sa voix pour diagnostiquer avec autorité une paralysie partielle des cordes vocales due à la tension nerveuse et prescrire un traitement d'une

50. Joseph Millard, *Edgar Cayce, Man of Miracles* (The Edgar Cayce Foundation, 1961, et Éditions J'ai Lu, 1970); *Edgar Cayce on Atlantis* (Association for Research and Enlightenment, 1968); *Edgar Cayce's Story of the Origin and Destiny of Man* (TheEdgar Cayce Foundation, 1972); Louis Pauwels et Jacques Bergier, *Le Matin des magiciens* (Gallimard, 1960); George Langelaan, *Les Faits maudits* (Encyclopédie *Planète,* 1967), etc.

désarmante simplicité. Aucune drogue n'est nécessaire, il suffit qu'on suggère à son corps d'activer pendant quelques minutes la circulation sanguine dans la région affectée et tout rentrera dans l'ordre. Les témoins de la scène, effarés, voient aussitôt sa gorge virer au rouge vif et quand il se réveille, le miracle s'est reproduit. Fou de joie, il s'empresse de le vérifier en poussant des vocalises à faire trembler les vitres.

L'extraordinaire guérison du fils du juge est vite connue de toute la ville. À l'avis général, un tel pouvoir n'a pu lui être donné que pour venir en aide à tous ceux qu'une science souvent impuissante ne parvient pas à soulager. C'est aussi l'opinion de Gertrude Evans, la fiancée d'Edgar qui, lui, n'est pas d'accord et se défend comme un beau diable, objectant que s'ils veulent se marier, il lui faut avant tout songer à faire de l'argent. Curieusement, une brusque et brève rechute réduit ses protestations à quelques grognements inarticulés et, voyant là un avertissement, il comprend qu'il doit se résigner.

Ce qui l'inquiète surtout, c'est qu'il n'a aucun souvenir de ce qu'il dit pendant ses transes et sa totale ignorance de la médecine peut lui faire commettre des erreurs catastrophiques. Mais chaque fois qu'il sera assailli d'un doute, le même signe se renouvellera et le destin a prévu aussi de le mettre en confiance. À l'hôpital d'Hopkinsville, on désespère de sauver une petite fille dont un corps étranger doit obstruer le larynx, bien que les radiographies ne décèlent rien de suspect. S'étant plongé dans un sommeil hypnotique, Cayce « voit » immédiatement l'objet avalé par la fillette et situe avec précision l'endroit où il reste bloqué. Il s'agit d'un bouton de col en celluloïd, une matière translucide qui n'arrête pas les rayons X.

14 246 « lectures »

Timide, affreusement gêné, il exigera que ses premiers consultants conservent un anonymat absolu et il les « recevra » déjà endormi, étendu sur son divan, les mains croisées sur la poitrine. Par la suite, il opérera la plupart du temps à distance, n'ayant besoin que de savoir où se trouve la personne qui a requis ses soins et, sa renommée s'étendant, on le sollicitera d'un peu partout dans le monde, de Cuba, d'Angleterre, du Congo Belge, de Turquie ou même d'un village perdu au fond des Indes. À son don de télépathie, il ajoute celui de double vue et, parfois, lui qui n'a jamais appris une langue étrangère, il s'exprime soudainement dans celle de ses correspondants lointains avec une perfection de linguiste. Il émaille ses diagnostics de réflexions sur leur vie privée, leurs vêtements, le cadre où ils évoluent ou leur comportement à l'instant où il les capte. Il décrira ainsi une patiente qui est à des centaines de kilomètres du Kentucky: « Plutôt grasse, le nez pincé, c'est une fausse brune! » et rectifiera sans galanterie l'âge avoué par une autre qui triche un peu sur son « millésime ». À son réveil, informé de ses indiscrétions, il s'en montre très offusqué, choqué dans son puritanisme.[51]

Ces étranges consultations, qu'il nomme des « lectures » et qui nécessitent la présence à ses côtés d'un assistant et d'une secrétaire,[52] sont marquées d'incidents apparemment incohérents. Un jour, en une seule séance, il dicte les fiches médicales de plusieurs malades que ses collaborateurs ne parviennent pas à identifier et le mystère persistera jusqu'à ce que ces inconnus écrivent pour lui demander un examen. Une autre fois, il préconise un médicament dont le nom par lequel il le désigne rend perplexes tous les pharmaciens. Une enquête établira que *l'Eau de Clary* ne figure déjà plus au « Codex » depuis un bon demi-siècle, mais Cayce en a indiqué la formule qui a permis de la reconstituer. Chose plus curieuse, s'il est possible, il lui arrivera d'ordonner un remède tout aussi introuvable qu'il dit être le *Codiron*. Il ne sera pas le moins surpris d'apprendre que le produit en est encore au stade expérimental dans un laboratoire de Chicago et que son inventeur vient tout juste de lui trouver cette appellation.

Il était fatal que tout cela fit naître autour de lui des ten-

---

51. Ses facultés de voyance subsistaient à l'état de veille sans qu'il en ait toujours conscience. Par scrupule, il avait renoncé aux plaisirs du bridge parce qu'il « lisait » involontairement dans le jeu de ses adversaires. Sourcier comme son grand-père, il prédisait aussi la pluie qui tombait exactement au jour et à l'heure dits. On rapporte encore qu'il lui arrivait de saluer un inconnu croisé dans la rue en l'appelant machinalement par son nom et s'amusait à épouvanter les directeurs de banque en leur disant le chiffre de leur chambre forte.
52. Le premier posant les questions et la seconde sténographiant le dialogue qui s'engageait avec le médium endormi. Ce fut un ami de Cayce, Al Layne, qui dirigea ces premières « lectures », puis un médecin, le Dr John Blackburn, lui succéda pendant quelques années.

tations plus ou moins équivoques. Ce fut d'abord l'intègre juge Leslie Cayce, maintenant très fier de son fils, qui réussit à le convaincre de « lire » les prochaines fluctuations des cours du blé et réalisa de cette façon une fructueuse opération spéculative. Il y eut également quelques histoires peu orthodoxes de terrains et de puits de pétrole et Cayce accepta encore, par faiblesse, d'aider un ami criblé de dettes en le faisant gagner aux courses. Mais à chacun de ses écarts, comme un pressant avertissement, ses migraines le reprenaient de plus belle et ses pouvoirs psychiques subissaient des éclipses. En 1913, un autre de ses amis, plein d'idées, abusa aussi de sa confiance en lui suggérant par hypnose de composer un « psychoscénario » de film destiné à l'actrice Violet Mersereau, la « super-vamp » de l'*Universal Films*. Cette fois, la mesure était comble. Il décida que toutes ses « lectures » auraient lieu désormais sous le seul contrôle de sa femme Gertrude.

En l'espace d'une quarantaine d'années, jusqu'à sa mort, Edgar Cayce fit ainsi 14 246 « lectures » représentant un total de 50 000 feuillets d'une dactylographie serrée qui sont conservés à la bibliothèque de la fondation portant son nom.[53] Soixante pour cent d'entre elles sont consacrées à des « diagnostics médicaux psychiques » aux prescriptions souvent déroutantes que certains scientifiques étudient encore aujourd'hui; vingt pour cent sont des « lectures de vie » concernant les « existences antérieures » de 1 600 personnes, notamment de sujets censés avoir déjà vécu à l'époque de l'Atlantide, ce mystérieux continent englouti par un cataclysme antédiluvien et situé par la tradition à l'ouest de Gibraltar;[54] enfin, les autres portent sur des sujets divers, tels que « lectures personnelles » intéressant le médium lui-même, thèmes spirituels ou moraux, enquêtes policières,

---

53. The Edgar Cayce Foundation (B.P. 595, Virginia Beach, Virginie 23451, U.S.A.) créée en 1932. Il est possible d'y consulter facilement tous ces documents que plusieurs universités possèdent aussi sur microfilms. La fondation, très active, qui a des bureaux à New York, Phoenix et Los Angeles, publie un bulletin mensuel et une revue périodique, l'*A.R.E. Journal (Journal de l'Association for Research and Enlightenment)*.
54. Les premiers théologiens chrétiens, dont Origène et saint Augustin ont cru à la réincarnation, théorie condamnée de justesse par trois voix contre deux au Concile de Constantinople (553). Mais sept siècles plus tard, saint François d'Assise la tenait encore pour vraie.

interprétations de rêves, prédictions sur le monde futur,[55] etc.

Cette énorme somme de travail ne fit pas la fortune de son auteur, aussi indifférent à l'argent qu'à la gloire. Bien au contraire, il connut même la gêne, les créanciers impatients, les menaces de saisie et les expulsions. Uniquement pendant le dernier conflit mondial, il reçut plus de 25 000 demandes de « lectures » et, en 1944, ses carnets de rendez-vous étaient déjà complets pour l'année suivante. Edgar Cayce succomba à la tâche, surmené, épuisé par les exigences d'innombrables quémandeurs. Gravement malade et ne pouvant plus rien pour lui-même, il mourut à soixante-sept ans, le 3 janvier 1945, à Virginia Beach où il s'était fixé vingt ans plus tôt sur l'indication de ses « lectures personnelles ». Naturellement, il avait prévu le jour de sa « guérison » et sa compagne, la radieuse apparition qui avait hanté ses rêves de garçon, le rejoignit trois mois après.[56]

---

55. Par deux fois, au cours de la seconde guerre mondiale, Edgar Cayce fut convoqué secrètement à Washington.
56. Un autre Américain, Andrew Jackson Davis (1826-1910) avait déjà présenté un cas semblable à celui de Cayce, à la seule différence qu'il devait se faire hypnotiser. Illettré — il n'avait fréquenté l'école que quelques mois — il fit également des milliers de « lectures » médicales ou spirituelles. À l'âge de soixante ans, il s'inscrivit à l'Université, obtint un doctorat en médecine et continua de soigner ses malades comme par le passé, mais désormais légalement. Aujourd'hui, la voyante Pascalina Pezzola rend perplexe le corps médical italien par ses diagnostics et les traitements qu'elle préconise, tous précis, d'une efficacité incontestable, et qu'elle peut même donner à distance.

VII Quelques prophéties

La prophétie des papes

À la Basilique Saint-Paul-Hors-les-Murs, à Rome, dans la série des médaillons réservés aux papes, quatre seulement restent vides d'inscriptions. Or, selon la prophétie, il y aura encore quatre souverains pontifes après Paul VI, le pape actuel, et ce sera la fin de la papauté. Ce qui fait dire que le dernier n'aura pas son tombeau à Rome.[1]

Un saint irlandais

En 1595, Urbain VII mort, on s'apprêtait à réunir le conclave, lorsqu'un moine bénédictin de l'Abbaye du Mont-Cassino, Arnaud de Wione, rendit public un vénérable texte latin qu'il attribuait à l'ancien évêque d'Armagh, O'Morgair, plus connu sous le nom de saint Malachie (1094-1148) et ami du grand saint Bernard.[2] L'Irlandais avait composé 111 devises prophétiques, plus une prédiction nominale, prétendant identifier les 112 cardinaux qui seraient appelés à monter sur le trône pontifical après Clément IV, décédé en 1144 et lui-même 151e successeur de saint Pierre.

Ainsi, le premier de la liste avait été désigné par le surnom transparent de: *Ex Castro Tiberis* (« Du Château du Tibre ») et le successeur direct de Clément IV, qui fut Célestin II — de son vrai nom Guy du Châtel — était né à Titerna, place forte bâtie sur le Tibre.

Subjugués, les membres du conclave de 1595 lurent les devises suivantes qui tombaient toutes admirablement juste, mais parvenus à celle qui les intéressait le plus parce qu'elle concernait le pape à choisir, leur émerveillement fit place à une soudaine méfiance. La formule *De Antiquitate Urbis* (« De l'ancienneté de la Ville ») désignait vraiment trop clairement le Cardinal Simoncelli, qui était natif d'Orvieto (éthymologi-

1. Paul Le Cour, *l'Ère du Verseau.*
2. (1091-1153), fondateur en 1115 de la fameuse Abbaye de Clairvaux toujours aussi célèbre aujourd'hui, mais plutôt comme prison d'État.

quement: *Urbs Vetus,* la Vieille Ville). Et leur suspicion était d'autant plus forte que ce dernier se trouvait, comme par hasard, être l'ami intime du découvreur de saint Malachie. Une prophétie restée cachée pendant près de cinq siècles et exhumée aussi à propos, cela paraissait déjà louche et de là à penser qu'on l'avait fabriquée de toutes pièces pour tenter d'orienter le vote du Sacré Collège, il n'y avait qu'un pas qui fut allégrement franchi par tous les confrères malveillants. C'est ainsi que, pour faire mentir saint Malachie, le cardinal Simoncelli ne reçut pas la tiare.[3]

De Pierre l'Apôtre à Pierre le Romain

Aujourd'hui, même si l'on veut continuer à tenir pour douteuses les devises antérieures à la révélation de la prophétie, on est bien forcé d'admettre que celles qui suivent, sans exception, présentent des rencontres troublantes.

Pour ne citer que les plus connues, *Le râteau à la porte* annonça d'une manière humoristique Sa Sainteté Innocent XII, élu pape en 1691 et précédemment cardinal Pignalli del Rastello (du Râteau), dont les domaines étaient situés aux portes de Naples; *Aigle rapace* désigna le pontificat de l'infortuné Pie VII (1800), victime d'un « aigle impérial rapace » nommé Napoléon Ier; *Religio Depopulata* (« La Religion dépeuplée ») prédit l'élection de Benoît XV (1914) et la première guerre mondiale qui « dépeupla » la chrétienté de près de 9 millions d'hommes.[4]

Enfin, si *Pastor nautaque* (« Pasteur nautonnier ») a préfiguré Jean XXIII (1958) qui fut pasteur de Venise, la ville des gondoles, *Flos Florum* (« La Fleur des fleurs », c'est-à-dire le lys) convient aujourd'hui à Paul VI (1963) dont la ville natale, Florence, porte un lys rouge dans ses armoiries.

---

3. Guy Breton, *Curieuses histoires de l'Histoire,* Presses de la Cité, 1968.
4. Pour certains papes, Malachie ne désigne pas l'homme choisi, mais signale un événement important qui marquera son pontificat. Il a ainsi prophétisé d'une certaine façon l'Empire français, le conflit de 1914-18, etc. Un éminent occultiste taxe de pure fantaisie ces concordances curieuses. Mais c'est le même qui, par ailleurs, interprétant Nostradamus, affirme que les expressions « Grand Chameau » et « Grande Perche », utilisées par le mage provençal, désignent respectivement Hitler et de Gaulle!

Après, c'est l'inconnu. Les quatre derniers successeurs du présent pape, 108e de la prophétie, sont annoncés ainsi:

109e — *De Medietate Lunae* (« De la moitié de la Lune » ou, traduction plus exacte, « De la diminution de la Lune »);
110e — *De Labori Solis* (« Du travail du Soleil »);
111e — *De Gloria Olivae* (« De la gloire de l'Olive »).

Le sens de ces devises est obscur et toutes les interprétations vont bon train, mais nul doute qu'une fois attribuées, elles n'apparaissent aux spécialistes aussi limpides que les précédentes. L'expression *« De médietate Lunae »* annonce-t-elle un renouveau de la puissance du monde arabe, dont l'emblème, le Croissant, est une *« diminution de la lune »?* La devise *« Du travail du Soleil »* laisse-t-elle prévoir un pontificat marqué par un immense progrès technique: l'utilisation de l'énergie solaire qui, solutionnant la crise du pétrole, amènerait une ère de prospérité pacifique symbolisée ensuite par *« La Gloire de l'Olive »?* [5]

De toute façon, cela ne pourrait être qu'un court répit, car viendra alors le 112e et dernier pape de la liste. Avec celui-là, aucune spéculation possible, il est désigné nommément par saint Malachie: *Petrus Romanus,* Pierre le Romain. Un Pierre a bâti l'Église, un autre verra sa chute. Et l'Irlandais précise: « À l'heure de l'ultime persécution de la Sainte Église romaine, siégera Pierre le Romain qui conduira son troupeau au milieu des pires tribulations. Celles-ci terminées, la Ville aux Sept Collines sera détruite et le Juge redoutable jugera son peuple. »

Si on calcule que la durée moyenne d'un pontificat peut être de 7 ans (260 papes en moins de 20 siècles), l'échéance n'est plus si lointaine.[6]

---

5. La voyante américaine Jane Dixon a prédit que les « extra-terrestres » apporteraient prochainement aux hommes le secret de l'utilisation des forces solaires, ajoutant que ces visiteurs venus d'autres planètes auraient un aspect et un comportement humains. Ce qui détruit fâcheusement la légende pourtant excitante des « petits hommes verts » hérissés d'antennes. *(Enquirer,* 19 mai 1974).
6. Aux environs de l'an 2010, selon Guy Breton qui accorde une durée moyenne de dix ans aux quatre prochains pontificats. *(Curieuses histoires de l'Histoire).*

Comme Bizance

> *Il va y avoir un coup de chien sur l'Église et elle s'effondrera d'un coup, parce qu'elle est minée à l'intérieur (...) L'Église d'Occident tombera comme est tombée Bizance. Ce ne sont pas les Turcs qui l'ont prise, c'est elle qui s'est détruite à l'intérieur de ses remparts. Nous vivons dans Bizance mourante.*
>
> — R. P. BRUCKBERGER, dominicain, auteur de *Lettre ouverte à Jésus-Christ.*
>
> (Propos recueillis par Fanny Deschamps, *Elle,* 19 novembre 1973).

Un collaborateur malchanceux

Presque toutes les prophéties connues ont pris naissance sous les voûtes des monastères où le silence, la lecture des textes inspirés, la méditation, et peut-être aussi la monotonie des heures, semblaient favoriser ce genre d'exercice. C'est encore dans un couvent, en 1682, à Padoue, qu'un moine anonyme eut l'idée aventureuse de compléter celle de saint Malachie. Trouvant sans doute les devises un peu vagues, il entreprit d'y accoler les noms des futurs papes auxquels elles devaient s'appliquer. Mais par humilité — d'autres diraient par prudence — il préféra ne commencer que par la 93e de la liste, celle d'un Saint-Père encore lointain qu'il baptisa Benoît XIV. Et, chose extraordinaire qui dut réjouir dans sa tombe le brave religieux déjà rappelé à Dieu depuis nombre d'années, ce 93e pontife élu par le conclave de 1740 choisit effectivement de s'appeler ainsi!

Évidemment, on peut toujours penser que l'intéressé, ayant eu connaissance de la prophétie complémentaire, jugea plus politique de s'y conformer. Plusieurs de ses successeurs eurent le bon esprit de l'imiter et cela devint une sorte de tradition qui se perdit brusquement en 1939, lorsque le cardinal Pacelli décida lui-même de se nommer Pie XII.[7] Cet acte

7. La 106e devise de saint Malachie lui convenait néanmoins parfaitement: *Pastor Angelicus,* « Le Pasteur angélique ». Le futur Pie XII était né à Rome, près du célèbre Château Saint-Ange.

d'indépendance, imprévu et contagieux, allait causer une épouvantable pagaille dans la suite du travail du moine padouan. Ainsi, le cardinal Roncalli désira s'appeler Jean XXIII pour effacer le triste souvenir d'un homonyme qui, en 1410, fit étrangler, pour prendre sa place, son prédécesseur Alexandre V; Paul VI aurait dû normalement accepter d'être Clément XV et son successeur, désigné par la devise *De la diminution de la Lune,* ne pourra plus porter le nom de Pie XII qui lui était réservé depuis trois cents ans et lui a été soufflé. On peut se demander si les deux suivants et avant-derniers de la liste, *Du travail du Soleil* et *De la gloire de l'Olive,* se montreront plus coopératifs envers l'infortuné collaborateur de saint Malachie. Mais qui, aux approches de l'an 2000, voudrait encore s'entendre appeler Grégoire XVIII et Léon XIV?[8]

Rappelons pour les curieux de la petite Histoire que le nom de Clément XV, dédaigné par le pape en titre, avait été pieusement recueilli par le prêtre interdit Michel Colin, plus respectueux des prophéties. S'estimant le véritable successeur de Jean XXIII, cet antipape est mort à l'âge de 68 ans, le 23 juin 1974, à Clémery, un village lorrain des environs de Nancy où il avait installé son « Petit Vatican ». Excellent orateur, « Clément XV » célébrait des messes à 10 dollars l'entrée. Durant son « pontificat », il avait excommunié, entre autres, son contrôleur d'impôts qui lui réclamait un arriéré de 60 000 dollars, la librairie Hachette, le président Valéry Giscard d'Estaing et, bien entendu, son rival de Rome, Paul VI, qu'il accusait à la fois de diriger la Maffia, d'être un caïd de la drogue et d'avoir des intérêts dans une grande chaîne de sex-shops.[9]

Et Rome sera détruite!

Des 140 prophéties qui nous sont parvenues depuis le commencement du Moyen Âge (Ve siècle), la plupart s'accordent sur la destruction inéluctable de la Ville aux Sept Collines.

Évoquant la papauté habillée de blanc et les pompes cardinalices, saint Jean s'écriait déjà:

> « Malheur! malheur! La grande ville, qui était vêtue de lin fin, de pourpre et d'écarlate, et parée d'or, de pierres précieuses et de perles! En une seule heure, tant de richesses ont été détruites! »
>
> — APOCALYPSE 18-16

Cinq cents ans plus tard, Merlin l'Enchanteur, le poétique compagnon de la fée Viviane et du roi Arthur de la Table Ronde, prophétise également: « Il y aura un Pape qui n'osera pas regarder Rome. Une chose que les Romains doivent savoir entre autres, c'est qu'avant que ce Pape trépasse du siècle, Notre Seigneur lui fera souffrir une telle honte qu'il ne se pourra y en avoir de pareille. Et veuille que les Romains sachent entre autres que dès lors commencera la destruction de leur ville, et ce sera pour leurs péchés. »

Et Merlin, « l'homme le plus fameux de son temps, qui savait construire les ponts, les navires et les palais du roi, et savait lire aussi dans le ciel », a même fixé l'événement dans le temps: « Avant que la chose qui naquit ès-parties de Jérusalem vienne à son vingtième âge, contrée d'Italie trébuchera. » Traduire: avant que la chrétienté, née à Jérusalem, atteigne ses deux mille ans d'âge, une région de l'Italie sera ravagée.

Au XIIe siècle, Joachim, fondateur du monastère cistercien de Fiore, en Italie, protégé du Pape et conseiller du roi Richard Coeur de Lion, a l'audace de prédire que l'Antéchrist occupera bientôt le trône de saint Pierre. C'est un peu invraisemblable, mais c'est une manière comme une autre de dénoncer la vie dissolue de certains pontifes qui sont un danger pour la chrétienté.

Nostradamus, qui publie ses premières *Centuries* en 1555, voit l'Église humiliée (« Aux sacrez temples seront faits escandales... ») et un pape partir pour l'exil. Cela adviendra lorsqu'une grosse comète, aussi incandescente que le soleil, brillera durant une semaine au-dessus de Rome, faisant hurler les chiens la nuit:

> *La grande estoille sept jours bruslera,*
> *Nuee fera deux soleils apparoir,*
> *Le gros mastin toute nuict hurlera,*
> *Quand grand pontife changera de terroir.* (II-41)

Certains commentateurs avancent qu'il pourrait s'agir de la célèbre comète de Halley aperçue pour la première fois en

---

8. Josane Charpentier, *Le Livre des Prophéties.*
9. *L'Express* (N° 1199, 1er juillet 1974), *Match* (N° 1313, 6 juillet 1974) et *Nostradamus* (N° 119, 4 août 1974).

1910 et qui revient tous les soixante-seize ans. Mais 1986 paraît tout de même un peu trop proche.

La prophétie de Prémol, que nous retrouverons plus loin, évoque également la fuite d'un pape, dans une Rome que vient de détruire un cataclysme, vraisemblablement un tremblement de terre: « La croix du Christ ne domine plus qu'un monceau de ruines. Et voici que le roi de Sion (le Pape) attache à cette croix et son sceptre et sa triple couronne, et secouant sur les ruines la poussière de ses souliers, se hâte de fuir vers d'autres rives. »

En 1914, Pie X murmurait, agonisant: « J'ai vu l'un de mes successeurs du même nom[10] qui s'enfuyait par-dessus les corps de ses frères. Il ira se réfugier quelque part; et après un bref répit, il mourra de mort cruelle. »

La voyante américaine Jane Dixon, qui pense que la partie restée secrète du message de Fatima concerne la fin de la papauté, a dit aussi avoir eu la vision du trône pontifical vide d'occupant et du visage ensanglanté d'un pape. Blessé et fugitif, celui-ci ira-t-il chercher refuge à Cologne, « suivi seulement de quatre cardinaux », ainsi que l'a prédit au XVIIIe siècle Helena Wallraff, une célèbre devineresse de cette ville allemande? Écoutons encore Nostradamus:

> *Romain pontife garde de t'approcher*
> *De la cité que deux fleuves arrouse,*
> *Ton sang viendra auprès de là cracher,*
> *Toi & les tiens quand fleurira la rose.* (II-97)

Or, connaissant le goût du bon méridional pour les astuces bien hermétiques, le Rhin qui arrose Cologne n'est-il pas en quelque sorte un « fleuve double », formé en Suisse par la réunion du Rhin antérieur et du Rhin postérieur? Est-ce dans cette cité que le pontife romain viendra « mourir de mort cruelle » alors que « fleurira la rose » — que commencera l'ère du Verseau qui, après de graves bouleversements sociaux et religieux, doit apporter l'âge d'or sur la Terre?

C'est entre 1986 et 1998 que nous entrerons dans le Verseau. La « grande estoille » de Nostradamus qui brûlera du-

10. Apparemment, cela ne contredit pas saint Malachie. Aucun pape n'ayant reporté le nom de Pierre, il est possible que Pierre le Romain, le dernier de la papauté selon la prophétie, choisisse de s'appeler Pie XIII.

rant sept jours au-dessus de Rome, annonçant les Temps nouveaux et la fuite du dernier pape, ne serait-elle pas en définitive cette comète de Halley attendue en 1986 par les astronomes?

Lorsqu'on commence d'assembler certaines prophéties, on a souvent l'impression qu'elles s'emboîtent et se complètent comme les pièces d'un puzzle. Si le résultat peut impressionner, cela ne prouve quand même rien de plus et doit rester un simple jeu de l'esprit.

La colombe noire

De 1945 à 1954, la Vierge n'apparut pas moins de quarante-six fois à une jeune Hollandaise qui, aidée d'une amie, prit note de toutes ses visions. Dès le premier jour, « la Dame » lui avait dit être « la Mère de tous les peuples, qui fut aussi Marie », voulant signifier par là qu'elle représentait toutes les mères, sans distinction de races et de religions.[11] En mars 1952, la jeune fille écrivait:

> (...) La Dame dit: « L'Église de Rome va entrer dans une grande lutte. Avant que vienne l'an 2000, bien des choses changeront dans l'Église et la communauté. »
>
> Je vois se lever une opposition. Des puissants contrecourants. Une grande lutte s'engage dans l'Église.
>
> La Dame dit alors: « Rome se croit forte; elle ignore qu'elle est sapée. »
>
> (...) Et je vois sur l'Église planer une colombe noire. Je dis bien: une colombe, et noire!
>
> Du doigt, la Dame la désigne: « Ceci est le vieil esprit. Il faut qu'il disparaisse. »
>
> Il disparaît en effet, car tout aussitôt, la colombe noire devient une colombe blanche.
>
> « Voici la colombe nouvelle, dit encore la Dame. »

11. Raoul Auclair, *La Dame de tous les Peuples.*

Un prophète moderne[12]

Terminons sur cette prédiction récente de M. Mario de Sabato auquel la presse mondiale a conféré le titre flatteur de « Nostradamus du XXe siècle ». Son avantage sur le prophète de Salon-de-Provence, c'est qu'il s'exprime sans hermétisme. Catholique, très attaché sentimentalement à l'Italie, M. de Sabato prévoit que seul un gouvernement totalitaire de gauche, non communiste et provisoire, parviendra à sortir ce pays de ses difficultés actuelles qui s'accroîtront encore jusqu'au chaos. Durement éprouvée par ces bouleversements, l'Église vaticane devra abdiquer et ce sera la fin de la papauté. Lui succédera alors un dogme nouveau, à la fois socialiste et spirituel, regroupant fraternellement les autres cultes chrétiens — la « colombe blanche », en quelque sorte, de la Dame de tous les Peuples.[13]

Les prophètes au couvent

L'abbesse Hroswitha (Xe siècle)

En plus d'une oeuvre littéraire composée de drames et de poèmes épiques encore appréciés en Allemagne, Hroswitha, abbesse du monastère de Gandersheim, a laissé un manuscrit prophétique dont le titre, *Tuba seculorum*, se traduit approximativement par *La trompette des siècles*. Contrairement à celles de Nostradamus, ses prédictions, en vers latins, sont rédigées en clair et celle qui concerne notre siècle date la marche de l'Histoire avec une précision stupéfiante:

Et ce sera un siècle écoulé après la chute de l'empereur de France, né dans une île, mort dans une île...	(Napoléon Ier, né en Corse, mort à Sainte-Hélène, a abdiqué en 1814, cent ans avant la guerre de 1914-1918)
...Le Saint-Empire relevé sous le 249e pape,	(Le Saint-Empire (l'Allemagne), démembré par Napoléon, se reconstitua partiellement en Confédération en 1815, sous le pontificat de Pie VII, 249e pape)
sacré sous le 253e,	(Pie IX, pape de 1846 à 1878. Guillaume Ier, roi de Prusse, fut proclamé empereur d'Allemagne en 1871)
entendra sonner sa destinée quand mourra le 255e fils de saint Pierre...	(Pie X, mort en 1914)

Évidemment, cela semble presque trop beau pour être vrai et comme le texte de la religieuse saxonne ne fut précisément exhumé qu'en 1914, on est tout de suite tenté de crier à la supercherie. Pourtant, si la prophétie est apocryphe, elle n'en reste pas moins troublante car personne, dans les deux camps en présence, ne pouvait prévoir le déroulement des événements ni qu'une seconde guerre mondiale s'ensuivrait vingt-cinq ans plus tard.

Ce sera un siècle terrible
parmi les siècles.
Les peuples tomberont sous toi,
Alemanie,
et ta puissance sera si grande
que le monde entier
s'unira contre toi (...)

(La plupart des prophéties considèrent les deux conflits comme n'en faisant qu'un, ce qui est historiquement exact)

Neuf siècles auront apposé
leur sceau au Livre de Dieu
depuis l'heure où les choses
à venir furent révélées
à la Vierge de Gandersheim.

Hroswitha a vécu au Xe siècle et neuf autres se passeront avant que la prophétie ne s'accomplisse au vingtième)

Et des peuples viendront
des deux faces de la terre
et alors commenceront
les temps embrasés
décrits au Livre de la Colère...

(Le Japon, l'Australie, l'Amérique se rangeront au côté des adversaires de l'Allemagne dans cette première grande guerre moderne)

L'air sera tout empli
des sauterelles de fer
prévues par l'apôtre Jean[14]*,*
car sera venu le temps
des moissons.

(L'aviation, arme nouvelle, participera aux combats)

Il y aura sur la terre des Gaules
une grande bataille
entre deux fleuves (...)

(La bataille de la Marne, livrée devant Paris, entre la Marne et l'Oise, et qui stoppera l'avance allemande?)

Et les peuples creuseront
des trous comme des taupes
et dans l'air se répandra
l'odeur de mort.

(La guerre de tranchée (1915-1918) et les abris antiaériens?)

---

12. Mario de Sabato, *Révélations (Journal d'un Voyant)* Éditions de la Pensée Moderne, Paris, 1974.
13. Le récent référendum italien en faveur du divorce (mai 1974) a constitué une nouvelle et grave défaite pour l'Église romaine. *L'Osservatore Romano,* organe officiel du Vatican, avait, en effet, mis en garde l'électo-

Puis, sans transition, la prophétesse évoque le dénouement du second conflit mondial:

Mais quand la terre *de Germanie* *sera recouverte de neige,* *par les portes d'Orient* *et par les portes d'Occident* *coulera comme un déluge de sang* *sur l'Empire,* *l'innombrable invasion des peuples.*	(L'invasion de l'Allemagne, à la fois par l'est et l'ouest, pendant l'hiver 1944-1945)
Il y aura trois grandes batailles *entre les trois grands fleuves* *qui arrosent* *et limitent le Saint-Empire.*	(La bataille du Rhin, l'offensive russe sur l'Oder et la prise de Berlin)
Et ce sera la fin de l'Alemanie (...) *quand s'agenouilleront* *autour du cercueil* *du dernier empereur,* *quatre empereurs.*	(Hitler, dernier « empereur » d'Allemagne, mourra, vaincu par les quatre « empereurs » alliés, Staline, Churchill, Truman et de Gaulle)
Il n'y aura plus de Saint-Empire *et sur ses ruines* *renaîtront l'Empire du Christ* *et celui de l'Antéchrist.*	(Division de l'Allemagne après sa défaite: l'Allemagne de l'Ouest, chrétienne, et l'Allemagne de l'Est, communiste et, par définition, athée)
Mais la guerre régnera *entre les deux parties* *de l'Alemanie,* *et les ennemis se rejoindront...*	(Antagonisme entre les deux Allemagnes (mur de Berlin, etc.) suivi plus tard de la réunification du « Saint-Empire »?)

---

rat contre l'impossibilité d'être à la fois chrétien et partisan du divorce. Déjà, vingt-cinq ans plus tôt, en frappant d'excommunication le Parti communiste italien, Pie XII n'avait pu réussir à lui faire perdre un seul vote.

14 « Ces sauterelles ressemblaient à des chevaux préparés pour le combat. Sur leurs têtes, il y avait comme des couronnes semblables à de l'or (des hélices?) et leurs visages étaient comme des visages d'hommes (...) Elles avaient des cuirasses comme des cuirasses de fer, et le bruit de leurs ailes était comme un bruit de chars à plusieurs chevaux qui courent au combat. » *(Apocalypse)*

La prophétie de « sainte Odile d'Orval »
(début du XVIIe siècle?)

Selon une légende alsacienne, la fontaine de sainte Odile recommencerait de couler chaque fois qu'une guerre menace la France. Odile, fille d'Alaric, duc d'Alsace, vécut autour de l'an 700 et fonda un monastère célèbre, mais la prophétie qu'on lui attribue paraît plus vraisemblablement dater du début du XVIIe siècle. Cela ne change rien à son intérêt et, pour la curiosité, on peut s'attarder au moins une fois à lire une prédiction dans son texte intégral:

> « Écoute, ô mon frère! J'ai vu la terreur des forêts et des montagnes. L'épouvante a glacé les peuples. Il est venu le temps où la Germanie sera appelée la nation la plus belliqueuse de la terre. Elle est arrivée l'époque où surgira de son sein le guerrier terrible qui entreprendra la guerre du monde, et que les peuples en armes appelleront l'Antéchrist, celui qui sera honni par les mères pleurant comme Rachel leurs enfants et ne voulant pas être consolées. Vingt peuples différents combattront dans cette guerre. Le conquérant partira des rives du Danube. La guerre qu'il entreprendra sera la plus effroyable que les humains auront jamais subie. Les armes seront flamboyantes et les casques de ses soldats seront hérissés de pointes[15] et lanceront des éclairs pendant que leurs mains brandiront des torches enflammées. Il remportera des victoires sur terre, sur mer et dans les airs, car on verra ses guerriers ailés dans des chevauchées inimaginables s'élever jusque dans le firmament pour y saisir les étoiles afin de les projeter sur les villes et y allumer de grands incendies. Les nations seront dans l'étonnement et s'écrieront: « D'où vient cette féerie?
>
> La terre sera bouleversée par le choc des combats. Les fleuves seront rougis de sang et les monstres marins eux-mêmes s'enfuiront épouvantés au fond des océans. Les générations futures s'étonne-

15. Réminiscence de la première guerre mondiale (1914-1918) où les soldats allemands, tout au moins au début, portèrent des casques surmontés d'une pointe.

ront que ses adversaires n'aient pu entraver la marche de ses victoires. Des torrents de sang humain couleront autour de la montagne (?). Ce sera la dernière bataille. Cependant le conquérant aura atteint l'apogée de ses triomphes vers le milieu du sixième mois de la deuxième année des hostilités.[16] Ce sera la fin de la première période dite des victoires sanglantes. Il croira alors pouvoir dicter ses conditions.

La seconde partie égalera en longueur la moitié de la première. Elle sera appelée la période de domination. Elle sera féconde en surprises qui feront frémir les peuples. Vers le milieu de ce temps, les peuples soumis au conquérant diront: la paix! La paix! Mais il n'y aura pas de paix. Ce ne sera pas la fin, mais le commencement de la fin lorsque le combat se livrera dans la Ville des Villes. À ce moment beaucoup des siens voudront le lapider.[17] Il se fera des choses prodigieuses en Orient.[18]

La troisième période sera de courte durée. On l'appellera période d'invasion car, par un juste retour des choses, le pays du conquérant sera envahi de toutes parts. Ses armées seront décimées par un grand mal et tous diront: « Le doigt de Dieu est là! » Les peuples croiront que sa fin est prochaine. Le sceptre changera de main et les mères se réjouiront. Tous les peuples spoliés recouvreront ce qu'ils auront perdu et quelque chose de plus.

La région de Lutèce sera sauvée elle-même à cause de ses montagnes bénies et de ses femmes dévotes. Pourtant tous auront cru à sa perte.[19] Mais les peuples se rendront sur la montagne et rendront grâce au Seigneur. Car les hommes auront vu de telles abominations dans cette guerre que les générations n'en voudront plus jamais. Malheur pour-

---

16. Entrée des Allemands dans Paris le 14 juin 1940.
17. Libération de Rome par les Alliés et complot des généraux allemands contre Hitler (1944).
18. Victoires alliées dans le Pacifique et en Birmanie.
19. On pense à la fameuse question d'Hitler: « Paris brûle-t-il? » Il avait ordonné la destruction complète de la capitale qui ne dut son salut qu'à la désobéissance du général Dietrich von Choltitz chargé d'exécuter l'ordre.

tant encore à ceux qui ne craindront pas l'Antéchrist, car il suscitera de nouveaux meurtres.

Mais l'ère de paix sans le feu sera arrivée, et l'on verra les deux cornes de la lune se réunir à la croix.[20] Car en ces jours les hommes effrayés adoreront Dieu en vérité. Et le soleil brillera d'un éclat inaccoutumé. »

Le moine inconnu (XVIIe siècle)

On ne supposerait pas que la vision dantesque des guerres futures ait pu ainsi hanter les moniales et les moines méditant dans la quiétude de leurs cellules au fond des cloîtres silencieux. La prophétie dite du « Moine inconnu » préfigure assez complètement un vingtième siècle qui, selon son auteur anonyme, « sera cependant le plus étrange » aussi étrange déjà qu'auront été les précédents.

Le digne ecclésiastique a prévu les convulsions sociales, les révolutions, le conflit des générations, la contestation, la violence, la déchristianisation, la mise en cause de « l'Establishment » si cher à l'Église traditionnelle, sans oublier, naturellement, les deux guerres mondiales et leur panoplie d'armes nouvelles (aviation, blindés, gaz asphyxiants, fusées, bombes au phosphore ou atomiques contre les populations civiles, etc.):

> « (...) Il viendra un temps rempli de terreurs et de misères pour tous les hommes sur cette terre. Tout ce qu'on peut imaginer de mauvais et de déplaisant arrivera dans ce siècle. À son commencement, dans beaucoup de pays, les princes s'insurgeront contre leurs pères, les citoyens contre l'autorité, les enfants contre les parents, les païens contre Dieu et les peuples tout entiers contre l'ordre établi.
>
> Et il éclatera une guerre où les boulets tomberont du ciel.
>
> Et alors éclatera une seconde guerre au cours de laquelle presque toute la création sera bouleversée. De grands désastres de fortune et de biens se

20. La réconciliation de l'Islam (symbolisé par un croissant de lune) et du monde chrétien sous le signe de la fraternité universelle de l'ère du Verseau?

produiront et beaucoup de larmes seront versées. Les hommes seront sans âme et sans pitié. Des nuages empoisonnés et des rayons brûlants, plus brûlants que le soleil le plus incandescent à l'Équateur, des forteresses roulantes de fer et des vaisseaux volants remplis de boulets terribles et de flèches, des étoiles filantes mortelles et du feu sulfureux détruiront de grandes villes. »

Et « le Moine inconnu » répète:

« Ce sera le plus étrange de tous les siècles; car les hommes seront fous d'eux-mêmes et du monde et se détruiront les uns les autres. »[21]

Le religieux de Cluny (1751)

La révolution française de 1789 a inspiré nombre de prophètes et le fait que le plus illustre ait mentionné dans une phrase l'année de la proclamation de la République (1792) met encore en transe aujourd'hui les fanatiques de Nostradamus.[22] Une lettre du bénédictin Dom Madrigas, de l'abbaye de Cluny,[23] datée du 3 décembre 1751 et adressée à un confrère, contient la relation d'une curieuse prophétie sur les bouleversements sociaux qui déchireront la France une quarantaine d'années plus tard:

Mon Révérend Père,

Ce n'est qu'en tremblant que je prends la plume pour vous donner connaissance d'un événement qui a consterné notre maison. Nous étions à l'exercice du matin, la sainte messe finissait. Au milieu du plus profond silence, une voix s'élève tout à coup de nos rangs: c'était celle d'un de nos pères, homme simple mais d'une grande foi: « Malheur à nous! Malheur à nous!... »

L'étonnement et la frayeur nous saisissent. Sa figure nous paraît rayonnante, son regard étincelant. Il parlait avec peine mais distinctement, ce qui nous permit de retenir et de mettre par écrit la révélation ci-jointe sans intervertir l'ordre dans lequel il a prédit ces terribles événements.

À peine eut-il achevé de parler, mon Révérend Père, qu'il parut accablé de lassitude. La fièvre le prit et il est mort hier après trente heures de maladie pendant lesquelles nous n'avons pu obtenir aucune parole (...)

Voici quelques-unes des révélations faites par le religieux en question, le Père Calixte, au cours de l'office du matin du 1er décembre 1751 et notées par Dom Madrigas:

> « La vengeance de Dieu approche, le temps presse, pénitence, ô pécheurs!...
>
> L'iniquité a inondé la terre: elle n'est qu'iniquité. Quels saints prient pour nous?...
>
> Nous nous sommes attachés à la terre; la terre nous sera enlevée et nous serons enlevés à la terre!
>
> Les arrêts des méchants s'exécuteront. La mort ravagera prêtres et laïcs.
>
> Les hauteurs seront abattues: trois fleurs de lys de la couronne royale tomberont dans le sang, une quatrième dans la boue, une cinquième s'éclipsera.[24]
>
> Les méchants se dévoreront entre eux: du sang, du sang, on en boira!...[25]
>
> Une épée flamboyante s'élèvera de la mer et, rouge de sang, s'y replongera.[26]
>
> Deux fois, les débris d'un grand naufrage seront rapportés par les flots du nord. »[27]

---

21. Louis Emrich, *Die Zukunft der Welt (L'Avenir du Monde).*
22. « (...) et commençant cette année sera faicte la plus grande persécution à l'Église Chrestienne que n'a été faicte en Affrique, et durera ceste-icy jusques à *l'an mil sept cens nonante-deux,* que l'on cuydera (croira) estre la rénovation du siècle. » *(Épître au roi Henri II).*
23. Abbaye du XIe siècle, non loin de Mâcon (France). Chef-d'oeuvre de l'art roman et connue comme étant le plus grand monument de tout l'Occident, elle fut détruite en grande partie pendant la Révolution.
24. Interprétons: « Trois fleurs de lys de la couronne royale tomberont dans le sang » (Louis XVI, la reine Marie-Antoinette et Elisabeth de France, soeur du roi, mourront sur l'échafaud); « une quatrième dans la boue » (la fille des souverains, Marie-Thérèse, sera exilée après plusieurs années de captivité à la prison du Temple); « une cinquième s'éclipsera » (le dauphin Louis XVII, mort officiellement au Temple à l'âge de dix ans, mais la prédiction semble appuyer la thèse de l'évasion de l'enfant soutenue par plusieurs historiens).
25. Les massacres pendant la Terreur et les rivalités entre chefs révolutionnaires dont beaucoup seront guillotinés (Danton, Robespierre, Saint-Just, etc.).
26. Celle de Napoléon, « né dans une île, mort dans une île » et responsable des guerres meurtrières de l'Empire.
27. « Les débris d'un grand naufrage... »: les membres de la famille royale et la noblesse ayant échappé à la Révolution. Louis XVIII, frère de

La prophétie de la Salette (1846)

À propos de la Salette-Fallavaux, un village de moins de 250 habitants, à 45 kilomètres au sud de Grenoble, *le Guide de la France mystérieuse* donne les renseignements suivants:

> « Le petit bourg de la Salette, gros d'une douzaine de maisons, devint brusquement célèbre en 1846, lorsque se produisit sur sa montagne le miracle de Notre-Dame-de-la-Salette. Un garçon et une fille de douze ans, qui gardaient des vaches, virent la Vierge assise sur un rocher et pleurant, le visage dans ses mains. La Bonne-Mère (une croix portant ce nom est dressée au col de l'Éterpot) leur parla, puis s'éleva lentement dans les airs. Après bien des péripéties, un pèlerinage fut organisé qui connaît encore aujourd'hui un énorme succès. Autour d'une basilique faussement romane, des statues évoquent les épisodes du miracle. »[28]

« Né d'une fausse vierge et d'un évêque! »

Le message recueilli le 19 septembre 1846 par les deux petits vachers de la Salette-Fallavaux n'apportait guère de révélations majeures et était surtout remarquable par son ton volontiers dramatique rappelant celui des anciens prophètes. Comme la plupart des prédictions, il annonçait des destructions apocalyptiques, d'origine géologique: « Paris sera brûlé et Marseille englouti; plusieurs grandes villes seront ébranlées et englouties par des tremblements de terre. » Puis, il était soudain question de politique et cela tournait à la propagande antibonapartiste.

Il faut préciser que toute la France s'entretenait encore avec passion de la rocambolesque évasion du prisonnier du fort de Ham, survenue quelques mois plus tôt. Le 25 mai,

---

Louis XVI, émigré en Angleterre et « rapporté par les flots du nord », montera sur le trône après l'abdication de Napoléon (avril 1814). Chassé par le retour de celui-ci, il se réfugiera en Belgique et sera de nouveau roi après la chute définitive de l'Empire (juillet 1815).

28. *Guide de la France mystérieuse.* Tchou éditeur, 1964.
29. Louis-Napoléon Bonaparte (1808-1875). Fils de la reine Hortense et (du moins pour l'état-civil) du roi Louis de Hollande, eux-mêmes

déguisé en ouvrier maçon, le neveu de Napoléon[29] avait réussi à s'échapper de la forteresse où, captif depuis six années, il purgeait une peine de détention à vie pour avoir tenté, à deux reprises, d'arracher le pouvoir au vieux roi obèse Louis-Philippe.[30] L'illustre prince « en cavale » s'était réfugié à Bruxelles et, de là, avait gagné Londres où il devait attendre son heure. Mais si la « Bonne-Mère » de la Salette évoquait non sans raison la « menace » d'un rétablissement du régime impérial (cela se produirait dans six ans et la majorité des Français en rêvaient déjà secrètement), elle devenait moins convaincante lorsqu'elle accusait le prétendant de vouloir « être à la fois Pape et Empereur ». L'idée d'un futur Napoléon III régnant en même temps aux Tuileries et au Vatican rebutait les plus crédules.

Enfin, brodant sur la venue prochaine de l'Antéchrist, suivait un véritable morceau d'anthologie divinatoire qui paraissait tout de même un peu osé pour une prophétie mariale,[31] surtout confié comme celle-ci à d'innocentes oreilles enfantines. Qu'on en juge par ce passage:

> « Il (l'Antéchrist) naîtra d'une religieuse hébraïque,[32] d'une fausse vierge qui aura communication avec le vieux serpent, le maître de l'impureté; son père sera évêque; en naissant, il vomira des blasphèmes, il aura des dents; en un mot, il sera le diable incarné; il poussera des cris effrayants, il fera des prodiges, il ne se nourrira que d'impuretés. Il aura des frères qui, quoiqu'ils ne soient pas comme lui des démons incarnés, seront des enfants du mal. » etc.

Il faut admettre que ces propos crus qui semblaient ressasser d'étranges obsessions, correspondaient bien mal à la douce et pure image de Marie, mère de Jésus...

---

respectivement belle-fille et frère de Napoléon Ier. Empereur sous le nom de Napoléon III de 1852 à 1870.

30. (1773-1850). Roi depuis 1830, sera chassé par la révolution de 1848 qui amènera l'accession du prince Louis-Napoléon à la présidence de la république et la restauration de l'Empire.

31. Les prophéties dites *mariales* sont celles attribuées à la Vierge Marie.

32. Il n'y a pas de religieuses dans la religion juive.

De Mlle de la Merlière à Mme Dutruck

L'astronome Camille Flammarion, frère du fondateur de la célèbre maison d'édition française, rapporte qu'un jugement du tribunal de Grenoble, en date du 15 avril 1855, avait démontré que la Vierge apparue en septembre 1846 à deux enfants du village de la Salette était personnifiée par une certaine demoiselle de la Merlière « jouant volontairement cette comédie ».[33] Cette vieille fille un peu déséquilibrée, ancienne religieuse interdite, joua effectivement un rôle si équivoque lors des apparitions miraculeuses qu'elle fut condamnée pour outrages aux bonnes moeurs, malgré tout le talent de son défenseur, Jules Favre, un des grands avocats du temps.[34]

Deux ans plus tard, le 3 janvier 1857, l'archevêque de Paris, Monseigneur Marie Sibour (1782-1857), était assassiné d'un coup de couteau dans l'église Saint-Étienne-du-Mont où il inaugurait une neuvaine d'action de grâces dédiée à sainte Geneviève, patronne de la capitale. Le meurtrier, Jean-Louis Verger, un abbé de 27 ans, ancien porte-croix de la chapelle impériale de Saint-Germain-l'Auxerrois, avait, à la suite de faits graves, été déplacé à Séris, une petite paroisse du diocèse de Versailles. Prêtre démoniaque, schizophrène, chargé d'une terrible hérédité (ses parents et ses deux frères s'étaient suicidés), on le soupçonna, au cours du procès, d'avoir composé des envoûtements de haine nécessitant sans doute l'égorgement d'un jeune enfant. L'affaire fut étouffée et la psychiatrie était encore inconnue. Rapidement jugé et condamné à mort, Verger fut exécuté moins d'un mois après son crime.

Nous rappelons ce fait divers de l'Histoire uniquement parce qu'au moment de l'attentat de Saint-Étienne-du-Mont, une femme « fort agitée », au dire des témoins, se tenait « presque à côté de l'assassin ». Ayant d'abord déclaré porter le nom bizarre de Madame Dutruck, celle-ci devait reconnaître être en réalité Mademoiselle de la Merlière, déjà bien connue à la Salette et à Grenoble.[35]

---

33. Camille Flammarion, *La Mort et son mystère.* Éd. Flammarion, 1920-1921.
34. Jules Favre (1809-1880). Futur homme politique et membre du gouvernement républicain de défense nationale pendant la guerre de 1870. C'est lui qui proposera la déchéance de Napoléon III après la défaite de Sedan.

Le miracle de Fatima (1917)

Un chanoine myope ou prudent

Le 13 octobre 1917, à Fatima, un village du Portugal à cent kilomètres au nord de Lisbonne, plus de trente mille personnes (cinquante mille selon d'autres estimations) virent « tournoyer » le soleil. Comme de juste, des scientifiques tentèrent par la suite d'expliquer le miracle — pour eux un simple phénomène — notamment par ces sensations lumineuses appelées « phosphènes », résultant de la compression de l'oeil quand on ferme les paupières.[36] Sans vouloir épiloguer, il est difficile de concevoir que tous les témoins aient fermé les yeux en même temps, surtout que tous ne furent pas d'accord dans leur description du spectacle. Le chanoine portugais Formidâo, professeur de théologie au séminaire de Santarem, écrira deux ans plus tard dans un journal catholique: « Je ne veux pas terminer cette lettre sans ajouter que mes impressions sur ce qui s'est passé ce jour-là à Fatima ne sont pas encourageantes. J'ai constaté seulement une diminution de la lumière solaire, ce qui m'a paru être un phénomène sans importance. »[37]

Mais il s'agit peut-être d'un chanoine myope ou prudent, bien que le miracle du soleil de Fatima n'ait pas été reconnu par Rome.

Tout avait commencé le 13 mai de la même année, lorsqu'une « Dame » était apparue à trois enfants du village et que l'un d'eux, Lucia de Santos, l'avait identifiée comme étant la Vierge. Jusqu'au 13 octobre, il y eut en tout six apparitions au cours desquelles « La Dame du Rosaire » leur communiqua trois messages ou « secrets ».

La première fois (apparition du 13 juillet), elle leur avait « montré » l'enfer, un enfer si terrifiant, au dire des enfants, que des commentateurs ont voulu y voir par la suite une anticipation d'une éventuelle guerre atomique. Ceci rappelle singulièrement les insanités entendues naguère à La Salette et l'on peut encore s'étonner que pour faire ce genre de révélations toujours accompagnées de menaces, Celle qui sym-

35. Pierre Mariel, *Magiciens et Sorciers.* Éditions Marabout — Univers secret.
36. Dr Francis Lefébure, *L'Initiation de Pietro.*
37. Prosper Alfaric, *Fatima 1917-1935.*

bolise toutes les mères choisisse un auditoire si impressionnable.

Dans la deuxième (13 septembre), il fut question de la guerre qui durait depuis trois ans et, le soir même, la jeune Lucia répétait devant le chanoine Formigâo et plusieurs témoins: « La Vierge nous a dit que la guerre finirait aujourd'hui et que nos soldats rentreraient bientôt », déclaration qu'elle maintint le 19 septembre, lors d'un nouvel interrogatoire. La marge d'erreur est de taille puisque l'armistice ne sera signé que quatorze mois plus tard, le 11 novembre 1918, et que des millions d'hommes mourront encore sur les champs de bataille. Le gigantesque holocauste déjà consommé ne suffisant sans doute pas à apaiser la colère de Dieu, le message ajoutait, d'après la fillette, que « si l'on ne cessait pas d'offenser le Seigneur », un nouveau conflit encore plus sanglant éclaterait sous le prochain pontificat: « Lorsque vous verrez une nuit éclairée par une lumière inconnue, sachez que c'est le signe que Dieu vous donne qu'elle est proche la punition du monde par la guerre, la famine et les persécutions contre l'Église et le Saint-Père. »[38]

Le troisième message n'a jamais été divulgué. On sait que sa transcription, dûment scellée, resta ensevelie à Rome jusqu'en 1960, « la Dame du Rosaire » ayant prescrit qu'elle ne devrait pas être lue avant cette date et que, seul, un pape en aurait le privilège. Pourquoi 1960? Aucune explication valable ne semble avoir été proposée au sujet de cette exigence pour le moins étrange et des esprits curieux n'ont pas manqué de se demander qui, en 1917, avait mis noir sur blanc « le secret de Fatima ». Serait-ce la petite Lucia de Santos ellemême, analphabète mais guidée peut-être par la main divine? Sinon, il faudrait admettre qu'elle le dicta à quelque prêtre enquêteur qui en aurait eu ainsi connaissance quarantetrois ans avant la plus haute autorité de l'Église.

38. Allusion à la révolution russe de 1917 et à l'instauration d'un régime communiste athée. Ici, la prédiction s'est trouvée confirmée. Dans la soirée du 25 janvier 1938 (sous le pontificat de Pie XI, successeur de Benoit XV, qui fut pape de 1914 à 1922), une mystérieuse aurore boréale que n'avait prévue aucun laboratoire éclaira le ciel de l'Europe entre 9 et 11 heures. Six semaines plus tard, c'était l'invasion de l'Autriche par Hitler, prélude de la seconde guerre mondiale. Un alchimiste, Eugène Canseliet, a déclaré à Josane Charpentier, l'auteur du *Livre*

Toujours est-il que ce fut Jean XXIII qui ouvrit le message en 1960. Contre toute attente, il se tut. Ce grand pape le jugea-t-il si épouvantable qu'il préféra éviter de précipiter la chrétienté dans une panique de fin du monde ou, plus simplement, trop banal pour justifier la curiosité qu'il suscitait depuis près d'un demi-siècle?

Selon certaines informations, une partie du message, qui évoquerait les conséquences de l'emploi des armes nucléaires et d'autres plus destructrices encore, aurait été communiquée par son successeur, Paul VI, à plusieurs gouvernements étrangers.[39] Quant à l'autre partie, toujours non révélée, nous avons déjà mentionné que la voyante Jane Dixon pensait qu'elle annonçait la déchéance prochaine de la papauté.

La prophétie de Cazotte[40] (1788)

Un souper un peu assombri

Un soir de l'hiver 1788, à Paris, un Académicien, « grand seigneur et homme d'esprit », a convié à souper une nombreuse compagnie où se rencontre un peu de tout: gens de Cour, gens de robe, gens de Lettres, gens de Science, mais tous des gens de bien ayant un nom sur la place. Dans l'attente des événements graves qu'on pressent déjà dans l'air, il est de bon ton en cette occasion de professer des idées « modernes », car la Révolution sera avant tout affaire de bourgeois. Aussi, au dessert, les vins de Malvoisie et de Constance aidant, la conversation a-t-elle pris un tour très libre. On conte des anecdotes grivoises sans que les dames songent à rougir derrière l'éventail, on philosophe, on plaisante sur

des Prophéties, que ce phénomène aurait été provoqué par une expérience qu'il faisait, ce soir-là, dans son laboratoire. Mais cela ne change sans doute rien à la chose.

39. Ceux de Londres, Moscou et Washington.
40. Jacques Cazotte, écrivain français, membre de la « Secte des Illuminés », une société secrète originaire de l'Afghanistan (1719-1792). Auteur du célèbre roman fantastique *Le Diable amoureux* (1772).

la religion et quelqu'un, aux applaudissements de la tablée, a même cité les vers fameux de Diderot:[41]

Et des boyaux du dernier prêtre
Serrez le cou du dernier roi

« Un seul convive n'avait point pris part à la conversation, écrira Laharpe qui était présent.[42] C'était Cazotte, homme aimable et original, mais malheureusement infatué des rêveries des illuminés. Il prit la parole et, du ton le plus sérieux:

— Messieurs, dit-il, soyez satisfaits, vous verrez tous cette grande et sublime révolution que vous désirez tant. Vous savez que je suis un peu prophète et je vous le répète: vous la verrez (...) Savez-vous ce qui arrivera de cette révolution, ce qui arrivera pour vous, tous tant que vous êtes ici? Vous, monsieur Condorcet, vous expirerez sur le pavé d'un cachot, vous mourrez du poison que vous aurez pris pour vous dérober au bourreau, du poison que le bonheur de ce temps-là vous forcera à porter toujours sur vous. »[43]

Cette prédiction macabre ayant suscité des rires incrédules, Cazotte poursuivit placidement:

« Vous, monsieur Chamfort, vous vous couperez les veines de vingt-deux coups de rasoir et pourtant vous n'en mourrez que quelques mois après.[44] Vous, monsieur de Nicolaï, vous mourrez sur l'échafaud. Vous, monsieur Bailly, sur l'échafaud.[45] Vous, monsieur de Malesherbes, sur l'échafaud.[46]

— Ah, Dieu soit béni, dit Roucher, il paraît que monsieur n'en veut qu'à l'Académie. Il vient d'en faire une terrible exécution, et moi, grâce au ciel...

— Vous, vous mourrez aussi sur l'échafaud.[47]

---

41. Denis Diderot, philosophe athée, critique d'art, dramaturge et romancier (1713-1784). Auteur de *La Religieuse,* dont le cinéma a tiré un film.
42. Jean-François Laharpe, écrivain et critique, membre de l'Académie (1739-1803).
43. Antoine Caritat de Condorcet, mathématicien, philosophe, académicien et futur député révolutionnaire. Jugé pour déviationnisme, il s'empoisonnera dans sa cellule (1747-1794).
44. Nicolas Sébastien Chamfort, académicien, moraliste et auteur de *Maximes.* Dénoncé comme suspect pendant la Révolution, il se suicidera avec son rasoir (1741-1794).

— Oh, c'est une gageure, s'écria-t-on de toute part. Il a juré de tout exterminer!

— Non, ce n'est pas moi qui l'ai juré (...) Ceux qui vous traiteront ainsi seront tous des philosophes, auront à tout moment dans la bouche les mêmes phrases que vous débitez depuis une heure, citeront tout comme vous les vers de Diderot et de *La Pucelle*.[48]

— Et quand cela arrivera-t-il?

— Six ans ne se passeront pas que tout ce que je vous dis ne soit accompli... »

« Vous et beaucoup de dames avec vous... »

Un silence pesant s'étant soudainement abattu sur cette joyeuse assemblée de futurs décapités, la duchesse de Grammont crut devoir risquer une plaisanterie pour tenter de dégeler l'atmosphère. Approuvée par les autres dames, elle se dit heureuse que les femmes ne fassent pas les révolutions, bien qu'y poussant toujours un peu, et que la faiblesse de leur nature les préserve d'un pareil sort. Mais le prophète de malheur répliqua sans galanterie:

« Votre sexe, Mesdames, ne vous en défendra pas cette fois, et vous aurez beau ne vous mêler de rien, vous serez traitées comme les hommes, sans aucune différence quelconque.

— Mais qu'est-ce que vous dites donc là, monsieur Cazotte? C'est la fin du monde que vous nous prêchez!

— Je n'en sais rien, mais tout ce que je sais, c'est que vous, madame la duchesse, vous serez conduite à l'échafaud:[49] vous et beaucoup de dames avec vous (...) et de plus

---

45. Jean-Sylvain Bailly, astronome du roi et académicien. Élu maire de Paris après la prise de la Bastille, il se prononcera contre la destitution de Louis XVI et sera arrêté et condamné à mort. On lui doit la découverte des premières *Tables astronomiques,* si utiles à l'astrologie moderne (1736-1793).
46. Chrétien-Guillaume de Lamoignon de Malesherbes, magistrat et secrétaire d'État de la Maison du Roi. Il défendra le souverain devant l'Assemblée révolutionnaire et sera guillotiné (1721-1794).
47. Jean-Antoine Roucher, poète. Il montera sur l'échafaud le même jour que son ami André Chénier (1745-1794).
48. Poème épique et satirique de Voltaire, très irrévérencieux pour la mémoire de Jeanne d'Arc.
49. La duchesse de Grammont finira aussi sous le couperet de la guillotine.

grandes dames iront, comme vous, en charrette et les mains liées comme vous.

— De plus grandes dames?... Quoi, les princesses du sang?

— De plus grandes dames encore...[50]

— Vous verrez qu'il ne me laissera seulement pas un confesseur!

— Non, madame, vous n'en aurez pas, ni vous ni personne; le dernier qui en aura un par grâce, sera...

Il s'arrêta un moment.

— Eh bien, quel est donc l'heureux mortel qui aura cette prérogative?

— C'est la seule qui lui restera et ce sera le roi de France. »

Là-dessus, raconte Laharpe, le maître de maison pria fermement ce « cher » Cazotte de mettre fin à sa « farce lugubre » qui avait franchement compromis la soirée. Et comme l'écrivain, silencieux, se levait pour prendre congé, Mme de Grammont tenta encore de badiner:

« Monsieur le Prophète qui nous dites à tous notre bonne aventure, vous ne dites rien de la vôtre!

— Madame, avez-vous lu le siège de Jérusalem dans *Joseph?*

— Eh, sans doute, qui n'a pas lu cela? Mais faites comme si je ne l'avais pas lu.

— Eh bien, madame, pendant ce siège, un homme fit sept fois de suite le tour des remparts à la vue des assiégeants et des assiégés, criant d'une voix sinistre et tonnante: Malheur à Jérusalem... et le septième jour, il cria: Malheur à moi-même... et dans ce moment, une pierre énorme, lancée par des machines ennemies, l'atteignit et le mit en pièces. »

Et sur cette réponse, conclut Laharpe, Cazotte fit sa révérence et sortit.

« Farce lugubre » ou prophétie?

Charles Nodier[51] qui, enfant, eut pour voisin l'auteur du *Diable amoureux* a laissé de celui-ci ce charmant portrait:

« Il avait reçu de la nature un don particulier pour

50. La reine Marie-Antoinette et sa belle-soeur, Elisabeth de France.

51. Écrivain et académicien français (1780-1844). Auteur de jolis contes: *Trilby, La Fée aux miettes, Le Chien de Brusquet*, etc.

voir les choses sous leur aspect fantastique. Aussi, quand un pas grave se faisait entendre dans l'autre chambre, quand sa porte s'ouvrait avec une lenteur méthodique et laissait passer la lumière d'un falot porté par un vieux domestique moins ingambe que son maître, et que monsieur Cazotte appelait « son pays », quand il paraissait lui-même avec son chapeau triangulaire, sa longue redingote verte bordée d'un petit galon d'or, ses souliers à bouts carrés fermés très avant sur le pied par un porte-agrafe d'argent et sa haute canne à pomme d'or, je ne manquais jamais de courir à lui avec les témoignages d'une folle joie qui était encore augmentée par ses caresses… »

Jacques Cazotte était un fervent monarchiste. Très affecté par l'arrestation de la famille royale, après le drame de Varennes, il résolut de la sauver en recourant à la magie et à l'occultisme. Malheureusement, cela finit mal. Arrêté et condamné à mort le 25 septembre 1792, le soir même, à sept heures, il montait sur l'échafaud. Il était âgé de soixante-treize ans.

Son extraordinaire prophétie a été très contestée. Le récit n'en fut publié qu'en 1806, trois ans après la mort de Laharpe, bien connu pour ses facéties, et un journaliste affirma en 1817 que, de l'aveu même de celui-ci, il s'agissait d'une supercherie. Par ailleurs, on possède les témoignages de plusieurs personnes prétendant avoir connu la prédiction dès 1788, au lendemain du fameux souper, informées par ceux-là mêmes qui y avaient assisté.

Qui dit vrai?

VIII L'occultisme et les militaires

Les poulets sacrés

À l'époque romaine, aucune bataille ne s'engageait sans que les généraux des deux camps aient consulté les augures,[1] lesquels éventraient un mouton dont ils inspectaient les entrailles ou jetaient du grain aux poulets sacrés. Si ces derniers manifestaient une grande voracité, les dieux de la guerre étaient favorables, mais s'ils faisaient les délicats, il était préférable ce jour-là de ne pas se frotter à l'adversaire.

Un matin que le fameux Hannibal, le général aux éléphants, pressait son allié Prusias, roi de Bithynie, d'attaquer les légions romaines, il s'entendit objecter que les volailles avaient chipoté. « C'est-à-dire, fit le Carthaginois, que vous préférez l'avis d'un poulet à celui d'un vieux général? »

Il faut dire que les chefs militaires qui ne tenaient pas compte des présages risquaient de se trouver dans des situations embarrassantes. Lorsque le consul romain Claudius Pulcher commanda à ses galères de foncer sur la flotte carthaginoise de l'amiral Adherbal et que les augures affolés vinrent l'avertir que ces fichus poulets refusaient de picorer, il s'écria superbement: « Qu'on les jette à la mer! S'ils ne mangent pas, ils boiront! »

C'était un mot historique. Malheureusement, indignés par ce sacrilège, les marins refusèrent de ramer et c'est ainsi que Claudius perdit la bataille de Trapani, au large des côtes de Sicile, en l'an 249 avant J.-C. À moins, naturellement, que les poulets n'aient vu juste et que, de toute façon, la lutte fut perdue d'avance.

Cicéron affirmait ne pas comprendre que deux augures puissent se regarder sans rire. Plus de deux mille ans après, des militaires ingénus s'obstineront encore à interroger « les poulets sacrés ».

---

1. Prêtres ou théologiens chargés d'interpréter les présages.

Les horoscopes des canons russes

Pendant la Première Guerre mondiale (1914-1918), un nommé Alfred Witte (1878-1941), modeste employé de l'Hôtel de Ville de Hambourg et astrologue amateur, fut envoyé sur le front de l'est pour combattre les soldats du tsar Nicolas II. En étudiant les divers aspects du ciel au moment des tirs de barrage de l'artillerie russe, il tenta de prédire l'heure à laquelle les canons ennemis ouvriraient le feu de nouveau. Les résultats n'étant pas probants, il en déduisit qu'un ou plusieurs corps célestes inconnus, situés au-delà de l'orbite de Neptune, devaient fausser ses calculs. Il était sur la bonne voie, mais n'ajouta pas moins de huit nouvelles planètes aux huit déjà inscrites à l'époque sur la carte du ciel et les baptisa poétiquement Cupidon, Hadès, Zeus, Chronos, Apollon, Admetos, Vulcanus et Poséidon. Rendu à la vie civile, il établit désormais tous ses horoscopes en tenant compte de seize planètes, dont sept au moins restent encore à découvrir.[2]

Toutefois, les théories astrologiques du soldat Witte sur les canons russes restaient strictement privées et n'engageaient en aucune façon le commandement allemand. Un quart de siècle plus tard, les grands chefs militaires nazis auront des idées au moins aussi étonnantes, et quand l'insolite pénètre les états-majors, cela peut devenir nettement délirant.

Les carnets du général Jodl

Lorsqu'en 1945, à la débâcle allemande, les Alliés saisirent les papiers personnels du chef d'état-major de la Vehrmacht, ils trouvèrent un carnet dans lequel le général avait noté, avec des allusions astrologiques, toutes les consignes secrètes données par lui au cours de la guerre. Le style ne variait guère d'une à l'autre: « Ordre formel à l'ambassadeur d'Allemagne de joindre les autorités norvégiennes tel jour à telle heure afin de rompre les relations diplomatiques à tel moment; ordre non moins formel à tel amiral d'attaquer à telle

2. On a vu qu'en 1930 fut découverte une neuvième planète déjà indiquée dès 1897 par l'abbé Nicoullaud qui avait même prédit son nom, Pluton. Il en resterait donc encore sept à trouver (?) dans le système solaire d'Alfred Witte.

minute précise, en spécifiant qu'il n'a pas à savoir le pourquoi de cette précision chronométrique, etc. »[3]

Tout cela avec les résultats qu'on sait. Jugé comme criminel de guerre au procès de Nuremberg, le général Jodl fut pendu le 16 octobre 1946 avec dix autres chefs hitlériens. Un onzième condamné échappait à l'exécution, le maréchal Goering qui s'était empoisonné la veille avec une capsule de cyanure.

Le Pendulum Institute

En 1942, au deuxième printemps de la guerre, un étrange service dépendant de la Kriegsmarine, le Pendulum Institute, a commencé de fonctionner à Berlin sous les ordres du capitaine de vaisseau Roeder. La Royal Navy mène alors la vie dure aux sous-marins allemands dont elle détruit un nombre inquiétant, et le capitaine est convaincu que les Anglais utilisent une nouvelle technique de radiesthésie pour détecter les submersibles.[4] L'objectif de l'Institut est de découvrir au plus vite ce procédé déloyal pour le retourner contre l'ennemi.

Pour ce faire, Roeder a mobilisé les plus éminents professionnels de l'occultisme qui, une fois percé le secret britannique, devront apprendre aux militaires l'art de manier un pendule. Utiliser officiellement des gens que les persécutions de la Gestapo avaient condamnés un an plus tôt à la clandestinité et dont plusieurs confrères sont encore emprisonnés, cela pourrait faire douter de la logique des chefs nazis. Mais le ministre de l'Intérieur, Heinrich Himmler, a résolu cette contradiction en déclarant que « dans l'État national-socialiste, les sciences occultes étaient « Privilegium Singulorum » et ne pouvaient être destinées à la masse. »[5]

Au Pendulum Institute, c'est donc une armée de médiums, télépathes, astrologues et autres spécialistes qui, chaque jour, du matin au soir, s'efforcent de préparer la victoire hitlérienne en se penchant jusqu'au vertige au-dessus des cartes marines. Même s'ils trouvent cela absurde, les requis

---

3. André Barbault, *Défense et illustration de l'astrologie,* Grasset, 1955.
4. Ellic Howe, *Le Monde étrange des astrologues,* Laffont, 1968.
5. « Jamais Himmler ne résistait à la tentation de se faire lire son horoscope » note W. Shellenberg dans ses *Mémoires.* Fait prisonnier par les Anglais, le chef SS se suicidera au cyanure le 23 mai 1945.

doivent s'exécuter. Au bout de quelques mois, les pendules n'ayant pas encore réussi à déceler le moindre rivet d'un Liberty-Ship, le capitaine Roeder en conclut que le béton des villes devait arrêter les « vibrations » et il déménagea son service sur l'île de Sylt, dans la mer du Nord. Là, au moins, si les résultats n'étaient guère meilleurs, l'élite de l'occultisme allemand se trouvait à l'abri des effroyables bombardements aériens qui rasaient peu à peu Berlin.

Pourtant, bientôt, l'année suivante, avec un prêtre parisien et à l'occasion d'un événement capital de la Seconde Guerre mondiale, la radiesthésie allait prendre une revanche éclatante.

On demande radiesthésiste pour retrouver dictateur disparu

Le 10 juillet 1943, les Alliés débarquent en Sicile avec la complicité de la Maffia mécontente de Mussolini. Le 25, dans un sursaut d'autorité, le vieux petit roi d'Italie, Victor-Emmanuel III, coiffe son grand képi à plumet et signe la destitution du dictateur qui est aussitôt arrêté par le maréchal septuagénaire Badoglio. C'est la fin du régime fasciste.

Deux jours plus tard, Hitler ordonne l'opération « Chêne », destinée à délivrer, pour le reporter au pouvoir, son malchanceux collègue et ami italien. Le temps presse car des bruits alarmants circulent: il serait question que Mussolini soit déporté aux États-Unis où un imprésario malin, émule de Barnum, a proposé de l'acheter pour l'exhiber aux foules. Hitler croit cette nation de cow-boys assez sauvage pour considérer un dictateur déchu comme une vulgaire attraction de cirque et il ne peut tolérer un précédent qui serait désastreux pour le moral du peuple allemand. Mais où les Italiens ont-ils conduit Mussolini? Le lieu de sa détention est soigneusement tenu caché et les services secrets, l'Abvehr et la Gestapo, qui se sont laissé surprendre par ce coup d'État, n'ont que de vagues informations.

Qu'à cela ne tienne, à l'instigation d'Himmler, on va tenter encore d'utiliser l'occultisme, ce « Privilegium Singulorum » des dirigeants nazis. Seulement, le Pendulum Institute du capitaine Roeder mobilise encore une bonne partie des meilleurs spécialistes et les autres, les plus dangereux par leurs prédictions défaitistes, sont toujours emprisonnés. Un soir, au début d'août, les 25 000 détenus, allemands et étrangers, du camp de Sachsenhausen sont avisés qu'on demande des occultistes qualifiés pour une mission de haute confiance. Tous ceux, professionnels ou amateurs, qui ont des connaissances sérieuses dans ce domaine sont tenus de se faire inscrire. Sous-entendu: charlatans et autres farceurs s'abstenir, car les gardiens SS ont la gâchette facile.

Deux cents candidats n'en répondent pas moins à l'appel, dont quarante sont retenus après un tri sévère. Le 18 août, on leur donne un costume et du linge propres, un chapeau, des chaussures, et un autobus les conduit à l'Hôtel des SS de Wannsee, dans la banlieue de Berlin. Himmler est là, avec son état-major. Des grandes cartes d'Italie sont étalées sur des tables. Une seule question est posée aux quarante « mages » encore tout surpris de leur aventure: lequel d'entre eux peut entrer en communication avec une importante personnalité qui a disparu?

> « Dans cette situation, raconte Walter Shellenberg,[6] Himmler mit une fois de plus à l'épreuve sa croyance en l'occulte. Extra-lucides, astrologues et radiesthésistes furent appelés à sortir d'un chapeau les tenants et les aboutissants du Duce (Mussolini). Ces séances coûtèrent une fortune car les besoins des « savants » en mets choisis, boissons, cigares, cigarettes, étaient fabuleux. Mais écoutez bien! — au bout de quelque temps, le pendule d'un maestro indiqua qu'on trouverait Mussolini dans une île située à l'ouest de Naples. Et c'était vrai: le Duce avait été emmené dans une des petites îles Pouza désignée par le pendule. Il faut reconnaître en toute justice qu'au moment de l'expérience, l'homme n'avait aucun contact avec le monde extérieur. »[7]

---

6. *Memoren* ou, dans la traduction française, *Le Chef du contre-espionnage nazi parle.*
7. Avant que les Allemands puissent agir, Benito Mussolini fut transféré à l'auberge-refuge du Gran Sasso, un plateau montagneux des Abruzzes, au nord-est de Rome. L'histoire ne dit pas si l'abbé Le Moing reprit son pendule, mais c'est là que le prisonnier fut délivré le 12 septembre 1943 par un commando SS aéroporté sous le commandement du colonel Skorzeny. Le dictateur italien fut conduit ensuite en Prusse-Orientale, au quartier général d'Hitler.

On connaît l'heureux « maestro » qui réhabilita ce jour-là la radiesthésie. Assez curieusement, c'est un Français déporté en Allemagne pour faits de résistance, l'abbé Le Moing, de l'église Notre-Dame-de-Lorette, à Paris, qui participa ainsi, bien involontairement, à l'évasion du dictateur italien. Radiesthésiste amateur, il décelait aussi les pensées et les maladies de ses camarades de captivité. Il raconte que lorsque son pendule se fixa sur la carte au-dessus de l'île de Maddalena, au large de Naples, Himmler s'écria, exultant: « À l'abbé de Paris, trois cigares! »[8]

Astrologie « made in England »

Le 24 mai 1941, un nommé Louis de Wohl, muni d'un passeport anglais, débarque dans un port canadien et gagne aussitôt Montréal où il restera trois semaines avant de se rendre à New York.[9] Juif hongrois chassé de Berlin par le nazisme, ancien journaliste-cinéaste recyclé dans l'astrologie, il avait émigré à Londres six ans plus tôt et les circonstances avaient fait de lui un collaborateur du SOE britannique (Special Operations Executive). En fait d'opérations, celle qu'il va essayer de mener à bien est vraiment très spéciale, même pour un agent secret. Il s'agit ni plus ni moins, par des conférences sur l'astrologie, de persuader les Américains d'entrer en guerre contre l'Allemagne.

C'est une chose qui devient singulièrement urgente pour l'Angleterre en ce printemps 1941. Hitler, toujours ami de Staline,[10] continue de conquérir l'Europe, le Japon regarde vers la Chine et, malgré la loi prêt-bail votée par Washington, le président Roosevelt a l'air de vouloir laisser faire. Le blitz a durement secoué les Îles que le Channel et la Home Fleet n'ont pas pu protéger des bombardiers de Goering. Coventry a eu le triste privilège de fournir un néologisme aux correspondants de guerre: « coventriser », effacer une ville sous un tapis de bombes. La prophétie s'est réalisée, se lamentent les vieilles ladies encore scandalisées: « Un jour viendra que

8. Édouard Callic, *Himmler et son empire*, Stock.
9. C'est le même de Wohl dont il a déjà été question à propos des faussaires de Nostradamus.
10. Pour un mois encore. Le 22 juin, les troupes allemandes attaqueront l'URSS.

George, fils de George, montera sur le trône. Alors, un aigle avec une croix sans tête boira le sang des princes et la mort tombera du ciel! » Tout arrive comme il a été dit. Pour l'amour d'une étrangère et le malheur du royaume, Édouard VIII a laissé son trône à George VI, fils comme lui de George V, et les avions à croix gammée, la croix sans tête, viennent semer la mort et la ruine.

Si de Wohl est maintenant à New York, c'est avant tout parce que certaines revues astrologiques publiées aux États-Unis commencent de reproduire complaisamment les prévisions optimistes des prophètes nazis quant à une capitulation imminente de la Grande-Bretagne. Enfin conscients du désastreux effet psychologique de cette propagande sur l'opinion publique mondiale, les services secrets de Sa Majesté ont décidé de riposter avec les mêmes armes.

Tout de suite, leur homme s'agite beaucoup, contacte des occultistes et des journalistes déjà sympathiques à la cause anglaise, s'efforçant de convaincre les autres que l'Amérique, selon les astres, n'est pas plus à l'abri de la menace hitlérienne. Il réussit — en payant de sa poche, il est vrai — à se faire interviewer par les Actualités cinématographiques de la Metro Goldwyn-Mayer, mais sa photogénie est si affligeante qu'il renoncera sagement à reparaître sur les écrans.

Au mois d'août, il s'est déjà fait suffisamment connaître pour être invité à prendre la parole au Congrès national des astrologues scientifiques qui se tient cette année-là à Cleveland. Beau parleur, à défaut de ressembler à Gary Cooper, il se lance dans une brillante étude comparée des horoscopes de Napoléon et d'Hitler, prédisant une mort violente pour ce dernier. Jusque-là, rien de surprenant, c'est dans la ligne de sa mission. Mais, dissertant sur la sexualité apparemment angélique du chancelier allemand, il ajoute qu'une jeune femme très proche de lui partagera sa fin tragique et annonce ainsi, dès 1941, le double suicide d'Hitler et d'Eva Braun, sa maîtresse et future femme encore inconnue du public.

Puis, après avoir insisté adroitement sur l'importance prise par l'astrologie dans l'élaboration des plans militaires allemands, de Wohl fait remarquer à son auditoire attentif que les U.S.A., gouvernés par les Gémeaux, se trouveront dès l'été 42 sous l'influence maléfique d'Uranus et de Saturne. Simultanément, le Brésil, gouverné, lui, par la Vierge, connaîtra aussi une période critique due au passage des mêmes planètes. Conseillé par ses astrologues et trouvant l'occasion trop belle, Hitler ne sera-t-il pas tenté d'envahir ce pays afin d'en faire une base de départ pour des opérations contre l'Amérique du Nord?...

Quatre mois plus tard, le 7 décembre, Washington déclarait la guerre à Berlin et à Tokyo, et Louis de Wohl, dans un certain sens, pouvait dire: mission accomplie. Sans doute, il n'avait pas su prévoir l'attaque-éclair japonaise sur Pearl Harbor qui avait pesé davantage dans la balance que ses élucubrations un peu fumeuses sur un débarquement allemand au Brésil, mais ses nombreuses conférences, surtout celle de Cleveland largement diffusée par la presse, avaient certainement contribué à préparer l'opinion américaine.

Et puis, son histoire brésilienne n'était-elle seulement qu'un coup de bluff ne devant rien à l'astrologie? Deux mois après Cleveland, le 27 octobre, Franklin Roosevelt avait déclaré tenir en sa possession un document secret nazi prouvant sans discussion possible les visées colonialistes d'Hitler et de ses généraux sur les Amériques centrale et méridionale.

Sabotage psychologique

Quand de Wohl rentra en Angleterre, en février 1942, la situation ne s'était guère améliorée et l'année serait encore dure. Avec l'entrée des États-Unis dans le conflit et l'aide matérielle à Staline en difficulté, la guerre sur mer s'intensifiait. D'ici à décembre, malgré la vigilance de la Royal Navy, les sous-marins allemands couleraient 6,5 millions de tonnes de transports alliés.

1943 trouve l'agent secret à Londres, occupé à une nouvelle tâche pour le compte du SOE. Ellic Howe qui eut l'occasion de travailler avec lui fait le récit de cette rencontre dans *Le Monde étrange des astrologues,* un livre passionnant comme une bonne « Série Noire ».[11] Il n'était pas question d'essayer de repérer les bateaux de l'adversaire, comme au Pendulum Institute du capitaine Roeder, mais, dessein plus subtil et aussi plus perfide, de s'attaquer au moral des équipages. Du sabotage psychologique, en quelque sorte, et toujours, bien entendu, au moyen de l'astrologie.

L'idée, bien usée déjà, n'étant plus d'une efficacité ga-

11. Éditions Robert Laffont.

rantie, de Wohl a tenu à la rénover d'une manière originale. Si les astrologues du docteur Goebbels[12] n'hésitent pas à formuler des prédictions souvent tendancieuses, il n'en fera, lui, que de très honnêtes et immédiatement vérifiables. S'inspirant de *Zenit*, un mensuel d'occultisme qui a eu une certaine notoriété en Allemagne avant la guerre, il va composer de toutes pièces une revue similaire et portant le même titre, dont un numéro sera tout spécialement destiné au personnel navigant de la Kriegsmarine opérant dans la mer du Nord.

La grosse astuce consiste à antidater le magazine et à y présenter comme de simples prévisions des événements déjà accomplis, en l'occurence, pour le numéro d'avril — qui sera rédigé plus tard — les destructions des submersibles nazis effectuées durant ce mois et homologuées par l'Amirauté britannique. Documenté par des rapports officiels, de Wohl peut même s'offrir le luxe de préciser les dates et certains détails. Il « annonce » ainsi que le 1er avril sera néfaste à toute sortie de sous-marin; que le 4 est également à déconseiller si — l'humour noir ne perd pas ses droits — si l'horoscope du capitaine est défavorable; le 9 devrait être meilleur, mais uniquement pour les bâtiments de type récent; le 21 sera très mauvais...

Imprimés sur papier bible, les faux exemplaires de *Zenit* transitèrent par la Suède, pays resté neutre, et entrèrent clandestinement dans les bases nordiques allemandes. La police militaire en saisit une certaine quantité, mais les autres atteignirent leur but. De Wohl espérait beaucoup de l'effet produit par ses « prédictions », stupéfiantes même périmées, sur l'esprit des sous-mariniers déjà éprouvés par une guerre sans merci. Nombre d'entre eux devaient avoir un ami, un camarade ou un parent disparu en mer. Le fait d'apprendre qu'il était possible de déterminer sans erreur les jours propices ou non aux torpilles anglaises ne les laisserait certainement pas indifférents. Malgré la vieille discipline germanique, ils ne pourraient s'empêcher de penser que leurs chefs étaient bien légers de disposer ainsi de leur vie. Londres avait prévu cette réaction et le même numéro de la revue publiait les horoscopes — aussi peu rassurants l'un que l'autre pour leurs subordonnés — des amiraux Raeder et Doenitz, les deux grands patrons de la marine de guerre d'Hitler.

12. Ministre allemand de la Propagande.

Avec la commande des « prophéties » de Nostradamus,[13] ce fut sans doute le dernier travail effectué par Louis de Wohl pour les services secrets anglais. La paix revenue, on perd la trace de ce personnage pittoresque, aventurier, faussaire, et probablement aussi, du moins à quelques occasions, astrologue ou voyant authentique.

Le 2 juin 1962, un bref article du *Times* relatait sa mort survenue en Suisse, à Lucerne.

13. Voir le chapitre consacré à Nostradamus.

IX L'occultisme et le grand Reich de 1000 ans

« Un homme d'action né le 20 avril 1889 »

1923. L'Allemagne vaincue, humiliée, en proie à une crise économique aggravée par les exigences de vainqueurs à courte vue, est prête à toutes les aventures. En juillet, une dame astrologue de Munich, Elsbeth Ebertin (1880-1944), publie son almanach annuel de prédictions intitulé *Ein Blick in die Zukunft (Un regard dans l'avenir).* Ce qui fait cette année-là la curiosité de la brochure, c'est qu'elle contient un horoscope anonyme dont l'essentiel se résume ainsi:

> « Un homme d'action né le 20 avril 1889 avec le Soleil à 29° dans le Bélier au moment de sa naissance, peut s'exposer à un danger personnel par une action excessivement imprudente, et très probablement déclencher une crise incontrôlable. Les constellations indiquent que cet homme doit être pris très au sérieux; il est destiné à jouer dans les batailles futures le rôle d'un Führer. Il semble bien que l'homme auquel je pense, avec cette forte influence du Bélier, soit destiné à se sacrifier pour la nation allemande, à faire face à toutes les circonstances avec force et courage, même quand c'est une affaire de vie ou de mort, et à donner une impulsion tout à fait nouvelle à un Mouvement allemand de libération. »[1]

Pour les Munichois, en cet été de 1923, il n'est pas difficile de deviner qui peut être l'homme promis par les astres à un destin aussi exceptionnel. Il s'agit d'un Autrichien de 34 ans, nommé Adolf Hitler, que des déceptions personnelles et le chômage ont conduit à l'agitation politique. Simple caporal à la fin de la guerre, il a su rallier, entre autres mécontents, des personnalités comme le général Ludendorff, ancien chef d'état-major de l'empereur, ou Hermann Goe-

1. Cité par Ellic Howe, *Le Monde étrange des Astrologues.*

ring, une des gloires de l'aviation militaire, et a fondé le parti national socialiste ouvrier, un groupement de droite malgré le nom.

Grand admirateur de Mussolini, l'idéologue du fascisme qui vient de prendre le pouvoir à Rome avec ses partisans, les Chemises Noires, il a doté ses gardes du corps de chemises brunes et ceux-ci, dans les tavernes, assomment les contradicteurs qui refusent de lever leurs chopes en criant « Heil Hitler! » Sera-t-il capable de monter aussi haut que son modèle italien? Mme Ebertin, l'auteur de *Ein Blick in die Zukunft*, en est persuadée. Après avoir assisté à l'un de ses meetings, l'astrologue a confié à un ami qu'il « a l'air d'un possédé, d'un médium, de l'instrument inconscient de puissances supérieures », et elle pressent en lui l'homme « qui imprimera au pendule de l'histoire une impulsion puissante ». Seulement, il y a ces aspects planétaires très critiques qu'elle prévoit pour le mois de novembre et, afin d'être certaine qu'il en sera informé, elle fait parvenir un exemplaire de son almanach au siège du journal du parti.

Hitler aura-t-il connaissance de son horoscope? Mme Ebertin affirmera l'année suivante que son entourage le lui avait fait lire et qu'il s'était même écrié, impatienté: « Que diable les femmes et les étoiles ont-elles à voir avec moi? » Toujours est-il que le 8 novembre suivant, il passe à l'action, mais moins chanceux que Mussolini, il rate son putsch mal préparé. La police tire, il y a des morts, et lui-même, en fuyant, tombe et se fracture la clavicule. Arrêté et condamné à cinq ans de prison, il sera relâché neuf mois plus tard, ayant mis à profit son incarcération pour écrire le premier livre de *Mein Kampf (Mon Combat)*, un avant-goût de « l'impulsion puissante » qu'il entend donner à l'histoire du monde.

Impulsion dont Elsbeth Ebertin sera d'ailleurs, vingt ans après, l'une des victimes. Elle sera tuée en novembre 1943 au cours du bombardement aérien de Fribourg-en-Burgau où elle s'était réfugiée. On sait par son fils qu'elle avait pressenti sa fin « car elle connaissait les horoscopes de la plupart des gens qui habitaient les maisons voisines. Mais si elle était partie, il en serait résulté un terrible affolement et elle aurait été arrêtée par la Gestapo, car les gens disaient: « Tant que Mme Ebertin restera ici, rien ne pourra nous arriver. »[2]

---

2. Reinhold Ebertin, *Kosmobiologie* (1966).

Hitler a-t-il cru à l'astrologie?

Diverses sociétés secrètes ayant plus ou moins été mêlées à l'édification de la doctrine nazie, il est naturel qu'on ait soupçonné Hitler de s'adonner personnellement à l'occultisme. Il ne semblait d'ailleurs pas s'en cacher, se laissant photographier avec une amie en train de lire l'avenir dans le plomb fondu. On a dit aussi qu'il était voyant et avait prédit le jour de l'entrée de ses troupes à Paris (14 juin 1940), ainsi que celui de la mort du président Franklin Roosevelt (12 avril 1945). Si plusieurs de ses proches collaborateurs étaient convaincus qu'il croyait fermement à l'astrologie, comment en aurait-on douté à l'étranger? Le 5 avril 1939, quatre mois avant qu'éclate la Seconde Guerre mondiale, *La Gazette de Lausanne* imprimait: « Personne ne croit davantage à l'astrologie que Mr Hitler (...) Ce n'est pas par hasard que tous ses coups se font au mois de mars. Avant de frapper, il choisit le moment favorable qu'indiquent les étoiles et mars est assurément son meilleur mois. » Il frappa cette fois-là le 1er septembre en envahissant la Pologne, mais l'opinion mondiale était faite et le président de l'Université de Columbia, Nicolas Murray Butler, assurait dans le *Daily Mail* que le chancelier allemand n'avait pas moins de cinq astrologues attachés à son service.

Il y a des avis contraires. Mme Christa Shröder, qui appartint à son secrétariat privé du jour de l'arrivée au pouvoir à la fin sans prestige au fond d'un bunker de Berlin, a affirmé que tout cela n'était qu'une légende. Si la rumeur publique voulait qu'Hitler ne prit aucune décision importante sans avoir consulté les astres, elle n'a jamais, pour sa part, remarqué rien de semblable en treize années de service. Au contraire, il rejetait le principe de l'astrologie « par sa ferme conviction que les personnes nées le même jour, la même heure et au même lieu, n'avaient pas du tout des destins semblables et pensait que la meilleure preuve en était donnée par le sort différent des jumeaux ». Quant aux prédictions d'Elsbeth Ebertin, au temps de son putsch manqué de Munich, prédictions qui s'étaient amplement vérifiées jusque-là, il en avait été d'abord très impressionné, mais les considérait finalement comme de pures coïncidences et n'en parlait qu'avec ironie.[3]

3. A. Zoller, *Hitler's Table Talk.*

On peut supposer que ce témoignage d'une secrétaire restée si longtemps fidèle et discrète, vise plus à tenter de préserver l'image de marque du patron disparu qu'à respecter la vérité historique, mais en voici un autre qu'on ne peut suspecter de complaisance. Otto Strasser rencontra Hitler en 1920 et fut l'un de ses tout premiers compagnons de lutte, mais dès la victoire du parti, en 1933, de profondes divergences politiques en firent des ennemis mortels. Il n'échappa que par miracle à ce qu'on a appelé la « Nuit des longs couteaux », ce sanglant règlement de comptes entre nazis de la première heure[4] et Hitler, tenace dans ses haines, le fit traquer par la Gestapo jusqu'à l'écroulement du IIIe Reich. Voici ce qu'il a déclaré au journaliste-écrivain russe Victor Alexandrov: « Comme tous les membres de son parti, Hitler était un adepte acharné de l'astrologie et des sciences occultes apparentées (...) Cependant, ma connaissance profonde de son caractère me porterait à dire qu'il y croyait aussi peu qu'au catholicisme, mais qu'il savait à merveille les utiliser pour gagner les hommes et les dominer. Non seulement, il laissa le champ libre à Hess[5] et à Himmler,[6] mais il eut, grâce à eux, des rapports instructifs avec des astrologues célèbres et les encouragea — comme, plus tard, Goebbels[7] — à utiliser habilement leurs prédictions à des fins de propagande. »[8]

Ce jugement d'Otto Strasser corrobore parfaitement les idées qu'exprimait déjà Hitler dans *Mein Kampf,* écrit en 1924. On pourrait même croire que celui-ci y énonçait les grands principes de la publicité moderne, télévisée ou autre. Il préconisait de « placer le niveau de la propagande dans la

---

4. Dans la nuit du 30 juin 1934, Gregor, le frère d'Otto Strasser, fut arrêté par les SS et sa femme reçut quelques jours après ses cendres dans une urne. Les Strasser exigeaient d'Hitler la création d'un État allemand socialiste et la nationalisation des grandes entreprises industrielles et agricoles.
5. Rudolf Hess, le troisième personnage du régime nazi. Né en Égypte, fervent occultiste, il avait été le secrétaire du général allemand Haushoffer qui, dit-on, pendant la Première Guerre mondiale, prédisait l'heure des attaques ennemies et les points de chute des obus (Louis Pauwels et Jacques Bergier, *Le Matin des Magiciens).*
6. Heinrich Himmler, ministre de l'Intérieur et organisateur de l'extermination des Juifs (1900-1945).
7. Joseph Goebbels, ministre de la Propagande (1897-1945).
8. Victor Alexandrov, *Entretien avec Otto Strasser (Planète* N° 30, septembre/octobre 1966).

limite des facultés d'assimilation des plus bornés parmi ceux auxquels elle s'adresse. »

La grande rafle des astrologues

L'Allemagne étant à l'époque le pays « où il y avait le plus d'astrologues au kilomètre carré », les nazis ne manquèrent pas pour leur propagande de collaborateurs bénévoles ou intéressés. Et voici que, brusquement, le 9 juin 1941, un vent de panique souffle sur le petit monde de l'occultisme. Dédaignant le menu fretin, la Gestapo arrête plusieurs centaines d'astrologues réputés qui s'entendent poser des questions aussi dangereuses que celles-ci: « Si un Nègre, un Juif et un Aryen étaient nés le même jour, et au même endroit, feriez-vous pour chacun des prédictions identiques? »[9] Deux semaines plus tard, un arrêté du ministre de la Propagande interdit tout article de journal, séance ou conférence publique ayant trait à l'astrologie, à la clairvoyance, au spiritisme, à la télépathie, ainsi qu'à la radiesthésie et aux guérisons par la prière. Que s'est-il passé et pourquoi les astrologues, jusque-là bien vus du régime, ont-ils été les premiers visés?

C'est d'abord que plusieurs d'entre eux ne jouent plus le jeu convenu. Après n'avoir prophétisé que d'ennivrantes victoires allemandes et alors que les succès militaires se poursuivent sur tous les fronts, ne voilà-t-il pas qu'ils commencent de manifester des craintes inspirées par de prétendus aspects maléfiques dans le ciel du Führer? L'un d'eux, le Suisse Karl Ernst Kraft, un hurluberlu qui s'était déjà avisé deux ans plus tôt de prédire un attentat contre Hitler dans les dix premiers jours de novembre 1939,[10] a même osé prétendre que l'horoscope du maréchal Rommel lui paraissait moins favorable que celui de l'Anglais Montgomery.[11] Le défaitisme, en temps de guerre, cela s'appelle aussi trahison.

Mais cette « purge » a une autre raison qui est peut-être la principale. Juste un mois avant la grande rafle des astro-

9. Cité par Ellic Howe, *Le Monde étrange des Astrologues.*
10. Et, effectivement, le 9 novembre, dans une brasserie de Munich, la *Bürgerbraukeller,* une bombe avait explosé dix minutes à peine après le départ précipité d'Hitler, faisant dix morts et une vingtaine de blessés.
11. Le 23 octobre 1942, le général Montgomery vaincra Rommel à El-Alamein (Égypte). En 1944, le maréchal allemand, ayant approuvé un complot contre Hitler, se suicidera sur l'ordre de celui-ci.

logues, un événement étrange a fait déborder la coupe et conduit Hitler à réviser son attitude. Walter Schellenberg, le chef du contre-espionnage allemand, dira dans ses *Mémoires:* « Le grand intérêt qu'il portait à l'astrologie s'est changé en une vive antipathie. »

L'escapade de Rudolf Hess[12]

En effet, le 10 avril, Rudolf Hess, son meilleur ami, son disciple, a eu l'idée saugrenue, inouïe, insensée, de voler un avion de l'armée et d'aller sauter en parachute au-dessus de l'Écosse, avec l'intention de persuader le roi George VI et Winston Churchill de conclure une paix séparée avec l'Allemagne. Évidemment, les Anglais, un peu ébahis, ont arrêté le sauteur et voilà que le troisième personnage du Reich, le dauphin du Führer après le maréchal Goering, est interné en Angleterre. Mais ce qui enrage Hitler, en plus du ridicule de l'affaire, c'est que le cher Rudolf Hess, un peu fatigué intellectuellement, n'a pu se lancer dans cette aventure sans consulter ses astrologues et ceux-ci ont dû le convaincre qu'il était temps d'arrêter la guerre. Aussi, cette fois, c'en est trop. Comme l'infortuné Hanussen huit ans auparavant, les occultistes trop bavards vont payer cher l'erreur de se mêler de ce qui ne les regarde pas. Entre autres, ce Kraft incorrigible ira mourir du typhus au camp de concentration de Buchenwald, sans doute un peu aidé par les gardiens SS.

Un astrologue dans un bunker

Encore quatre années de guerre et c'est l'effondrement. L'invincible Allemagne, le Grand Reich qui devait durer 1000 ans

---

12. Jugé comme criminel de guerre nazi au procès de Nuremberg et condamné à la détention perpétuelle en 1949, Hess, âgé maintenant de 80 ans, est toujours incarcéré à Berlin-Ouest, dans la prison de Spandau dont il est l'unique locataire. Il mobilise à lui seul une garde de 37 soldats et 1 officier, pris parmi les troupes d'occupation russes, américaines, anglaises et françaises, et coûte annuellement 400 000 dollars aux contribuables allemands qui doivent payer le personnel civil de la prison (directeur, gardiens, équipe médicale, interprètes, cuisiniers). Seuls, les Russes s'opposent encore à sa libération tant qu'il refusera de se reconnaître coupable, mais Hess paraît satisfait de son sort et s'intéresse principalement au problème de la pollution. (*L'Express,* N° 1189, 22 avril 1974).

selon la promesse d'Hitler, s'écroule dans une apocalypse wagnérienne. En avril 1945, les Américains à l'ouest et les Russes à l'est sont à moins de soixante-dix kilomètres de Berlin en ruines. Enfoui dans son abri souterrain de la Chancellerie, Hitler s'épuise maintenant à donner des ordres incohérents à des armées fantômes qui n'existent plus que dans son cerveau malade.

D'après le comte Schwerin von Krosigk, qui fut son ministre des finances, il va faire amende honorable à l'astrologie, un peu comme le mécréant qui, sentant tout perdu, a brusquement besoin de croire à quelque chose. Avec le docteur Goebbels, un de ses derniers fidèles, il relit attentivement deux vieux horoscopes exhumés des archives du ministère de l'Intérieur: le sien, daté du 30 janvier 1933, et celui de la jeune République allemande établi le 9 novembre 1918, le jour même de l'abdication de l'empereur Guillaume II. Chose extraordinaire, les deux documents qui ont prévu une nouvelle guerre pour 1939 et la victoire allemande jusqu'en 1941, prédisent ensuite une série de défaites devenant catastrophiques dans la première moitié d'avril 1945. Puis, un foudroyant redressement de la situation se produira dans les jours qui suivent, la paix sera signée en août et, dès 1948, après une période difficile, l'Allemagne « s'élèvera de nouveau à la grandeur ».[13]

Le lendemain, vendredi 13 avril, une merveilleuse nouvelle met le bunker en joie et on sable le champagne. Le Führer, transfiguré, fête la mort de son vieil ennemi, le président des États-Unis, Franklin Roosevelt. Est-ce le retour de la chance annoncée dans les horoscopes? Selon un témoin, Hitler ordonne qu'on aille chercher un astrologue pour en savoir davantage. Un officier SS finit par en dénicher un qu'il conduit à la Chancellerie. Mais il a pris ce qu'il a trouvé, un certain Bernd Unglaub qui a débuté dans le métier en donnant des conseils pour gagner aux courses et aux loteries. On peut imaginer l'astrologue miteux se hâtant dans Berlin assiégé, écrasé sous les bombes, pour aller porter un peu de réconfort et d'espoir au maître déchu du Grand Reich de 1000 ans.

Trois jours plus tard, les Russes déclenchaient leur ultime offensive et, le 30 avril, les chars soviétiques n'étant plus

---

13. Trevor-Roper, *Les Derniers Jours d'Hitler*.

qu'à quelques centaines de mètres du bunker d'Hitler, celui-ci se suicidait ainsi que sa femme, Eva Braun, qu'il avait épousée la veille. Les horoscopes et le plomb fondu n'avaient pas prévu cela.[14]

---

14. Cornelius Ryan, *La Dernière Bataille* (R. Laffont).

La Destin tisse patiemment ses fils. Si, en 1877, le douanier Aloïs Schicklgrüber, né de père inconnu, n'avait pas changé illégalement de nom à 41 ans pour prendre celui d'un oncle fermier qu'on appelait indifféremment Hiedler, Hüttler ou Hitler, que serait-il advenu de son fils Adolf, venu au monde douze ans plus tard? « Imagine-t-on, a dit Simon Wiesenthal, le pourchasseur de criminels nazis, imagine-t-on un dictateur portant ce nom qui, en Autriche, avait quelque chose de courtelinesque et faisait sourire? Un Schicklgrüber aurait-il réussi à fanatiser les masses? « Heil, Schicklgrüber! », n'est-ce pas un peu ridicule, alors que « Heil, Hitler! », cela claque sec et clair comme une fanfare? » (Philippe Bernert, *Pourquoi Hitler chercha à détruire toute trace de ses origines*, Historama, N° 26)

X L'occultisme et la police

Un précurseur

Dans les années 1760, Paris et Versailles s'engouèrent d'un riche et curieux personnage qui se faisait appeler le comte de Saint-Germain et arrivait de Prusse où le roi Frédéric II lui avait donné le surnom de « l'homme qui ne peut pas mourir ». Car s'il se piquait d'alchimie et de pouvoir fabriquer de l'or et des diamants, il prétendait en outre être âgé de deux mille ans et avoir connu, entre autres, Alexandre le Grand, Ponce Pilate et Henri IV. Son domestique paraissait bénéficier également d'une étonnante longévité, mais affirmait toutefois, plus modeste, qu'il n'y avait guère que quatre cents ans qu'il avait l'honneur d'être au service de M. le comte.

Mythomane, charlatan ou espion prussien, Saint-Germain n'en était pas moins un remarquable médium qui stupéfia le roi Louis XV. Désireux de l'embarrasser, celui-ci le pria un jour d'élucider une énigme qui avait intrigué longtemps les Parisiens au début du siècle. Le 31 décembre 1700, un procureur au Châtelet, Maître Dumas, logeant rue de l'Hirondelle, dans le quartier Saint-Michel, avait inexplicablement disparu de sa chambre après s'y être enfermé. Sans hésiter, le comte répondit aussitôt qu'un escalier, dissimulé sous le parquet de la pièce, communiquait avec un caveau secret et que la clé du mystère se trouvait là. Le lendemain, sur l'ordre du roi, une perquisition policière permit effectivement de découvrir une trappe s'ouvrant dans les lames du plancher. Le cadavre momifié de l'homme de loi gisait au pied des marches.

Plus fort que Robert Houdin!

> « Victor Hugo assistait à cette séance, avec sa curiosité habituelle, et avait préparé chez lui un paquet cacheté au milieu duquel se trouvait un seul mot imprimé en gros caractères; le paquet fut d'abord tourné et retourné en tous sens par le somnambule qui, au bout d'un instant, épela: « P... o...-l... i... poli; je ne vois pas la lettre suivante, mais je vois celles qui viennent après: i... q... u... e... huit

lettres, non neuf... t... politique, c'est bien cela; le mot est imprimé sur un papier vert clair, M. Hugo l'a enlevé d'une brochure que je vois chez lui. » Marcillet (l'hypnotiseur) demanda aussitôt à Victor Hugo si cela était vrai, et le poète s'empressa de rendre justice à la lucidité du sujet. Depuis ce temps, la seconde vue compte Victor Hugo au nombre de ses plus illustres défenseurs. »[1]

Cet Alexis Didier, l'un des plus fameux « somnambules » du milieu du XIXe siècle — on appelait ainsi les clairvoyants qui opéraient sous hypnose — n'avait pas convaincu que Victor Hugo. Alexandre Dumas le recevait dans sa maison de campagne où, entre deux chapitres écrits au pas de charge et devant un cercle d'amis, l'auteur de *Monte-Christo* s'amusait à le « magnétiser ».[2] Il adressait ensuite aux journaux un procès-verbal des dernières prouesses du médium, contresigné des plus grands noms de la littérature, de la peinture et du théâtre. Le ton élogieux et enthousiaste devenait rapidement lyrique: « Alexis avait décrit, avec une admirable précision, Tunis et ses environs dont le nom seul lui était connu dans son état de veille; en un mot, l'espace et le temps avaient été vaincus!... Alexis avait lu non seulement des livres fermés à travers plusieurs pages, mais encore des lettres cachetées; en un mot avait démontré que le fluide magnétique, en illuminant d'une clarté naturelle le sujet magnétisé, permettait à son âme de traverser les corps les plus opaques avec une facilité qui laissait loin d'elle tout ce que l'imagination prêtait de puissance à la magie! »[3]

---

1. Henri Delaage, qui fut témoin de cette expérience, la rapporte dans son livre *Les Mystères du magnétisme.*
2. Cela se passait à la villa « Médicis », à Saint-Germain-en-Laye où la seule présence du romancier au faîte de sa gloire faisait monter les recettes de la ligne Paris-Saint-Germain, le premier chemin de fer français. Tout le monde venait voir de près le grand homme entouré de sa cour, de ses maîtresses, de ses singes et de ses perroquets. Le roi Louis-Philippe, logé non loin de là, au château de Versailles, s'inquiétant de cette effervescence, un de ses ministres lui répondit: « Sire, Votre Majesté veut-elle que Versailles devienne aussi gai jusqu'à la folie? Dumas, en quinze jours, a galvanisé Saint-Germain. Ordonnez-lui de passer quinze jours à Versailles. » (André Maurois, *Les Trois Dumas)*
3. Procès-verbal publié par le journal parisien *La Presse* du 17 octobre 1847.

Les commentaires pseudo-scientifiques de Dumas n'impressionnaient pas tous les journalistes. Mais pouvant difficilement se permettre de taxer d'imposture ou de jobardise les prestigieux témoins de ces prodiges, ils se contentaient d'objecter malicieusement que, chaque soir, au théâtre du Palais-Royal, l'illusioniste Robert Houdin réalisait sans peine des merveilles plus grandes encore.

L'argument était mal choisi car, à la suite d'une partie de cartes qui l'avait littéralement stupéfié, ce dernier comptait lui-même parmi les admirateurs d'Alexis. Bien qu'il eût pris la précaution de faire la donne, le « somnambule » avait lu dans son jeu qu'il cachait pourtant sous la table, dans ses mains serrées, et lui avait dit quelles cartes il devait avancer. « À chacune de mes cartes jouées, a raconté Houdin, il en posait une de son jeu sans la retourner et toujours elle se trouvait parfaitement en rapport avec celle que j'avais jouée moi-même. » Fair play, le roi des prestidigitateurs, le maître incontesté de l'illusion, le truqueur génial et blasé qu'aucune astuce ne pouvait plus surprendre, avait courtoisement rendu hommage à son adversaire en rédigeant une déclaration publique qui se terminait ainsi: « Je suis donc revenu de cette séance aussi émerveillé que je puisse l'être et persuadé que le hasard ou l'adresse ne peuvent pas produire des effets aussi merveilleux. Paris, le 15 mai 1857, Robert Houdin. »

De la part d'un tel expert, cet aveu écrit et signé constituait probablement le plus beau certificat jamais décerné à l'occultisme.

Le caissier du Mont-de-Piété[4]

Seul à Paris, au mois d'août, l'homme le moins aventureux est souvent tenté par le diable. En 1849, profitant d'une belle journée de ce mois estival, un employé de confiance du Mont-de-Piété prit brusquement la clé des champs en emportant la caisse, et la direction, affolée, consulta confidentiellement le somnambule Alexis sans lui donner trop de détails. Ce dernier déclara aussitôt que le montant des fonds détournés, très considérable, s'élevait à près de 200 000 francs,[5] que le

4. Établissement public municipal qui prête de l'argent à intérêt, moyennant la mise en gage d'objets divers, meubles, bijoux, montres, etc.
5. Quelque 160 000 dollars d'aujourd'hui.

caissier indélicat s'appelait Dubois et qu'il le « voyait » présentement à Bruxelles, dans une chambre de *l'Hôtel des Princes*.

Deux choses au moins étaient déjà exactes: l'identité du coupable et l'évaluation de son vol. Plein d'espoir, un représentant du directeur prit la première diligence pour la capitale belge où il apprit en arrivant que le disparu avait effectivement logé à l'hôtel désigné, mais venait de quitter la ville pour une destination inconnue. À Paris, de nouveau hypnotisé, Alexis situa cette fois le sieur Dubois dans une maison de jeu de Spa, la ville d'eau des rois et des millionnaires. Il était en train de perdre beaucoup d'argent et d'ailleurs, ajouta le devin sans laisser la moindre illusion aux gens du Mont-de-Piété consternés, il n'aurait plus un centime sur lui quand on viendrait l'arrêter.

Le temps de repartir au galop pour la Belgique et de persuader la police du roi Léopold Ier d'intervenir au plus vite, on manqua encore le caissier. Interrogé une troisième fois, Alexis répondit qu'il n'y avait pas lieu de s'inquiéter. L'homme avait simplement franchi la frontière prussienne afin de tenter sa chance dans les tripots d'Aix-la-Chapelle et reviendrait bientôt à Spa pour laisser sur le tapis vert le peu qui lui resterait encore. « J'écrivis immédiatement aux autorités de Bruxelles et de Spa et, quelques jours après, Dubois était arrêté. Il avait tout perdu au jeu. » C'est au directeur du Mont-de-Piété en personne, un nommé Provost, que nous devons de connaître les péripéties de cette poursuite peu banale, dirigée par un « somnambule » opérant à quatre cents kilomètres de là. Soucieux pour sa publicité de faire homologuer toutes ses réussites, Alexis l'avait prié d'en envoyer le récit à la presse. C'était encore une belle expérience à rendre jaloux Robert Houdin.

Chose curieuse, du voyant et du mystificateur pourtant contemporains, la postérité n'a retenu que le nom du second. Les foules préfèrent toujours les phénomènes de cirque à des mystères plus authentiques qui peuvent faire penser et dérangent.

Edgar Cayce, « détective »

Nous avons eu déjà l'occasion d'évoquer cet extraordinaire personnage que fut Edgar Cayce. Dans les premières années du siècle, étant de passage à Hopkinsville (Kentucky), le voyant américain accepta à contrecoeur d'élucider une affaire de vol pour rendre service à un policier privé, ami de son père. Des titres de bourse au porteur représentant une véritable fortune avaient disparu d'un coffre-fort et leur possesseur légitime offrait une forte récompense à qui les lui ferait retrouver.

Sous hypnose, Cayce décrivit les responsables du méfait: un homme et une jeune femme qui devait être une familière de la maison du plaignant, portait une tache de naissance lie-de-vin sur la cuisse gauche et avait deux orteils soudés par suite d'une brûlure subie dans son enfance. Les complices, des amants, avaient gagné aussitôt l'État de Pennsylvanie et se cachaient avec leur butin dans tel hôtel de telle ville.

Coup de théâtre: ce fut par un rugissement de fureur que le propriétaire des titres accueillit ces révélations. Si le signalement de son voleur ne lui rappelait rien de précis, par contre, celui de la femme seyait étrangement à sa propre épouse qu'il croyait partie voir une soeur à Chicago. Lorsque la police se présenta à l'hôtel indiqué par Cayce au cours de sa transe hypnotique, le couple s'était déjà envolé sans laisser d'adresse. Cinq autres lectures[6] furent nécessaires pour suivre les fugitifs, d'étape en étape, jusqu'en Ohio où le mari dévalisé et berné put enfin récupérer son trésor dans un hôtel de Columbus. Ce terme de trésor désigne naturellement ses titres, car l'histoire ne dit pas s'il reprit aussi l'infidèle. Quant à l'honnête Edgar Cayce, qui s'était penché sans enthousiasme sur cette aventure à la fois vaudevillesque et sordide, il se sentait mécontent de lui. Il lui déplaisait d'avoir contribué à traquer ces deux inconnus, même coupables, et il se promit de ne plus recommencer.[7]

À quelque temps de là, à Booling Green où il exploitait un studio de photographie, il devait commettre l'erreur de se laisser encore fléchir. Il est vrai qu'il s'agissait d'un cas infiniment plus grave, et sa conscience lui imposait de ne pas éconduire l'homme venu implorer son aide. Professeur dans un collège voisin de la petite ville, celui-ci allait être faussement accusé du meurtre d'une parente résidant au Canada et lui

6. On se souvient que Cayce appelait ainsi ses « visions » sous hypnose.
7. Joseph Millard, *L'Homme du mystère.* Éd. J'ai Lu.

demandait d'essayer de trouver un indice qui pourrait mettre la police sur la piste de l'assassin.

Dès qu'il fut endormi, sous le contrôle du docteur Blackburn qui l'assistait dans toutes ses lectures, on lui répéta le nom et l'adresse de la victime et il dénonça sans hésitation la soeur de cette dernière comme étant la meurtrière. Il « voyait » le revolver qui avait été jeté dans un caniveau souterrain passant sous la maison du crime et en indiqua le calibre *ainsi que la marque et le numéro de série.*

Deux jours plus tard, Cayce pouvait se féliciter de n'avoir jamais été à Montréal autrement qu'en pensée. Des policiers terriblement soupçonneux voulaient savoir pour quelle raison il connaissait l'existence de l'égout, inconnue des gens du voisinage, et les caractéristiques de l'arme du meurtre qu'on y avait repêchée sur ses indications. Il ne fallut pas moins que les aveux et l'arrestation de la coupable pour mettre fin à ses tracas, et encore les enquêteurs ne le laissèrent-ils aller qu'à regret, admettant mal qu'un innocent puisse être au courant de tant de choses. Mais pour Cayce, la leçon avait été bonne et il refusa toujours par la suite de tenter d'éclaircir une affaire criminelle.[8]

Le Dr Langsner, de Vancouver

En 1928, un audacieux cambriolage empêcha de dormir pendant quelques semaines les meilleurs limiers de Vancouver, le grand port canadien du Pacifique. Découragés, ils s'apprêtaient à relâcher leur suspect numéro un qu'ils ne parvenaient pas à confondre, lorsqu'un certain docteur Langsner se présenta au Quartier général de la police pour offrir ses bons offices. Il ne devait pas y être inconnu car il fut aussitôt autorisé à entrer seul dans la cellule du prisonnier. Il y resta une demi-heure, assis sur une chaise, immobile et silencieux, et déclara simplement en sortant qu'on retrouverait les bijoux volés derrière un tableau accroché dans une chambre jaune. Si le suspect avait un appartement dont cette couleur semblait bannie, chez sa maîtresse qui aimait le jaune, la chambre en était tapissée et la toile qui la décorait se révéla aux détectives comme étant bien la cache au trésor.

8. George Langelaan, *Les Faits maudits*. Encyclopédie *Planète*.

Le docteur Maximilian Langsner, un émigré autrichien, disait avoir été l'élève de Freud, revenir d'un voyage d'études aux Indes et étudier les « ondes cérébrales ». Il était capable — et le prouvait — de lire dans la pensée des autres, sans pouvoir expliquer comment cela se produisait. Cette curieuse particularité lui avait valu l'honneur d'être appelé à la cour du shah de Perse, à celle du roi Fouad Ier d'Égypte, et de travailler en Extrême-Orient pour les services secrets britanniques. Depuis qu'il s'était installé à Vancouver, il collaborait ainsi occasionnellement avec la police et avait déjà obtenu plusieurs succès notables.

Les échos de cette réputation flatteuse parvinrent jusqu'en Alberta où, précisément, le chef de la police d'Edmonton, Mike Gier, pâlissait sur l'énigme d'un quadruple assassinat. La tuerie avait eu lieu à 150 kilomètres de là, près de Mannville, décimant les deux tiers des habitants du ranch Booher. Rien n'avait été volé et cela pouvait passer pour l'acte gratuit d'un fou. Les victimes étaient la fermière, Mme Booher, abattue par derrière de trois balles dans la nuque; son fils Fred, tué d'une balle tirée à bout portant dans la bouche; et deux ouvriers agricoles, Cromby et Rosyk, massacrés aussi sauvagement. Seuls survivants, Mr Henry Booher et le plus jeune des fils, Vernon, le père étant à Mannville tandis que se déroulait le carnage, et le garçon à une partie de pêche dont il était d'ailleurs revenu bredouille.

Unique indice jusque-là, un voisin des fermiers, Charles Stevenson, avait signalé la perte d'un fusil de guerre anglais, un Enfield 303 dont le calibre correspondait à celui de l'arme utilisée par le meurtrier. Il pensait qu'on avait dû le dérober chez lui le dimanche précédent, pendant l'office, alors qu'il était à l'église comme tous les gens du pays, y compris ceux du ranch Booher.

Un beau matin de juillet, appelé à la rescousse, le docteur Langsner débarqua donc à la gare d'Edmonton, attendu avec curiosité par les enquêteurs. Il assista dans l'après-midi à un contre-interrogatoire des suspects possibles: les deux Booher, père et fils, et le propriétaire du fusil volé. Il se contenta d'observer les trois hommes, ne posa aucune question et dit ensuite aux policiers que le criminel n'était autre que le jeune Vernon Booher. Malheureusement, il n'était pas en mesure de le prouver, pas encore. Quand on avait interrogé Mr Stevenson sur la disparition de son Enfield, Vernon s'était mis à revivre mentalement la scène et il avait pu lire dans sa pensée où se trouvait actuellement le fusil: dans un buisson, derrière la ferme, entre un arbre — un tilleul — et le logis des ouvriers. Mais, ajouta le docteur, le jeune homme avait eu la précaution de l'essuyer soigneusement et l'arme ne pouvait plus l'accuser.

Toujours est-il que, le lendemain, la découverte du Enfield 303, vierge d'empreintes, sur le terrain du ranch et à l'emplacement décrit, balaya les derniers doutes qui subsistaient encore dans quelques esprits sceptiques. Ce fut presque respectueusement qu'on demanda à Langsner comment il espérait obtenir une preuve qui serait capable de convaincre un jury. Celui-ci s'en tint à sa bonne vieille méthode habituelle et Vernon Booher, qui avait été écroué comme témoin principal à la prison d'Edmonton, le vit arriver dans le couloir et s'installer dans un fauteuil devant la grille de sa cellule. Le garçon se fit aimable, essaya de plaisanter pour engager la conversation, mais le mutisme et l'immobilité de cet étrange visiteur, la fixité de ce regard qui pesait sur lui à travers les barreaux, le mirent bientôt dans une rage folle. Il hurla des injures, trépigna, menaça, puis finit par tourner le dos au docteur et s'allonger sur sa couchette.

Une heure plus tard, dans le bureau du chef de police, Langsner expliquait qu'il convenait maintenant de rechercher une femme aux petits yeux perçants, à la mâchoire tombante, qui portait un chapeau capote et, le dimanche, à l'église de Mannville, se tenait toujours au fond de la nef, du côté gauche.

Le jour suivant, lorsqu'un policier, un peu gêné d'être vu en cette compagnie, amena à Edmonton Miss Erma Higgins, une vieille fille plus vraie que nature, le sort de Vernon Booher était comme déjà fixé. Une sexualité rentrée conduisait Miss Erma à juger sévèrement de celle des autres et, tout en chantant avec ferveur les cantiques dominicaux, elle surveillait attentivement les filles et les garçons de Mannville qui profitaient du jour du Seigneur pour ébaucher des flirts ou se donner des rendez-vous. Le dimanche de la disparition du fusil de Charles Stevenson, alors que Vernon soutenait ne pas avoir quitté l'église un seul instant, elle l'avait très bien vu sortir discrètement pour ne revenir qu'avant le sermon.

Brusquement las, le jeune homme cessa de lutter. Comme la plupart des tragédies familiales, celle-ci était banalement stupide. Mme Booher, une maîtresse femme, faisait régner sa loi sur le ranch et le mari pliait comme les autres. Un jour, Vernon, son préféré, avait voulu lui présenter une petite amie, fille de journalier, et elle avait mis rapidement fin à l'idylle, outrée qu'un fils Booher ait de telles fréquentations. De là était née cette révolte du fils humilié contre la mère autoritaire, révolte dérisoire devenue vite haine implacable pour exploser dans un bain de sang. Il est vrai que trois des victimes — toujours la stupidité des drames — n'avaient rien à voir dans l'affaire, mais Vernon Booher avait dû tuer son frère et les ouvriers pour supprimer les témoins de son crime. Il fut pendu à Edmonton le 26 avril 1929.[9]

Quant au docteur Maximilian Langsner, de Vancouver, il devait connaître une fin au moins aussi curieuse que son existence. La nouvelle parvint du Grand Nord, où selon son dire, il était allé étudier les « talents intuitifs » des Esquimaux. On l'avait trouvé mort dans une hutte misérable des faubourgs de Fairbanks (Alaska).

L'affaire Lindbergh

Le 1er mars 1932, une vague de colère souleva les États-Unis, déborda les frontières, et l'indignation d'un peuple devint en quelques jours celle du monde entier. D'odieux personnages avaient osé commettre le crime le plus lâche, le plus abject, le plus dégradant, un crime qui révoltait même les gangsters les plus endurcis. Un tout jeune enfant, un bébé, avait été enlevé et les ravisseurs posaient le marché aux parents: sa vie contre de l'argent.

L'affaire fit d'autant plus de bruit que la popularité du père dépassait largement, ce qui n'est pas peu dire, celle des rois de la boxe et des superstars d'Hollywood. Plus qu'un héros national, sa gloire était universelle. En 1927, âgé seulement de vingt-cinq ans, Charles Lindbergh, avec son « Spirit of Saint-Louis », un petit avion fragile à peine plus sûr que celui du Français Blériot,[10] avait traversé d'un coup d'aile l'Atlantique, reliant pour la première fois par les airs le Nouveau Monde à Paris.

Malgré la mobilisation de tous les corps de police, l'en-

9. Kurt Singer, *20 affaires criminelles authentiques*. Éd. Marabout, 1962.
10. Louis Blériot (1872-1936) qui, le premier, en 1909, traversa la Manche en aéroplane.

quête piétinait et la tension devenait telle que les autorités s'inquiétaient. L'Américain le plus tranquille commençait à voir rouge, prêt à abattre à vue tous les individus suspects des quarante-neuf États de l'Union. Le colonel Lindbergh dut intervenir en personne, à la radio et dans la presse, pour tenter de calmer les esprits. Et naturellement, l'ignominie étant sans fond, grouillaient autour de ce drame les habituels exploiteurs du désarroi d'autrui: escrocs, faux indicateurs, pseudo-extralucides, prétendus radiesthésistes et autres charognards du malheur.

Parmi l'abondant courrier qui leur parvenait chaque jour, les enquêteurs retinrent la lettre d'un pasteur new-yorkais qui les informait qu'une de ses ouailles savait certainement beaucoup de choses, mais ne voulait les révéler que sur les lieux de l'événement. Ils vérifièrent d'abord qu'ils avaient bien affaire à un prêtre authentique et l'invitèrent à venir sans tarder à Hopewell avec sa paroissienne. À la grande déception des policiers, celle-ci prétendit tout de suite être clairvoyante — une de plus! — et c'est d'une oreille distraite qu'ils écoutèrent son respectable « manager » réaffirmer qu'elle pouvait facilement retrouver le bébé pour peu qu'on l'autorise à rester quelques instants dans la chambre du kidnapping.

De toute façon, il n'était pas question d'imposer aux parents — Mme Lindbergh était enceinte — une visite inutile qui ne visait peut-être qu'à satisfaire une curiosité morbide. Pour ne pas trop décevoir le pasteur dont la bonne foi semblait évidente, on conduisit tout de même sa protégée dans une villa voisine qui offrait à peu près les mêmes caractéristiques que celle des Lindbergh. Elle parut sombrer dans une sorte d'hypnose et déclara qu'à sept kilomètres, en direction nord-est, elle « voyait » une vieille maison en assez mauvais état et un homme qui, d'une fenêtre, surveillait la route à l'aide de jumelles. C'était là que les kidnappers cachaient l'enfant, gardé par une femme aux cheveux rouges. Mais il faudrait faire très attention car ils n'hésiteraient pas à tuer leur petit prisonnier s'ils voyaient des policiers approcher de la maison.

Le brave clergyman et son « médium » furent chaleureusement remerciés, remis dans le train de New York, et les détectives se hâtèrent de les oublier car leur temps était précieux. En effet, trois semaines plus tard, le 12 mai, le corps du bébé assassiné était trouvé non loin *d'une vieille mai-*

son délabrée, située au nord-est d'Hopewell, à environ sept kilomètres. Un examen de la bâtisse permit d'y relever les traces du passage récent *d'une femme rousse et d'un enfant en bas âge.*[11]

Un crime en Saskatchewan

Le 10 décembre de la même année, à Beechy, une petite ville perdue dans les neiges de la Saskatchewan canadienne, le sergent Carey, de la Police montée, assista à une séance de magie donnée à la salle municipale et en revint très perplexe. Non pas que le « magicien », un nommé Gladstone qui s'intitulait professeur et « lecteur mental » eût réalisé des tours qui sortaient de l'ordinaire. Il avait retrouvé des objets cachés par des spectateurs, énuméré le contenu du portefeuille de celui-ci, deviné le numéro de la montre de cet autre, « lu » dans la pensée d'un troisième — bref, des trucs amusants, mais que Carey avait déjà vus à Saskatoon, présentés dans un vrai théâtre par des artistes célèbres et avec autrement de brio.

Il faut reconnaître que Gladstone, qui promenait son spectacle par tous les temps de village en village, ne payait pas de mine avec son haut-de-forme râpé, son frac un peu trop luisant et son plastron d'un blanc douteux. Et pourtant, Carey avait senti un frisson parcourir sa nuque lorsque le professeur, descendu dans la salle et passant entre les rangées de chaises, avait pointé brusquement l'index vers lui en s'écriant sur un ton dramatique: « Et voilà un de nos habiles policiers qui va réussir bientôt la plus extraordinaire enquête de sa carrière! Oui, mesdames et messieurs, il va retrouver Scotty McLauchlin! Mais je crains qu'il ne nous ramène que son corps car je vois, hélas, un cadavre! Oui, ce pauvre Scotty a bien été assassiné! »

Cet intermède macabre et grandiloquent avait beaucoup

---

11. Un certain Bruno Hauptmann, qui cachait chez lui une partie de la rançon versée par le colonel Lindbergh, devait être arrêté par la suite et condamné à la chaise électrique. Chose curieuse, bien qu'il ait certainement eu des complices — ne serait-ce que la femme rousse — ceux-ci ne furent jamais retrouvés et aucune recherche sérieuse ne fut d'ailleurs entreprise. Ce côté de l'affaire Lindbergh a été évoqué par George Langelaan dans *Les Faits maudits* (Encyclopédie *Planète*).

impressionné le public. Personne à Beechy n'oubliait le joyeux Scotty McLauchlin, un personnage pittoresque et sympathique, qui avait soudainement disparu deux ans plus tôt et qu'on croyait parti tenter sa chance ailleurs. Après la représentation, Carey était allé poser quelques questions au professeur Gladstone qui se démaquillait dans une petite loge et avait répondu tranquillement: « Voyez-vous, sergent, je suis un peu de la région et je connaissais suffisamment Scotty pour savoir qu'il se plaisait bien ici et n'avait pas l'intention de nous quitter. Ce que j'ai dit tout à l'heure est absolument exact. En passant devant vous, j'ai eu comme une illumination et *je l'ai vu* enfoui sous de la paille. Si je peux vous être utile, je vous aiderai à le chercher. »

Le lendemain matin, le détective Jack Woods, du *Criminal Investigation,* à Saskatoon, fut appelé au téléphone et dut subir le long rapport circonstancié que lui fit le sergent Carey sur cette mémorable soirée. Woods ne croyait guère à ces histoires de voyance et de lecture mentale, mais n'en critiquait pas moins l'attitude de ses collègues américains qui auraient eu intérêt à s'y intéresser davantage à l'occasion de l'affaire Lindbergh. Pour lui, aucune information ne devait être négligée, si fantaisiste paraisse-t-elle, et toute sorcellerie à part, ce professeur Gladstone en savait peut-être plus qu'il ne le laissait entendre. Il relut le dossier McLauchlin pour se le remettre en mémoire et prit aussitôt la route de Beechy au volant de sa voiture.

Carey et Gladstone l'attendaient et les trois hommes occupèrent le restant de l'après-midi à visiter toutes les personnes susceptibles d'avoir vu Scotty McLauchlin pour la dernière fois. Ces mornes allées et venues sur des chemins verglacés commençaient à devenir fastidieuses, lorsqu'en ressortant du ranch Schumacher, dont le propriétaire était momentanément absent, le professeur informa ses compagnons qu'ils touchaient au but: Scotty était sûrement ici, enterré quelque part en arrière des bâtiments.

Woods acquiesça gravement. Il avait décidé de jouer le jeu et n'eut pas à le regretter car tout se passa ensuite très vite. La camionnette du ranch fut interceptée en ville et le fermier prié d'entrer un instant au poste de police sous un prétexte quelconque. Mis en sa présence, Gladstone, toujours un peu théâtral, l'accusa immédiatement d'avoir tué à coups de pelle Scotty McLauchlin auquel il avait cherché querelle, et il décrivit la scène en détail comme s'il y avait assisté. D'abord éberlué devant cet assaut, Schumacher voulut protester, mais les policiers lui dirent que le meilleur moyen de faire éclater son innocence était encore qu'ils aillent examiner les lieux. Tout le monde retourna à la ferme et, sur les indications du professeur, deux constables emmenés en renfort déplacèrent un tas de fumier gelé, dressé derrière le mur d'une grange. Les pioches s'enfonçaient mal dans le sol durci, mais ils n'eurent pas à creuser beaucoup pour dégager un squelette dont le crâne était fracassé.

Pourquoi le détective Jack Woods ne fut-il jamais tout à fait convaincu que, seuls, les mystérieux pouvoirs paranormaux du professeur Gladstone avaient permis de résoudre l'énigme de la disparition de Scotty McLauchlin? Peut-être pensait-il que, témoin involontaire du drame et après s'être tu par prudence pendant deux années, le magicien ambulant avait jugé qu'il était grand temps de décharger enfin sa conscience. Par la suite, à quelques reprises, la police fit encore appel à sa collaboration pour retrouver des marchandises volées — ce qu'il s'empressa de faire avec un plaisir évident — puis cessa définitivement d'avoir recours à lui. La confiance n'était pas venue. Cabotin comme il était, si le professeur avait commis lui-même les vols pour se rendre intéressant, tels ces pompiers désoeuvrés qui allument des incendies pour avoir la gloire de les éteindre![12]

Gérard Croiset, un Hollandais d'Utrecht

Le 20 juin 1950, à l'Institut de parapsychologie de l'Université d'Utrecht. L'homme, plutôt grand et mince, a le front un peu dégarni, des cheveux roux ébouriffés, les yeux bleus. Il touche à peine à l'enveloppe cachetée posée devant lui sur la table et commence de parler presque aussitôt, tandis qu'un magnétophone enregistre: « Dans cette enveloppe se trouve une feuille de papier sur laquelle quelqu'un a formulé sa pensée. Le mot anthologie s'impose à moi. C'est une anthologie de ses pensées. Cet homme n'a-t-il pas été en contact avec un Allemand? Il se peut même que l'homme soit Allemand. Maintenant, mes impressions se précisent, c'est une lettre d'un Allemand à un Allemand. Cet homme ne se laisse pas

12. Le fermier Schumacher échappa à la potence et fut condamné en 1933 à la détention perpétuelle.

marcher sur les pieds (...) C'est un grand homme qui s'occupe d'expériences chimiques. Cela aurait-il affaire avec la provocation artificielle des tumeurs? Sa santé laisse à désirer. Il a subi une opération à la vésicule biliaire. Il souffre encore de douleurs, etc. »

Quand les contrôleurs ouvriront le pli, tout se révélera exact. L'auteur de la lettre est un savant allemand résidant aux États-Unis qui, de passage en Hollande, écrit à un compatriote. Comme beaucoup de savants, il est excessivement susceptible. Célèbre chimiste, il se livre en effet à des recherches sur la provocation artificielle des tumeurs chez les animaux. Le diagnostic médical est également juste: santé délicate, opération récente, séquelles douloureuses, etc.

Expérience pleinement réussie. Qu'on appelle cela psychoscopie, métagnomie ou, tout simplement, clairvoyance, le fait, bien sûr, n'est pas nouveau. On a déjà vu, cent ans avant, le « somnambule » Alexis exceller dans des exercices un peu semblables et convertir Victor Hugo à l'occultisme. Plus près de nous, le voyant polonais Stephan Ossowiecki convainquit aussi le maréchal Pilsudski en lisant à travers une enveloppe, scellée du cachet du ministère de la Guerre, une formule de jeu d'échecs écrite par l'homme d'État et connue de lui seul.[13] Mais Gérard Croiset, qui vient de déchiffrer la lettre du chimiste allemand, a élargi le champ de l'expérience en donnant quelques indications sur la psychologie et l'état physique du scripteur.

Le compte rendu de cette séance est consigné dans la très officielle publication hollandaise intitulée *Enseignement supérieur et recherches scientifiques aux Pays-Bas* (volume III, No 2, juin 1959), éditée sous la responsabilité de l'Académie royale, du ministère de l'Instruction, des Arts et des Sciences, et de différents centres de recherche. Le professeur Tenhaëff, directeur de l'Institut de parapsychologie de l'Université d'Utrecht, le présente ainsi: « Ces dernières années, nous avons fait des expériences avec plusieurs dizaines de psychoscopistes.[14] Le nombre de ces expériences s'élève à plusieurs milliers. Les résultats de ces recherches ont été décrits dans diverses publications. »

13. Joseph Pilsudski (1867-1935). Tour à tour chef de l'État, chef de l'armée et président du conseil polonais. Sa formule de jeu d'échecs était: « e2 — e4 — e5 — e7 ».

14. 26 hommes et 21 femmes, mais Croiset était le plus doué.

La neuvième chaise

6 janvier 1967. Le même professeur Tenhaëff et quelques-uns de ses confrères soumettent Croiset à un nouveau test. Lui ayant présenté le plan d'une salle où sont disposées trente chaises numérotées, ils l'informent que le 1er février suivant, à 50 kilomètres de là, à La Haye, trente personnes qui ne sont pas encore désignées s'assoiront au hasard sur ces sièges. Peut-il décrire celle d'entre elles qui prendra place sur la chaise No 9? Presque immédiatement, Croiset répond que ce sera une femme et fournit un grand luxe de détails sur la personnalité, la vie et même l'enfance de celle-ci. Ses déclarations, qui ont été enregistrées, sont lues le jour dit, à La Haye, devant les trente invités qui ignorent tout de l'expérience en cours. Tout à coup, une dame se lève, émue de se reconnaître dans cette description. C'est l'occupante de la neuvième chaise.[15]

J'ai vu Gérard Croiset conduire sa voiture en « voyant »

« Il est plus de 21 heures. Un orage vient de crever sur la ville brûlante, noyant dans ses vapeurs les rues encombrées d'autos et de bicyclettes. En vingt secondes, les glaces closes sont recouvertes d'une épaisse buée que Croiset efface devant lui d'un revers de main. Les essuie-glace débordés par la trombe ne montrent de la rue qu'un obscur tunnel traversé de reflets mouvants: le temps rêvé des tôles embouties et des carambolages. Et Croiset démarre (...) Cinquante, soixante, soixante-dix,[16] Croiset fonce, fonce sans ralentir et sans jouer des feux dans les croisements, sans visibilité. Cela dure une demi-minute et je n'y tiens plus:

— Eh! dis-je, cramponné au dossier qui me fait face, il est fou? Que se passe-t-il? Nous avons la police aux trousses? (...)

— *Don't worry,* répond Tenhaëff. C'est sa façon de conduire.

— Il conduit toujours ainsi?

— Oui.

— Il n'a jamais eu d'accident?

---

15. Elisabeth Antebi, *Ave Lucifer*. Calmann-Lévy, 1970.

16. Ce sont des kilomètres.

— Non. D'ailleurs, regardez bien. En fait, il ne conduit pas toujours ainsi. Parfois, il sait ce qui arrive sur sa droite, parfois non. *Mais il sait quand il sait et quand il ne sait pas.* (...)

Cette fois, coup de frein. Compteur: vingt. Qu'y a-t-il? Je ne vois rien. Mais une voiture, jusque-là invisible, défile devant nous, et Croiset redémarre... »

AIMÉ MICHEL
(Planète, No 24, septembre/octobre, 1965)

Les yeux du miracle

Il semble qu'aujourd'hui tous les corps policiers du monde font plus ou moins couramment appel aux services des occultistes, quand ceux-ci ne sont pas les premiers à les proposer.[17] En cas de réussite, les voyants s'empressent parfois d'en informer les journaux pour ne pas perdre le bénéfice d'une publicité avantageuse pour eux, mais la plupart du temps, ils coopèrent loyalement et discrètement avec les enquêteurs qui n'en parlent guère eux-mêmes, préférant ne pas s'en vanter. Aussi *la Revue technique de la Police,* organe professionnel de la police hollandaise, est-elle peut-être la seule publication du genre à relater avec un bel esprit sportif les résultats visiblement encourageants de cette collaboration devenue quotidienne. C'est le nom de Gérard Croiset qu'on y relève le plus souvent.

Comme il travaille ordinairement par téléphone, un ami qui a perdu un chien ou égaré un objet ne prend même plus la peine de chercher, sachant qu'il est plus rapide de composer son numéro. Ainsi Mr van Bussbach, parapsychologue lui-même et inspecteur de l'Enseignement à Haarlem, qui réclamait en vain depuis six mois des dossiers prêtés par lui à l'Administration de La Haye.[18] On lui jurait invariablement que les documents lui avaient été retournés. Le 13 octobre

---

17. Les polices allemande, hollandaise, britannique, écossaise ont recours régulièrement à des clairvoyants, les deux dernières en engageant même à demeure, salariés à temps complet (George Langelaan, *Les Faits maudits).*
18. Mr J. C. van Bussbach est l'un des responsables de l'introduction de l'expérimentation parapsychologique dans l'enseignement primaire en Hollande (expériences sur les influences télépathiques inconscientes dans le domaine de l'éducation).

1955, excédé, il téléphone à Croiset qui répond instantanément que ses papiers sont dans l'armoire de droite d'une pièce « meublée de deux hautes armoires, d'un bureau, d'une chaise tournante à trois pieds et d'un pupître dont la partie supérieure est verte ». C'est complètement fou et cette accumulation de détails a l'air d'une plaisanterie, mais van Bussbach, imperturbable, saute dans le train de La Haye, visite au pas de course une longue suite de bureaux jusqu'à ce qu'il en découvre un correspondant à la description et là, devant des fonctionnaires confus, déniche ses précieux dossiers oubliés dans le haut de l'armoire de droite.[19]

La réputation de Gérard Croiset a depuis longtemps débordé le cadre local et s'est étendue jusqu'aux États-Unis où, sans quitter sa ville d'Utrecht, il a réussi à démêler à distance plusieurs imbroglios criminels. Dans ces dernières années, on le consulta aussi de Londres à propos de la mystérieuse disparition de Mrs McKay, la femme du directeur d'un grand journal anglais, et des Uruguayens l'appelèrent de Montevideo pour le supplier de retrouver un avion perdu corps et biens dans la Cordillère des Andes.[20] En Hollande, s'il s'occupe surtout de vols et de meurtres pour le compte de la police, il est également très souvent sollicité pour rechercher des enfants fugueurs ou perdus, recherches toujours angoissantes car les noyades sont fréquentes dans ce pays sillonné de canaux.

Cela commence presque toujours ainsi: un enfant ayant disparu et les policiers ne recueillant aucun indice, Croiset est alerté par téléphone et fournit aussitôt une piste. Dans le cas présent,[21] il décrit un canal avec, sur la gauche, une tour,

---

19. J.-H. Pollack, *Les Yeux du miracle* (Le dossier Croiset, préfacé par le professeur W. H. C. Tenhaëff, de l'Université d'Utrecht). Éditions *Présence Planète.*

20. Il s'agit de cet avion transportant des footballeurs uruguayens et leurs supporters, qui s'écrasa le 13 octobre 1972 sur un versant de la Cordillère des Andes. Soixante-dix jours plus tard, sur les quarante passagers et les cinq membres d'équipage, les sauveteurs ne trouvèrent que seize rescapés qui n'avaient pu survivre qu'en mangeant la chair de leurs compagnons morts. Durant les recherches, des parents des disparus alertèrent Croiset à Utrecht. Mais comment localiser un avion perdu à 7 000 pieds d'altitude, dans les neiges éternelles? Comment préciser son point de chute d'après des repères possibles? Piers Paul Read a fait le récit de la tragédie dans *Les Survivants* (Grasset).

21. Cité par W. H. C. Tenhaëff dans *Observations sur l'usage des clairvoyants par la police et dans d'autres buts pratiques.*

un pont et des maisons. Sur l'autre quai, une caisse remplie de sable, fermée par un cadenas dont il donne la marque.[22] Malheureusement, poursuit Croiset, l'enfant est tombé à l'eau et on repêchera son corps là où le canal couperait une ligne droite imaginaire joignant la tour à la caisse de sable. Et pour plus de précision, il fait un croquis de sa vision. La police explore la ville qui est comme quadrillée de canaux et les heures passent en vaines recherches. Il faudra que les journaux publient le dessin de Croiset pour que l'endroit soit reconnu le lendemain par des lecteurs. Tout correspond, la tour à l'arrière des maisons, le pont et la caisse fermée par un cadenas de la marque indiquée. Et au point précis où la ligne virtuelle tracée de la tour à la caisse de sable rencontre le canal, une gaffe accroche au fond de l'eau le petit corps.

Autre cas. Le scénario ne varie guère, mais les interventions de Croiset, toujours étonnantes, atteignent parfois au fantastique pur. Il s'agit encore d'une disparition d'enfant qui pose une énigme aux policiers. Consulté par téléphone, Croiset fait la description d'un paysage traversé par un canal, au bord duquel se dresse une petite maison au toit pointu. Il voit l'enfant noyé, sans pouvoir préciser où il se trouve actuellement. Tout ce qu'il sait, c'est que dans quatre jours, c'est-à-dire mardi, au matin, *le courant l'aura apporté devant la maison au pignon aigu.* On est vendredi et la police qui, cette fois, a repéré les lieux, fait draguer le canal en amont de la bâtisse. Les journées du samedi, du dimanche et du lundi se passent sans apporter de résultat, mais le mardi, à l'aube, alors qu'on commence d'envisager la possibilité d'une erreur de la part de Croiset, le cadavre émerge brusquement à l'endroit prévu.[23]

Croiset junior

Ce don prodigieux serait-il héréditaire? Un grand hebdomadaire américain consacrait récemment un article au fils du « *world-famous Dutch psychic* », qui, de sa petite maison du

22. À rapprocher d'Edgar Cayce indiquant depuis Booling Green (U.S.A.) la marque et le numéro de série d'un revolver ayant servi à commettre un meurtre à Montréal.
23. À rapprocher des résultats obtenus au Canada par Mgr E. Jetté avec le support de la radiesthésie *(Au seuil du subconscient,* Éditions *La Presse).*

quartier industriel d'Enschende,[24] avait permis de reconstituer les circonstances de la mort de deux jeunes filles assassinées en Caroline du Sud. Dans son pays, Gérard Croiset junior, âgé aujourd'hui de 36 ans, est surtout apprécié comme guérisseur. Des médecins hollandais, qui suivent ses patients (principalement des enfants), reconnaissent que ses diagnostics sont justes et qu'il obtient des guérisons sans pouvoir s'expliquer comment il y parvient. De son côté, Croiset Jr avoue n'en pas savoir davantage. Il voit, dit-il, toute personne en bonne santé entourée d'une aura merveilleusement colorée. Cela peut sembler fantastique, mais « c'est aussi normal pour lui que de voir le ciel bleu et les champs jaunes ». C'est lorsque ces couleurs pâlissent ou ne s'allient plus ensemble qu'il y a signe de maladie et son rôle se limite alors, par la concentration psychique, à rétablir cette harmonie. Naturellement, s'empresse-t-il d'ajouter, « ce n'est tout de même pas aussi simple que de voir, par exemple, du noir pour le cancer et du vert pour les troubles cardiaques ».[25]

Peter Hurkos

Ne quittons pas la Hollande. Juin 1943. Comme la presque totalité de l'Europe, le petit royaume de la reine Wilhelmine est aux mains des nazis. Dans un grenier d'Amsterdam où sa famille se cache de la Gestapo, une fillette juive écrit les dernières pages de son *Journal* et, la guerre terminée, le monde horrifié apprendra le martyre d'Anne Frank. À La Haye, dans un hôpital, une ambulance apporte un blessé, un ouvrier peintre, prisonnier des Allemands, qui s'est fracturé le crâne en tombant d'une échelle.

Quand il reprendra conscience, Peter van der Hurk, plus connu sous le nom de Peter Hurkos et originaire de Dordrecht, près de Rotterdam, ne sera jamais plus le même homme. Quel infernal bouleversement s'est opéré dans son cerveau? Quelles cellules se sont réveillées sous le choc, comme ces circuits électroniques qu'on rétablit d'un coup de poing? Avec effarement, Hurkos constate qu'il « voit »,

24. Ville de l'est de la Hollande, à proximité de la frontière allemande.
25. *National Enquirer* (21 juillet 1974). La soeur de Croiset junior est également voyante. Dès leur naissance, leur père a su, d'après leur aura, qu'ils avaient hérité de ses dons.

instantanément, sans effort. Il devine les pensées des gens qui l'entourent, pressent leurs gestes. Il sait, par exemple, que l'inconnu couché sur le lit voisin du sien est un mauvais fils qui projette déjà de vendre la montre en or de son père mort quelques jours plus tôt. Et comme il ne peut s'empêcher d'exprimer à haute voix sa réprobation, l'autre se lève d'un bond, épouvanté, empoigne ses vêtements et se sauve, fuyant le diable, malgré les infirmières qui s'efforcent de le retenir.

Hurkos s'inquiète. Il faudra plusieurs semaines avant que s'espacent ses atroces migraines et qu'il retrouve le sommeil. Son nouveau « pouvoir » est loin de l'enchanter, au contraire. Il éprouve chaque fois une grande gêne à violer ainsi, même involontairement, l'intimité d'autrui. Pour tout arranger, il découvre que le phénomène se déclenche également dès qu'il manipule certains objets. Il « voit » leurs propriétaires ou les dernières personnes qui les ont eus en main, et cela si nettement qu'il pourrait les décrire. À sa sortie d'hôpital, Hurkos sera contacté par des résistants et ses facultés psychométriques se révéleront très précieuses pour démasquer les traîtres et les espions allemands infiltrés dans les réseaux. Les chefs de l'Armée secrète hollandaise témoigneront plus tard qu'il n'a jamais commis d'erreur.

En sept ans, la guerre a dispersé beaucoup de familles, et il y a aussi les milliers de réfugiés, de prisonniers, de déportés, et tous ceux dont on ne sait plus rien. La paix revenue, on le sollicite de toutes parts dans l'espoir d'avoir des nouvelles de parents ou d'amis disparus. Il ne refuse jamais, travaillant autant que possible sur le support inducteur d'une photographie ou d'un objet personnel. Sa réputation grandissant, on l'appelle même de l'étranger pour rechercher des documents ou des trésors perdus, tel ce riche commerçant français qui ne retrouve plus ses pièces d'or enfouies dans son jardin au moment de l'invasion nazie. Mais quand Hurkos, venu tout exprès de Hollande, aura exhumé sa fortune (déterrée et cachée ailleurs par un jardinier voleur), l'heureux homme lui refusera la moindre récompense.

L'Université de Louvain est la première à s'intéresser à son cas, les expériences consistant principalement dans l'enregistrement de nombreux électro-encéphalogrammes effectués tandis qu'on lui présente des photographies d'inconnus. Si la vue de quelques-unes perturbent curieusement le tracé de l'oscillographe, le diagramme accuse toujours une chute brutale lorsqu'il s'agit d'une personne décédée. L'une des conclusions de ces examens sera que la clairvoyance d'Hurkos est « à tendances télépathiques très prononcées ».[26] D'autres parleront d'une « extrême sensibilisation à l'aura des lieux et des choses, ou aux émanations, aux forces vitales qui y restent accrochées ».

Plus tard, au cours d'un voyage aux États-Unis, il s'improvisera chercheur d'or. À sa manière, naturellement, par psychométrie. Il apprend qu'au temps héroïque des pionniers, un prospecteur, hollandais aussi, a découvert en Arizona un filon aurifère dont il a soigneusement camouflé l'emplacement connu de lui seul, puis est mort avec son secret. Mais l'ancêtre a laissé une légende et Hurkos détecte sa mine qu'il entreprend d'exploiter avec un groupe d'associés.

Aujourd'hui, à 62 ans, marié, père de deux petites filles, il vit en Californie, à Studio City, exerçant toujours à l'occasion son étrange métier imposé par le destin. En trente années, depuis son accident de La Haye, il calcule avoir collaboré avec les organismes policiers d'une vingtaine de pays, aidant notamment Scotland Yard à retrouver le célèbre diamant « Pierre de Scone », considéré par les Anglais comme un trésor national.[27]

Il déclarait récemment à un journaliste que c'était surtout dans des affaires criminelles — environ deux cents jusqu'ici — qu'il avait obtenu les meilleurs résultats. Il n'avait besoin que d'un objet appartenant à la victime ou en rapport avec le meurtre pour qu'aussitôt tout se reconstitue en détail dans sa tête. Mais le fait de revivre psychiquement ces scènes d'horreur le déprimait toujours beaucoup et, en bon Hollandais qui aime déjà boire sec, il devait forcer sur le whisky avant de pouvoir penser à autre chose. Son plus mauvais souvenir dans le genre remontait à une dizaine d'années, quand la police de Boston l'avait engagé pour s'occuper du fameux Étrangleur.[28]

À l'époque, il travaillait principalement pour des personnalités du monde artistique. En décembre 1963, il était allé à Las Vegas afin d'enquêter sur l'enlèvement du fils du chanteur Frank Sinatra, puis il avait aidé Katherine Grayson

---

26. Pr René Dellaerts, de l'Université de Louvain (Belgique).
27. Jess Stearn, *La Porte de l'Avenir.*
28. *National Enquirer,* 16 juin 1974.

Maurice Druon. Une astrologue lui avait annoncé que le 6 décembre 1948 serait une date importante dans sa carrière d'écrivain et il reçut cè jour-là le Prix Goncourt.

Le Padre Pio.

Léonard de Vinci, peintre et visionnaire.

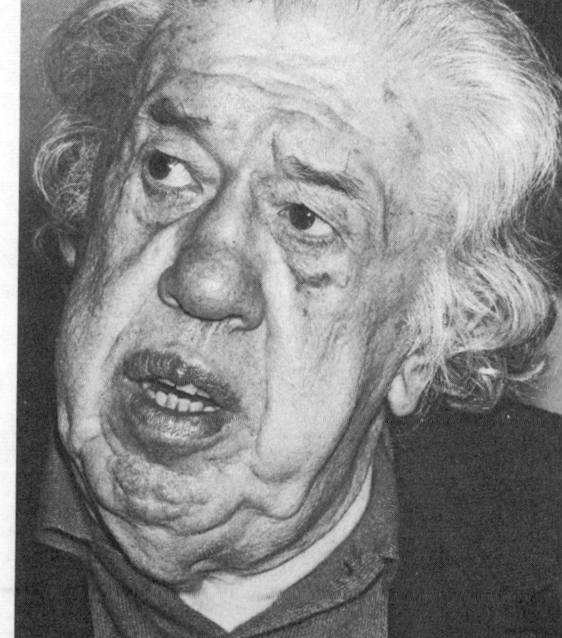

Michel Simon. Il croyait aux rêves prémonitoires.

Albert de Salvo. A-t-il été vraiment l'Étrangleur de Boston?

Charlie Chaplin
chez la voyante.

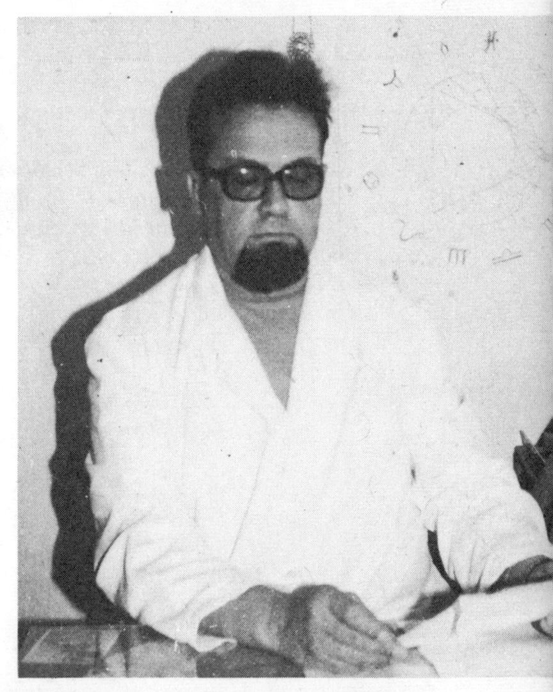

Un astrologue guérisseur. M.J. de Barthélémy, des Sables d'Olonne (France).

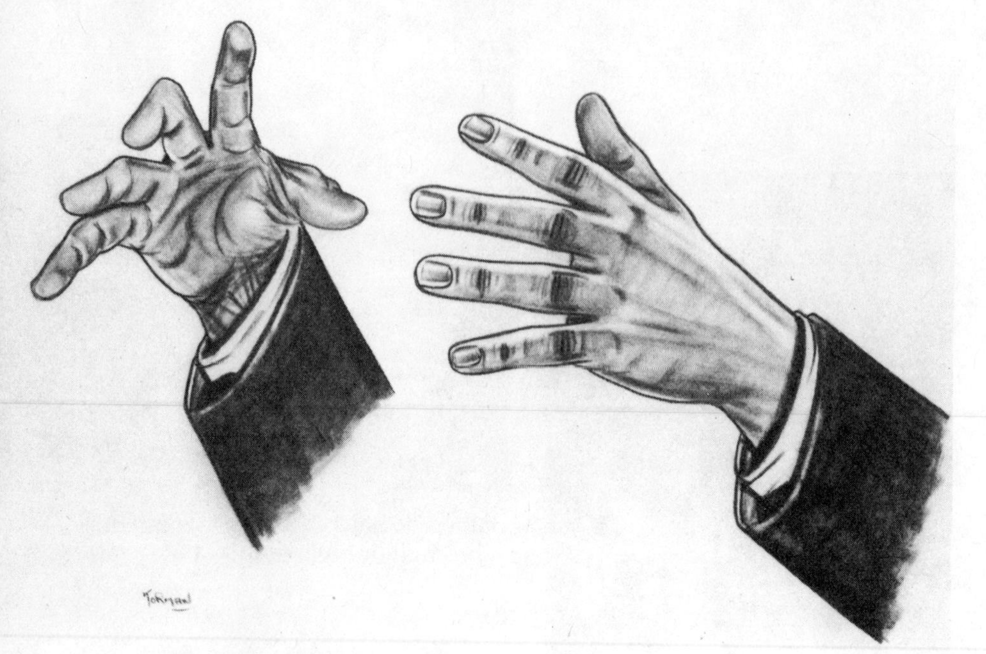

« Ces mains offrent un intérêt certain pour plusieurs raisons. Premièrement, remarquez l'attitude choisie pour les fins du portrait. Elle constitue un indice du caractère de l'homme, en ce sens qu'elle révèle une personnalité extravertie, et pourtant, en même temps, de grandes capacités.

Maintenant, étudiez la structure des mains elles-mêmes. Les doigts aux extrémités effilées dénotent un tempérament sensible, enclin à apprécier les aspects les plus nobles de la vie, tels que le théâtre, la musique et les arts.

Pár ailleurs, les jointures fortement développées indiquent que… »

Etc. etc.

Les mains d'un client de l'astrologue
en taxi de l'aéroport Kennedy.

Babetta, sorcière du XXe siècle.

OUI... JE VOUS OFFRE VOTRE
HOROSCOPE GRATUIT !

Il vous dévoilera les secrets de votre vie, vous indiquera vos chances de RÉUSSITE et les moyens d'améliorer votre destinée. VOUS RECEVREZ

MA CONSULTATION GRATUITE

pour votre SUCCÈS en AMOUR, FORTUNE, etc... pour supprimer vos peines et vos difficultés afin que votre vie soit heureuse et comblée, et pour mieux vous indiquer la route à suivre, VOTRE

HOROSCOPE GRATUIT vous dira **QUEL SERA VOTRE DESTIN ?**

Je reçois chaque jour de nombreux éloges sur mes travaux stupéfiants, mes extraordinaires prédictions ont étonné le monde entier, je me pencherai sur votre cas, car je veux vous rendre la joie de vivre, je veux, VOTRE RÉUSSITE sur tous les plans ARGENT, SITUATION, AMITIES, AMOUR, MARIAGE, SANTE, AVENIR etc... - OUI, à vous aussi, comme à des milliers de personnes satisfaites

Je vous dirai tout... Vous devez tout savoir

Quels que soient votre âge, votre état de santé, vos déceptions ou vos échecs, vous pouvez vous aussi transformer votre existence en remplaçant vos malheurs par LA PROSPERITE et LA JOIE, en connaissant le BONHEUR TOTAL auquel vous avez droit.

DANS 3 JOURS DES REVELATIONS SENSATIONNELLES SERONT ENTRE VOS MAINS. PLUS DE TEMPS A PERDRE, ECRIVEZ-MOI, C'EST VITAL ET URGENT POUR VOUS.

Pour recevoir ABSOLUMENT GRATUITEMENT votre HOROSCOPE DE VIE remplissez CE BON, joignez SEULEMENT 2 enveloppes timbrées portant votre adresse.

Publicité de lancement pour horoscopes par correspondance.

Y'a peu d'emplois qui vont te donner un tel champ d'action.

Être soldat dans les Forces canadiennes, c'est tout un programme!

Bien sûr, tu apprends le maniement des armes. Mais tu peux aussi te spécialiser et devenir artilleur. Si tu as de l'ambition, ce sera une façon d'élargir tes connaissances techniques. Tu apprendras l'utilisation des canons, des radars à contrebombardement et même des ordinateurs. Tu conduiras différents types de véhicules comme des canons autopropulsés.

Le champ d'action de l'artilleur est vaste et excitant. Napoléon lui-même était artilleur. Tu vois que ce n'est pas un travail pour n'importe qui! Et ce n'est pas une carrière pour les petites natures. Alors, si tu as du coeur au ventre, viens nous voir.

Passe à un de nos Centres de recrutement ou à un Centre de Main-d'oeuvre du Canada. Ou envoie ce coupon au Directeur du recrutement et de la sélection, B.P. 8989, Ottawa, Ontario.

Nom ______

Adresse ______

______

Ville ______ Prov. ______

LES FORCES ARMÉES CANADIENNES

SI LA VIE VOUS INTÉRESSE

TVH

à récupérer ses bijoux volés dans son appartement de Chicago. Miss Grayson était cette actrice qui devait tenir un rôle dans le film qu'Hollywood préparait alors sur lui, une sorte de *Peter Hurkos Story* où Glenn Ford le personnifierait à l'écran avec Doris Day comme partenaire. C'était après avoir demandé conseil à trois de ses confrères en psychisme qu'accompagné de son garde du corps toujours armé il avait pris l'avion pour Boston où l'attorney général adjoint John Bottomly, bien que croyant peu à ces choses-là, désirait le consulter à propos du tueur de femmes.

L'Étrangleur de Boston

Celui-ci, un maniaque sexuel, s'était manifesté la première fois le 14 juin 1962 et avait fait jusqu'à ce jour treize victimes, la plus jeune encore mineure, la plus âgée octogénaire, et toutes assassinées chez elles avec des raffinements que la presse se contentait d'évoquer à demi-mot. Une ville terrorisée vivait dans la hantise du monstre qui défiait, contre toute vraisemblance, une armée de deux mille six cents policiers exaspérés en alerte vingt-quatre heures par jour.

Six mois plus tôt, en désespoir de cause, alors que le nombre des femmes tuées ne s'élevait encore qu'à huit, on avait eu déjà recours à un rédacteur en publicité qui se disait amateur de parapsychologie, et l'homme avait décrit le processus et les lieux des meurtres avec un tel réalisme que les enquêteurs s'étaient demandé s'ils n'avaient pas devant eux

L'ÉTAT ET LA VIOLENCE
Des artilleurs chargent un canon et on lit sur la légende: « Être soldat dans les forces canadiennes, c'est tout un programme! Bien sûr, tu apprends le maniement des armes. Mais tu peux aussi te spécialiser et devenir artilleur. Si tu as de l'ambition, ce sera une façon d'élargir tes connaissances techniques. Tu apprendras l'utilisation des canons, des radars à contrebombardement et même des ordinateurs. Tu conduiras différents types de véhicules comme des canons autopropulsés. Le champ d'action de l'artilleur est vaste et excitant. Napoléon lui-même était artilleur. Tu vois que ce n'est pas un travail pour n'importe qui! Et ce n'est pas une carrière pour les petites natures. Alors, si tu as du cœur au ventre, viens nous voir. » (Publicité gouvernementale parue dans un magazine populaire de télévision)

celui qu'ils recherchaient vainement. Récidivant à propos, l'Étrangleur avait épargné beaucoup d'ennuis à ce faux suspect qui savait des choses qu'il n'aurait pas dû normalement connaître.

Par la suite, l'attorney Bottomly ayant lu un ouvrage biographique consacré à Peter Hurkos, *La Porte de l'Avenir,* avait voulu vérifier lui-même l'authenticité de certains faits rapportés par l'auteur. Il était question, entre autres, d'un chauffeur de taxi de Miami abattu à son volant, en octobre 1958, et le célèbre médium n'avait eu qu'à s'asseoir un instant dans l'auto de la victime pour être en mesure de donner un signalement complet de l'agresseur. Interrogé au téléphone, le lieutenant détective Thomas Lipes, chef de la brigade des homicides de Miami, confirma l'anecdote et recommanda chaudement Hurkos à ses collègues: « Vous pouvez me faire confiance, avait-il dit en substance, cet homme a quelque chose que nous n'avons ni vous ni moi. » Malgré le scepticisme de Bottomly, ce témoignage enthousiaste avait décidé de l'engagement du Hollandais, moyennant un forfait de 1 000 dollars qu'un industriel bostonnais s'offrait d'ailleurs à payer de sa poche.

Dès son arrivée, Hurkos sentit la méfiance un peu ironique des policiers venus l'accueillir à l'aéroport et se promit de régler cette question au plus vite. Petit truc de routine qui produit toujours son effet, il commença tout de suite de les étonner en énumérant sans erreur les légers ennuis physiques de la mère et de la femme de l'un d'eux. Plus tard, comme la voiture roulait dans Boston qu'il voyait pour la première fois, il désigna brusquement une maison en disant qu'une chose terrible, affreuse, avait dû se passer là. Ses compagnons, surpris, regardèrent le numéro de l'immeuble: ils avaient presque oublié qu'au 1940 de Commonwealth Avenue, la deuxième victime de l'Étrangleur était morte dix-huit mois avant.

Mais c'est au cours d'une séance de travail qu'Hurkos devait prendre sa plus savoureuse revanche, lorsqu'un enquêteur arrivé en retard invoqua l'excuse d'une panne mécanique. Avec une fausse indignation, il s'écria dans son mauvais anglais: « Non, monsieur, vous pas en retard à cause de l'auto, vous en retard parce que vous baisé! » Et devant les autres médusés, à l'extrême confusion du coupable devenu écarlate, il décrivit la petite amie de celui-ci, une blonde divorcée, et la façon dont ils avaient fait l'amour sur la table de la cuisine, oubliant ainsi l'heure de la réunion. Après cela, Hurkos pouvait espérer avoir démontré définitivement qu'il était tout de même autre chose qu'un simple « diseur de bonne aventure. »[29]

Pendant cette réunion, à l'aide de photographies prises sur les lieux des assassinats et de vêtements — bas de nylon, écharpes, peignoirs — ayant appartenu aux victimes, il reconstitua l'un des meurtres avec des détails insoutenables qui rappelaient les récits de l'agent publicitaire. Seulement lui, par bonheur, il était insoupçonnable. Quant au tueur, il commença par dire qu'il s'agissait d'un Noir, mais un Noir qui n'était pas réellement un homme de couleur. Plutôt *un Blanc qui se rendait noir.* Et sans s'attarder davantage sur cette bizarrerie, il dépeignit un individu portant ou ayant porté l'habit religieux, homosexuel et fétichiste, qui « adorait » les chaussures féminines. Enfin, ayant réclamé un plan de la ville, Hurkos indiqua le quartier de Boston où il « voyait » vivre l'Étrangleur. Ce fut tout pour ce jour-là, mais l'essentiel avait été dit.[30]

Le lendemain, l'homme était identifié. Déjà fiché par la police, il répondait exactement au signalement qu'en avait donné le médium et habitait bien Back Bay, le secteur désigné sur la carte. Vingt ans plus tôt, il avait fait un court séjour au séminaire des Trappistes, puis avait travaillé comme plongeur et vendeur de chaussures de porte à porte, surtout des chaussures de femmes. Une perquisition effectuée dans sa chambre permit d'étranges découvertes. Plusieurs des illustrations d'un livre de yoga représentant des exercices exécutés par des femmes avaient été noircies d'encre de Chine et leur nombre correspondait à celui des victimes du tueur. Sur des plans d'appartements, crayonnés dans un carnet de notes, des croix marquaient les emplacements où l'on avait trouvé les cadavres. Il y avait également une sorte de journal intime où l'ancien séminariste avait confessé ses obsessions, ses continuels combats contre l'impulsion soudaine qui l'incitait dans la rue à se jeter sur les femmes. Toutefois, malgré un interrogatoire serré, mené par Hurkos lui-même, il persista à nier et on le confia au Centre de santé mentale du Massachusetts.

---

29. Gerold Frank, *L'Étrangleur de Boston*. Calmann-Lévy (1968).
30. Se reporter au chapitre « *L'interprétation de la voyance est un art.* »

Peter Hurkos décida aussitôt de repartir, estimant son contrat rempli. Cette accumulation d'horreurs sordides l'avait épuisé. Au moment de reprendre l'avion avec son garde du corps, il remercia l'attorney général adjoint qui les avait conduits à l'aérogare et, entre deux mots d'adieu, lui recommanda tout à coup de se méfier des vélos brisés. Le soir, en rentrant sa voiture au garage, le Bostonnais se souvint du conseil. Il examina à tout hasard la bicyclette de sa fillette et constata qu'un écrou manquait au moyeu de la roue avant. Ce diable d'Hurkos, avant de s'en aller, avait juré de l'étonner une fois de plus...

En fait, les enquêteurs de Boston n'étaient pas encore au bout de leurs surprises avec le médium. Depuis le 22 janvier, la police détenait un nouveau suspect de choix. Il avait été arrêté dans la rue comme il frappait sa jeune femme enceinte, et celle-ci s'était plainte qu'il voulait l'étrangler, croyant que l'enfant était d'un autre. Ancien étudiant chassé de l'Université, paranoïaque, drogué, rêvant de faire sauter la planète pour exterminer toutes les femmes, tel était le personnage qui démontrait, par ailleurs, un quotient intellectuel élevé. Ayant suivi des cours d'art dramatique, il prétendait réincarner Othello, le Maure de Venise, un autre étrangleur jaloux. Grâce à un bronzage artificiel, il copiait le teint sombre du héros de Shakespeare, portait des anneaux d'or aux oreilles, un poignard à la ceinture et, au plein coeur de l'hiver, allait pieds nus dans des sandales. Cependant, les détectives n'avaient pas encore songé à faire le rapprochement avec deux petites phrases énigmatiques prononcées par Hurkos. En commençant à décrire celui qu'il accusait d'être le tueur, le Hollandais n'avait-il pas dit que ce n'était pas un homme de couleur, mais *un Blanc qui se rendait Noir?*

On se rappelle peut-être que c'est un troisième maniaque sexuel, Albert de Salvo, 33 ans, marié et père de deux enfants, qui fut finalement déclaré coupable le 11 juillet 1966, quarante-neuf mois après l'entrée de l'Étrangleur dans les annales criminelles. Bien qu'aucun témoin ne l'eût reconnu, il avait fourni tant de détails vérifiables sur les treize assassinats que les policiers s'étaient résignés à le considérer comme l'unique accusé possible. D'ailleurs, il était le seul à avouer et il fallait en finir pour calmer l'opinion publique. Mais n'y avait-il eu vraiment qu'un tueur et de Salvo était-il celui-là? À plusieurs reprises, hospitalisé en même temps qu'eux dans des centres psychiatriques, il avait eu l'occasion de rencontrer les deux suspects désignés par Hurkos, l'ex-étudiant maquillé en Noir et le fétichiste aux chaussures de dames qu'une erreur du voyant avait fait se confondre un moment. Que s'était-il passé entre les trois hommes, si de Salvo n'avait réellement à se reprocher que « quelques » outrages aux moeurs? Flattant sa paranoïa, les autres l'avaient-ils « délégué » pour représenter l'Étrangleur aux yeux du monde ou bien s'était-il offert lui-même à jouer ce rôle, pensant, selon son propre aveu, que l'histoire pourrait lui rapporter assez d'argent pour faire vivre sa famille? Encore aujourd'hui, Peter Hurkos reste persuadé qu'il y eut deux étrangleurs et qu'Albert de Salvo était innocent.[31]

31. Le 24 février 1967, les Bostonnais apprenaient qu'Albert de Salvo s'était évadé de l'hôpital de Bridgewater et une panique hystérique s'emparait à nouveau de la ville. Cela déclencha la plus grande chasse à l'homme de l'histoire et la gendarmerie royale canadienne fut même alertée. Trente-six heures plus tard, le fugitif harassé et affamé donnait de ses nouvelles. Déguisé en marin, il téléphonait d'un magasin à son avocat pour l'avertir qu'il se rendait à la police.

Après six années de silence, son nom devait faire l'objet d'un dernier « scoop » dans les journaux, car il s'agissait cette fois d'un article nécrologique et cela signifiait que l'énigme ne serait sans doute jamais résolue complètement:

> Albert de Salvo, 42 ans, qu'on avait baptisé « l'étrangleur de Boston » dans les années 60, a été poignardé dans sa cellule de la prison de Walpole, près de Boston, dans la nuit de dimanche à lundi. Son cadavre a été découvert par un gardien vers sept heures du matin. Lors de son procès, en 1967, il s'était vanté d'avoir commis une vingtaine de meurtres et près d'un millier de viols. *La Presse*, 27 novembre 1973).

XI Les visionnaires

Événement biblique ou science-fiction?

Parmi les grands prophètes hébreux, Ezéchiel est sans doute l'un des plus attachants.[1] Il excelle à conter les aventures extraordinaires auxquelles il aurait été mêlé pendant sa captivité en Chaldée, sur les rives du fleuve Kebar. Narrateur soucieux du détail, certains de ses récits semblent si fantastiques qu'ils pourraient inspirer aujourd'hui une bande dessinée de science-fiction du genre « Les extraterrestres arrivent! » Le suspense commence dès le premier chapitre de son livre où il n'est pas moins question que de l'atterrissage de « roues » volantes, percées d'yeux ou de hublots, qu'accompagnent d'étranges créatures ailées qu'il prend d'abord pour des animaux:

> « Je regardais, et voici, il vient du septentrion un vent impétueux, une grosse nuée, et une gerbe de feu, qui répandait de tous côtés une lumière éclatante, au centre de laquelle brillait comme de l'airain poli, sortant du milieu du feu. Au centre encore, apparaissaient quatre animaux, dont l'aspect avait une ressemblance humaine. Chacun avait quatre faces, et chacun avait quatre ailes (...) et ils étincelaient comme de l'airain poli (...) Je regardais ces animaux, et voici, il y avait une roue sur la terre, près des animaux, devant leurs quatre faces. À leur aspect et à leur structure, ces roues semblaient être en chrysolithe, et toutes les quatre avaient la même forme; leur aspect et structure étaient tels que chaque roue paraissait être au milieu d'une autre roue. En cheminant, elles allaient de leurs quatre côtés, et elles ne se tournaient pas dans leur marche. Elles avaient une circonférence et une hauteur effrayantes, et à leur circonférence les quatre roues étaient remplies d'yeux tout autour... »

1. VIe siècle avant J.-C.

Là-dessus, avec ses mots à lui, Ezéchiel décrit les êtres volants qui lui semblent coiffés de dômes de verre étincelants:

> « Au-dessus de la tête des animaux, il y avait comme un ciel de cristal resplendissant, qui s'étendait sur leurs têtes dans le haut.[2] Sous ce ciel, leurs ailes étaient droites l'une contre l'autre (...) J'entendis le bruit de leurs ailes quand ils marchaient, pareil au bruit des grosses eaux ou à la voix du Tout-Puissant. » — EZÉCHIEL, I, *Vocation d'Ezéchiel*

Dans une édition populaire de la Bible, le commentateur, un ecclésiastique, a simplement souligné ce début d'une annotation rassurante, bien qu'un peu irrespectueuse pour la mémoire du prophète: « Ezéchiel avait beaucoup d'imagination ». En espérant que cette imagination qui lui est prêtée si généreusement n'est responsable dans ses écrits que de ces quelques pages vraiment étonnantes, faudrait-il voir en Ezéchiel le premier auteur connu de science-fiction?[3]

La science-fiction, « support » de la Science

« Extravagante fiction d'aujourd'hui, réalité demain! disait en 1926 l'Américain Hugo Gernsback, éditeur de la première revue de science-fiction. Hier encore, on pouvait sourire en lisant Jules Verne ou Wells. Aujourd'hui, on ne rit plus et avec les auteurs de la nouvelle génération, on s'interroge, on s'inquiète déjà. » Et voici l'aveu d'un Prix Nobel, Herman J. Mueller: « L'homme ne peut vivre sans art. C'est pourquoi l'ère scientifique ne peut se passer de la science-fiction. »

L'imagination, faculté de créer, de concevoir, n'étant autre qu'une projection de l'esprit dans le futur, le savant, l'inventeur sont aussi des visionnaires, et les ouvrages de science-fiction (les bons, bien entendu) stimulant l'imagination à la façon d'un support de voyance, seraient néces-

---

2. Selon l'hypothèse (hardie) de certains commentateurs modernes, c'est ce « ciel de cristal », de forme hémisphérique comme la « calotte des cieux », que serait censé figurer le cercle lumineux dont les peintres religieux entourent la tête des personnages divins et des saints pour marquer leur caractère céleste.
3. Le prophète Elie parle aussi d'un « char de feu » qui l'aurait « enlevé au ciel ».

saires à certains pour maintenir au niveau le plus haut leur esprit de créativité. Norbert Wiener, entre autres, avait lu avec passion tous les bouquins de Jules Verne et de Wells avant d'inventer la cybernétique.[4]

Il arrive aussi parfois que, s'évadant de leurs travaux, des savants ressentent le besoin de taquiner eux-mêmes la muse stimulatrice de la science-fiction, au risque d'encourir l'ironie de confrères moins fantaisistes. Comme l'astronome Camille Flammarion qui s'amusa en 1893 à imaginer « un habitant de Paris voyant, de son lit, une bayadère dansant à Ceylan, en un cinéma improvisé dû à la transmission des ondes éthérées », préfigurant ainsi d'une manière agréable la télévision en direct par satellite.[5] Avant lui, sir Humphry Davy, le chimiste anglais qui découvrit l'arc électrique, le potassium, et inventa la lampe de sûreté des mineurs, pondit un roman fantastique relatant un voyage qu'il avait « fait » dans Saturne.[6] Mais Davy ne fut pas le premier à rêver d'expéditions interplanétaires. En 1610, le génial Allemand Johannes Kepler, père de l'astronomie et de la science-fiction modernes, avait déjà décrit l'envolée vers la Lune de « cosmonautes », sans oublier de noter les précautions à prendre au départ contre les effets de l'accélération, les drogues tranquillisantes à faire absorber aux passagers, le phénomène hallucinant d'apesanteur qui s'ensuivrait en cours de route, etc.:

> « Le choc initial est le pire moment car le voyageur est projeté comme par une explosion de poudre. Il faut donc qu'il soit engourdi par des opiats auparavant; ses membres doivent être soigneusement protégés pour qu'ils ne soient pas arrachés, et l'effet de recul se répand dans tout son corps. Il aura alors de nouvelles difficultés, un froid extrême et une respiration empêchée. Une fois accomplie la première partie du voyage, cela devient plus aisé parce qu'au cours d'un si long voyage, le corps échappe sans doute à la force mathématique de la Terre et pénètre dans celle de la Lune, de sorte que cette

4. Science qui étudie les mécanismes de communication et de contrôle chez les êtres vivants et dans les machines *(Petit Larousse)*.
5. Camille Flammarion, *La Fin du monde*.
6. Humphry Davy (1778-1829), *Consolations en voyage ou les derniers jours d'un philosophe*.

> dernière prend le dessus. À ce point, nous libérons les voyageurs et les laissons à leurs propres moyens. Comme des araignées, ils s'allongent et se rétractent, et se propulsent par leurs propres forces, car les forces magnétiques de la Terre et de la Lune attirant ensemble le corps et le tenant suspendu, l'effet est comme s'il n'y avait aucune attraction... »[7]

Kepler avait intitulé son livre *Le Songe d'un voyage dans la Lune.* Un songe merveilleusement prophétique, trois cent cinquante-cinq ans avant que la fusée russe Voskhod II ne donne à l'homme le baptême de l'espace intersidéral (18 mars 1955).

Cyrano de Bergerac, précurseur de Jules Verne

Grâce à une pièce de théâtre fameuse et à une publicité télévisée pour des mouchoirs en papier, Cyrano de Bergerac, mort à trente-six ans d'un madrier jeté sur lui par vengeance du haut d'un échafaudage, a laissé surtout le souvenir d'un homme au nez excessif. Parisien, malgré son nom méridional et Edmond Rostand, il fut à la fois philosophe, auteur dramatique, poète et romancier satirique, bref, tout le contraire d'un scientifique. Ce qui ne l'empêcha pas d'imaginer sur le papier une machine parlante (ancêtre du phonographe), un nouveau parachute (après celui de Léonard de Vinci) et d'étudier la possibilité d'utiliser la force ascensionnelle de l'air chaud un siècle avant les frères Montgolfier. Ayant peut-être lu Kepler, il rêva également d'aller visiter la Lune, mais il fut le premier à songer à employer un véhicule-fusée à étages, alors que cent quarante ans plus tard Jules Verne en sera encore au canon à poudre:

> « Dès que la flamme eut dévoré un rang de fusées qu'on avait disposées six à six, par le moyen d'une amorce qui bordait chaque demi-douzaine, un autre étage s'embrasait, puis un autre. La matière étant usée fit que lorsque l'artifice manqua et lorsque je ne songeais plus qu'à laisser ma tête sur celle de quelque montagne, je sentis mon élévation conti-

7. Cité par A. Koestler dans *Les Somnambules.*

nuer (vers la Lune) avec d'autant plus de force que son globe était plus proche de moi. »[8]

De la Joconde au char d'assaut

Une très belle série de la télévision italienne a fait récemment revivre ce personnage hors du commun que fut Léonard de Vinci.[9] Misogyne pratiquant et auteur d'un portrait ambigu qui continue de fasciner les foules de Tokyo à New York, il a déjà dessiné, à trente ans, les plans d'une machine volante à hélice qui annonce l'hélicoptère, et fabriqué le premier parachute. À Milan, du haut d'une tour construite à cet effet, les curieux peuvent voir un homme se précipiter, accroché à cet appareil, et toucher le sol sans se rompre les os. L'attraction amuse beaucoup, mais toute réflexion faite et avec une certaine logique, on n'en discerne pas très bien l'utilité pour le moment. L'inventeur, sans se décourager, décide de faire expérimenter en secret sa dernière née: une barque munie d'un toit étanche, pouvant voyager sous l'eau.

Mais le cerveau de Léonard bouillonne d'idées innombrables. En fait, la peinture ne l'intéresse que médiocrement. Il s'estime avant tout ingénieur et, cherchant un mécène, écrit au duc de Milan, le tout-puissant Ludovic Sforza, surnommé Ludovic le Maure. Quoi de mieux, pour séduire un grand seigneur toujours en guerre avec ses voisins, que de lui proposer les moyens les plus distrayants de les étriper? Le doux peintre de Mona Lisa s'exprime dans son message comme un parfait voyageur de commerce qui sait vanter sa marchandise. En voici les plus beaux extraits:

> « J'ai moyen de construire des ponts très légers et faciles à transporter pour la poursuite de l'ennemi en fuite; d'autres plus solides qui résistent au feu et à l'assaut et aussi faciles à poser qu'à enlever. Je connais aussi les moyens de détruire les ponts de l'ennemi (...)
>
> « Je puis faire un canon facile à transporter qui lance des matières inflammables (...)
>
> « Item. Je puis construire des voitures couver-

8. Cyrano de Bergerac (1619-1655), *Voyages comiques aux États et Empires de la Lune et du Soleil* (1643).
9. (1452-1519).

tes et indestructibles portant de l'artillerie et qui, ouvrant les rangs ennemis, briseraient les troupes les plus solides.

« Je puis construire des canons, des mortiers, des engins à feu, de forme pratique et belle (!!), différents de ceux en usage (...)

« S'il sagit d'un combat naval, j'ai de nombreuses machines de la plus grande puissance, pour l'attaque comme pour la défense: vaisseaux qui résistent au feu le plus vif, poudres et vapeurs, etc. »[10]

On croirait lire le catalogue alléchant de ce qu'on nomme aujourd'hui le *big business* des marchands de mort. Toutefois, aussi curieux que cela paraisse, Sforza, qui n'est pourtant pas un tendre, restera froid devant ces merveilles et le tentateur devra se satisfaire de la commande d'un cheval de bronze.

Quelques années plus tard, l'architecte italien Francesco di Giorgio souffrira de la même incompréhension. Inventeur d'une torpille sous-marine propulsée par réaction et allant se fixer sur le flanc des navires ennemis, les amiraux refuseront de l'entendre.[11] Les esprits ne sont pas encore prêts ou bien craint-on que l'adversaire n'utilise des engins semblables, ce qui ne serait plus du jeu.

Il y a peut-être une autre raison, disons plus noble: le souci de conserver le plus possible à la guerre son petit côté sportif initial. Il est exaltant de s'entretuer, mais avec un certain panache, en faisant l'ouvrage soi-même. Les plus hautes autorités, tant civiles que religieuses, semblent d'ailleurs veiller à ce que soient évités les massacres trop techniques, et l'Histoire rapporte à ce propos de nombreux faits significatifs.

Déjà, en 1139, le Concile de Latran avait proscrit l'usage, entre chrétiens, d'un support d'arbalète qui permettait de viser plus juste et d'une sorte de lance-flammes fonctionnant au naphte, une invention arabe rapportée des Croisades.

---

10. Il avait également mis au point un mélange gazeux permettant à l'homme d'évoluer indéfiniment sous l'eau, mais, pris d'un scrupule inattendu, il en détruisit la formule en déclarant: « Je ne livre pas ce secret car je redoute la méchanceté des hommes qui s'en serviraient pour percer le pont des navires et les couler. »
11. Robert Charroux, *Le Livre du passé mystérieux* (Laffont, 1973).

Estimant disgracieux de tuer à distance et sans risque, François Ier, le roi chevalier, défendit à ses gentilshommes, sous peine de pendaison, de porter des armes à feu. En 1555, selon *la Revue d'Histoire,* éditée par la République socialiste de Roumanie, des fusées à deux et trois étages, à carburant solide, furent lancées avec succès à Sibiu, en Transylvanie, mais l'invention n'eut pas de lendemain.[12] À Lisbonne, en 1709, c'est l'Inquisition qui jette l'interdit sur une machine volante à gaz, construite par le Père jésuite Gusmâo.[13] Au XVIIIe siècle encore, Louis XV refuse à un génial bricoleur, nommé Dupré, une bombe d'une puissance telle qu'elle pourrait anéantir une flotte ou une ville entière, *malgré toute résistance.* Un modèle réduit est expérimenté à Versailles, sur le Grand Canal, et Sa Majesté, pourtant en guerre avec l'Angleterre, fait comprendre à Dupré qu'il doit oublier cela très vite.[14] Son petit-fils a la même attitude envers l'ingénieur français Duperron venu lui présenter une sorte de mitrailleuse, mue par une manivelle et capable de tirer vingt-quatre balles à la fois. La machine, baptisée joliment « orgue militaire » paraît si effrayante au jeune Louis XVI et à ses ministres qu'ils accusent l'inventeur d'être un ennemi de l'humanité.[15] Et Napoléon lui-même, préparant un débarquement sur les côtes anglaises, repoussera l'idée « déloyale » de faire précéder sa flotte d'invasion du bateau sous-marin de l'Américain Robert Fulton. En somme, ce sera jusqu'au siècle dernier comme une vaste conspiration des grands de ce monde contre la modernisation des guerres.

Aujourd'hui, ces naïves pudeurs feraient sourire les militaires perfectionnistes qui encouragent des savants fous à enrichir sans cesse de nouveaux gadgets leur panoplie déjà bien garnie. Des grands États « démocratiques » usinent même des surplus d'armes pour les pays défavorisés,[16] et ce commerce original, qui est le reflet d'une époque, fait vivre des millions de paisibles travailleurs. Artistes du canon, de

12. R. Charroux, *Le Livre du mystérieux inconnu.* Laffont (1969).
13. Jules Duhem, *Les Ballons* (1851).
14. Du journal *Paris-Presse,* 21 mai 1957.
15. Louis Pauwells et Jacques Bergier, *Le Matin des magiciens.* Gallimard (1960).
16. Un humoriste a dit que ces gouvernements ne faisaient jamais qu'observer, à une lettre près, la parole divine: « Aimez-vous les uns les autres », le « i » du verbe « aimer » étant devenu simplement un « r ».

la bombe à billes, du napalm, ou éleveurs de bacilles mortels pour d'éventuelles épopées bactériologiques, ces braves gens, bien dans leur peau, retrouvent le soir leurs familles, regardent la télé, prient peut-être Dieu, caressent leurs femmes et souhaitent que leurs enfants, passé l'âge contestataire, sachent choisir comme eux un métier qui n'a jamais fait de chômeurs.

Rappelons que c'est un moine pourtant blasé apparemment, croyant avoir tout vu et sans illusion sur son siècle, qui eut, il y a trois cents ans, cette vision étonnée du nôtre: « Aussi étrange qu'ait pu être l'un ou l'autre siècle, le XXe siècle sera le plus étrange (...) Ce siècle sera le plus étrange de tous les siècles car les hommes seront fous d'eux-mêmes et du monde, et se détruiront les uns les autres. »

Le Français Jules Verne[17] et l'Anglais Herbert George Wells[18] occupent solidement une place de choix dans la littérature visionnaire, le premier toujours scrupuleux dans la description de ses anticipations pacifiques; l'autre, moins scientifique, plus soucieux de l'homme que de la machine, et nettement pessimiste quant à la société future.

Leur constante popularité, entretenue par le cinéma et la télévision, ferait presque oublier le rôle plus positif joué par d'autres auteurs en marge de la Science. C'est un livre du romancier de science-fiction Ivan Efremov, *La Cheminée aux diamants,* qui serait à l'origine de la découverte par les géologues soviétiques des fabuleux gisements de diamants sibériens. *L'Homme à l'oreille cassée,* où Edmond About (1828-1885) conte l'extraordinaire aventure d'un officier de Napoléon congelé et ressuscité plusieurs années après par un biologiste, aurait donné l'idée au physiologiste Claude Bernard (1813-1878) de tenter une expérience semblable sur des grenouilles, et cela dès 1860, près d'un siècle avant Jean Rostand. L'Irlandais Jonathan Swift (1667-1745) est surtout connu pour être l'auteur des fameux *Voyages de Gulliver* dont le cinéma s'est emparé aussi à plusieurs reprises. On sait moins qu'il intrigua — ou amusa — longtemps les astronomes en prétendant dans un autre ouvrage écrit en 1627, *Le Voyage à Lupata,* que la planète Mars avait deux satellites dont il donnait la description. Ceux-ci, baptisés depuis *Phebos*

17. (1828-1905) *De la terre à la lune, Le Château des Carpates,* etc.
18. (1866-1946) *La Guerre des mondes, L'Homme invisible,* etc.

et *Deimos,* ne furent découverts officiellement qu'en 1877 par l'Américain Hall.[19]

De nombreux écrivains ont fourni, semble-t-il, des preuves de voyance à moins que, pour les sceptiques, ils n'aient bénéficié d'extravagantes coïncidences. Dans un roman publié en 1898, Morgan Robertson imaginait la traversée inaugurale d'un paquebot de luxe « ultra-moderne » de 800 pieds de long, déplaçant 70 000 tonnes, actionné par trois hélices et réputé insubmersible qui, par une nuit d'avril, s'éventrait sur un iceberg et sombrait avec ses 3 000 passagers, tous de riches oisifs. Le 15 avril 1912, le monde apprenait avec stupeur le naufrage du *Titanic,* un grand transatlantique anglais mesurant 829 pieds, jaugeant 66 000 tonnes et mû par trois hélices, dont la presse entière avait vanté les derniers perfectionnements techniques offrant toutes les garanties de sécurité. Accomplissant sa première croisière et transportant 3 000 passagers, tous d'un rang social élevé, il avait heurté un iceberg. Quatorze ans plus tôt, dans sa fiction, Morgan Robertson avait appelé son bateau *Le Titan.*

Avant de laisser les romanciers visionnaires, citons encore le cas de l'Anglais Matthew Philips Shiel. Membre d'une société secrète, faisant des expériences de précognition sous l'influence de drogues hallucinogènes et connu pour ses opinions farouchement antisémites, il fit éditer en 1895 une nouvelle dans laquelle il décrivait en détail d'immenses camps de concentration équipés de fours crématoires. Authentique vision prophétique ou simple fiction qui put influencer Hitler, lui-même, à ses débuts, affilié à des sociétés ésotériques? La nouvelle de Shiel avait pour titre *Les SS.*[20]

La science-fiction dans l'Art

Créations de l'imaginaire, visions, prémonitions — d'autres disent aussi réminiscences possibles de civilisations disparues — les exemples ne manquent pas non plus chez les artistes de tous les temps, avec une propension marquée pour le vieux rêve d'Icare et les « machines volantes ».

Peintes il y a quatre mille ans sur les rochers de Tassali, au Sahara, d'étranges silhouettes humaines, surnommées « Les Martiens » par le savant français Henri Lotte, semblent porter des casques hémisphériques qui ne sont pas sans rappeler ceux des « animaux » d'Ezéchiel. Au Mexique, la pierre tombale de la Pyramide de Palenque, gravée au temps de la préhistoire maya, représente, vu en coupe, un véhicule crachant du feu comme une fusée, que dirige un homme ou une femme assis dans l'habitacle.[21] Sur une fresque du XIIIe siècle, au monastère de Detchani, en Yougoslavie, des hommes entourent un personnage important dont la tête est cerclée d'un nimbe. Deux engins en forme de fusée, dégageant une vive lumière, traversent le ciel au-dessus d'eux, et l'intention du peintre ne peut prêter à confusion car il a pris soin d'y figurer les pilotes.[22]

Léonard de Vinci fut-il vraiment le premier à concevoir le principe de l'hélicoptère ou a-t-il été inspiré par des oeuvres d'art visionnaires? Il y a dans une église du Mans, en France, un panneau peint en 1460 représentant une Vierge à l'Enfant, et le Fils de l'Homme tient un jouet muni d'une hélice horizontale qu'il actionne avec une cordelette. Un « Christ à l'hélicoptère » fait aussi le sujet d'un vitrail du début du XVe siècle, conservé à Londres, au Musée Victoria et Albert.[22]

Des historiens s'interrogent également sur le miniaturiste médiéval Jacques Legrant qui aurait pu avoir la prémonition du « plus léger que l'air » bien avant Cyrano de Bergerac et les pionniers de l'aérostation. Dans le ciel d'une enluminure où il a figuré Dame Fortune sous les traits d'une charmante rouquine coiffée d'un hennin, flotte une énorme boule insolite, décorée comme une montgolfière. Le globe n'est pas pourvu de nacelle, mais semble percé d'un orifice inférieur évoquant celui par lequel, en 1783, les premiers aéronautes chaufferont l'air contenu dans l'enveloppe de leur ballon.[23]

La poésie prophétique

Ici, laissons la parole à Max-Pol Fouchet, poète, voyageur, auteur de *L'Art amoureux des Indes,* journaliste et chroniqueur à la radio-télévision française:

19. Lyle G. Boyd, *Worlds of to-morrow* (1964).
20. *Planète,* n° 18, sept./oct. 1964. Matthew Philips Shiel (1865-1947) est aussi l'auteur du *Nuage pourpre* et du *Seigneur de la mer.*
21. *Archéologia,* n° 1, novembre 1964.
22. *Planète,* n° 16, mai/juin 1964.
23. Jacques Legrant, *Le Livre des bonnes moeurs* (Manuscrit du XVe siècle de la Bibliothèque du Musée Condé, à Chantilly, France).

« Je croyais lorsque je lisais les romantiques allemands, Novalis, Treck, Arnim, que ce qu'ils disaient sur l'état de voyance dans lequel pouvait se trouver le poète à certains moments, était pour eux certainement vrai, mais limité à une forme de génie poétique. Mais je me suis aperçu, par une voyance personnelle et modeste que cet état de voyance pouvait exister chez le poète, même mineur, parce que je l'ai éprouvé. J'ai écrit pendant longtemps des poèmes qui traitaient d'une façon presque hallucinatoire les trois thèmes de l'amour, de la mer et de la mort. Ma femme qui lisait ces poèmes, et qui ne se croyait pas concernée bien qu'ils traitassent de la mort de la femme aimée, ironisait et se demandait si je n'obéissais pas à une sorte de routine.

Le jour où elle s'embarquait en 1942 pour aller d'Alger en France, j'étais dans un curieux état d'hypnose dont je me souviens fort bien. Le lendemain, lorsque l'on m'avertit que le bateau sur lequel elle se trouvait avait coulé, mais qu'il y avait des rescapés, j'ai su tout de suite qu'elle ne faisait pas partie de ceux-ci. »[24]

La voyance en chansons

Le voyant Mario de Sabato a déclaré dans une interview qu'il avait écrit les paroles de plusieurs chansons, inspirées par ses prédictions, et se proposait de les faire mettre en musique.[25] Peut-être cette idée lui est-elle venue en prenant connaissance d'une vieille complainte, bien connue dans tous les pays de langue anglaise, et qui constituerait une sorte de pot-pourri des prophéties de « Mother Shipton », une « sorcière » du Yorkshire, née vers la fin du XVe siècle:

Les voitures iront sans chevaux
Les accidents désoleront le monde.
Les pensées voleront autour de la terre
Durant le temps d'un seul clin d'oeil.
Le monde sera renversé.
On trouvera l'or au pied d'un arbre;
L'homme passera à travers les montagnes
Sans qu'il ait besoin de cheval
Et il ira aussi sous l'eau,

Marchant, dormant et conversant.
On le rencontrera dans l'air,
Vêtu de blanc, de noir, de vert.
Sur les eaux le fer flottera
Aussi bien qu'un bateau de bois.
Beaucoup d'or sera mis à nu
En pays encore inconnu.
Le feu et l'eau feront miracle.
Tous les fils d'Angleterre qui labourent la terre
Souvent on verra un livre à la main.
Le pauvre, alors, saura beaucoup de choses,
Et l'eau coulera où pousse le blé
Dans les vallées lointaines.
Des impôts pour le sang et la guerre
Seront levés à chaque porte.
L'Angleterre connaîtra l'invasion.
Et le monde finira enfin
En dix-neuf cent quatre-vingt-onze.[26]

24. *Janus,* n° 8, octobre 1965.
25. Mario de Sabato, *Révélations (Journal d'un voyant).*
26. Citée par H. J. Forman (*Les Prophéties à travers les siècles,* Payot, 1938). On attribue aussi ces prédictions à Ursula Sontheil, qui vécut à la même époque (première moitié du XVIe siècle).

XII Peut-on prévoir les catastrophes?

Est-il concevable qu'un accident, un événement à venir puisse projeter en avant dans le temps des ondes annonciatrices, véritables signaux d'alarme, qu'un cerveau humain (ou animal) serait capable de capter dans certaines circonstances à la façon d'un sismographe? Sixième sens, intuition, prémonition, appelons cela comme on voudra, chacun a eu au moins une fois l'expérience d'un rêve ou d'un pressentiment qui s'est vérifié par la suite. Il semble qu'il faut admettre aussi que des individus plus réceptifs réagissent préalablement à un danger grave, sans en être nécessairement menacés et dont ils pourront même se trouver très éloignés.

D'une éruption volcanique aux distractions d'un aiguilleur

Quelques jours avant l'éruption de la montagne Pelée, à la Martinique (8 mai 1902), le psychiatre anglais J. W. Dunne, d'Oxford, avait vu en rêve un titre du *Daily Telegraph* annonçant la catastrophe et la destruction de la ville de Saint-Pierre située au pied du volcan.[1]

Par contre, l'officier de police Leonard Ingham est, lui, directement concerné par le rêve qu'il fait souvent depuis deux mois et dans lequel il voit un gigantesque incendie ravager San Francisco sans épargner sa propre habitation. Dans la nuit du 16 au 17 avril 1906, son cauchemar habituel atteint une telle intensité qu'il décide de se rendre le jour même à la *Hartford Fire Insurance Company* afin d'assurer sa maison pour 2 000 dollars. Le lendemain matin, 18 avril, à 5 heures 13 minutes, la terre commence à trembler et la rupture des conduites de gaz provoque un incendie qui détruira 28 000 immeubles.[2]

1. J. W. Dunne, *Le Temps et le rêve.* Éditions du Seuil (1948).
2. Gordon Thomas et Max Morgan-Witts, *Le Tremblement de terre de San Francisco.* Robert Laffont, 1973.

En octobre 1908 — cette fois, il ne s'agit plus d'un rêve, mais d'un cas de voyance provoquée — le médium-guérisseur américain Edgar Cayce est consulté à propos d'un accident de chemin de fer survenu sur le réseau du *Southern Railway.* Il attribue la responsabilité directe du déraillement à la négligence d'un vieil employé, mais celui-ci a toute la confiance de ses supérieurs qui se refusent à le croire coupable. Cayce ajoute alors que si l'homme est maintenu dans ses fonctions, il provoquera un nouvel accident avant le 1er décembre suivant, accident qui se produira à la fois dans les deux États de Virginie et entraînera la mort d'une personne ayant négligé son avertissement.

Un accident qui aurait lieu sur les territoires de deux États, cela ne paraît guère sérieux à la direction du *Southern Railway.* Le 29 novembre, partant en voyage d'inspection, le vice-président de la compagnie prend l'express de Richmond qui longe un moment la limite de la Virginie occidentale. Vers minuit, une erreur d'aiguillage engage sur une voie de garage le train lancé à pleine vitesse et le wagon vice-présidentiel, catapulté hors des rails, va se pulvériser de l'autre côté de la frontière. Cette nuit-là, les Chemins de fer de Virginie auront perdu un de leurs directeurs par la faute d'un vieux cheminot que l'âge a rendu moins attentif.[3]

Il faudrait citer encore ce candidat à la croisière inaugurale du malheureux *Titanic* qui, plus crédule qu'un vice-président, dut peut-être la vie à un rêve prémonitoire, mais passons plutôt à des faits plus proches de nous.

Les catastrophes sont « annoncées »

Le 21 octobre 1965, à Aberfan, dans le Pays de Galles, le glissement du terril d'une mine de charbon ensevelissait une dizaine de maisons et une école, faisant cent quarante-quatre victimes. À la question: « Avez-vous eu une prémonition au sujet d'Aberfan? » posée par le *News of the World,* deux cents lecteurs du journal répondirent par l'affirmative. La presse ne fut pas seule à avoir l'idée d'une enquête semblable. Le Centre de recherches psycho-physiques d'Oxford et un psychiatre londonien, ce dernier interrogeant ses

3. Joseph Millard, *L'Homme du mystère* (The Edgar Cayce Foundation, Inc, 1961).

propres patients, recueillirent respectivement cinquante et soixante-douze cas de prémonition se rapportant à la tragédie.

Évidemment, il faut toujours faire la part des fous, des mythomanes, des prétendus clairvoyants et même des mystificateurs dont le goût pour ce genre de plaisanterie n'est souvent que du mauvais goût. Aussi les enquêteurs, tous des spécialistes, soumirent-ils les réponses à un contrôle serré. Ceux du *News of the World,* par exemple, avaient posé comme condition essentielle qu'elles soient certifiées par au moins deux témoins dignes de foi et, malgré cette exigence, ils n'en choisirent que sept sur deux cents. Cette sévérité restrictive suffit à montrer le sérieux de la sélection et accorde à chacune des réponses retenues le maximum possible de crédibilité.

Ainsi, le matin du drame, Mr John Arthur Taylor, 63 ans, de Stacksteads (Lancashire), raconte à sa femme et à un voisin qu'il a fait un rêve bizarre où il voyait le mot « Aberfan » imprimé en lettres de feu sur un fond sombre et mouvant. Ce nom ne signifie rien pour le voisin, ni pour Mr et Mrs Taylor qui pourtant sont allés déjà en vacances au Pays de Galles. Quelques heures après, ils apprennent la catastrophe par la radio.

Le petit garçon oublié

Mrs Constance Milden, 47 ans, qui habite Plymouth, dit s'intéresser au spiritisme et avoir parfois des rêves prémonitoires et même des visions à l'état de veille. Le jour précédant le désastre, elle déclare soudain à sept personnes réunies chez elle qu'elle vient de « voir », l'espace de quelques secondes, une énorme montagne de charbon au pied de laquelle étaient un mineur et un enfant qui paraissait terrorisé. Celui-ci, un petit garçon blond avec une frange, s'est adressé à elle et lui a dit curieusement qu'il avait été « oublié ». Mrs Milden, encore sous l'impression d'une violente angoisse, est convaincue ainsi que ses amis de l'imminence d'un événement grave. Le lendemain, c'est la catastrophe et quelques jours plus tard, en regardant un reportage de la B.B.C. sur les enfants rescapés de l'école engloutie par le terril, elle reconnaît parfaitement, parmi les autres, le petit garçon à la frange qui lui a dit avoir été « oublié ».

Juste une semaine avant le 21 octobre, Mr Alexander Venn, de Combe Martin (Devon), à 80 kilomètres d'Aberfan, a le pressentiment que « quelque chose d'épouvantable va se produire dans les environs ». Peintre amateur, il veut essayer de traduire ses impressions sur une toile, mais ne peut s'arracher à une obsession qui se rapporte à du charbon, de la suie et du brouillard. Il finira par peindre un visage inconnu se détachant sur un fond entièrement noir.

Mrs Monica Mc Bean, de Woking (Surrey), va travailler chaque jour à Londres, à la *British Aircraft Corporation* qui l'emploie comme secrétaire. Elle ignore tout de ce que peut être un rêve prémonitoire ou même un pressentiment. Mais dans la matinée du 21 octobre, elle est saisie brusquement d'un malaise insistant qui l'oblige à quitter son bureau pour aller s'étendre dans la salle de repos réservée au personnel. Bouleversée, elle dit à ses collègues que, dès qu'elle ferme les yeux, elle voit des enfants courir devant une montagne noire qui avance sur eux pour les écraser. Plus tard, alors qu'elle aura repris son travail, complètement remise de son étrange indisposition, la radio diffusera la nouvelle.

Les enquêteurs du *News of the World* reçurent également une réponse que son contenu pathétique rendait difficilement contestable, même par les plus sceptiques. Le témoignage provenait des parents d'une des petites victimes d'Aberfan, Eryl Mai, six ans. Par deux fois, au cours de la semaine précédant sa mort, Eryl leur avait dit avoir rêvé qu'un « grand nuage tout noir l'enveloppait et l'emportait ».[4]

Un service de prévision des accidents?

On peut se demander après cela combien de rêves ou de visions prémonitoires a suscités, par exemple, l'écrasement du DC 10 des *Turkish Airlines,* en forêt d'Ermenonville, le 3 mars 1974, avec trois cent quarante-six personnes à bord;[5] ou encore la terrible tornade qui fit, le mois suivant, plus de trois cent trente victimes aux États-Unis et huit au Canada,

4. Enquête citée par *Planète,* n° 35, juillet/août 1967.
5. Le 16 février, la jeune voyante américaine Shawn Robbins aurait eu la vision de la chute d'un avion géant dans la région parisienne *(Enquirer,* 11 août 1974).

dans la ville de Windsor. Si l'on prenait la peine d'ouvrir une enquête, comme au lendemain d'Aberfan, nul doute qu'on rassemblerait aussi des centaines de témoignages. Une question se pose alors avec une certaine logique: pourquoi les réunir toujours *après,* comme de simples curiosités parapsychiques? Pourquoi n'a-t-on jamais pensé à les centraliser *avant* pour essayer d'en tirer un enseignement? Le drame d'Aberfan ne sera malheureusement pas la dernière catastrophe minière, deux cents DC 10 comme l'avion turc sont en service de par le monde et il y aura encore des ouragans meurtriers.

Convaincus que tous les faits importants sont prévus, annoncés et pressentis, des Anglais imaginatifs, ne craignant pas d'entrer dans la science-fiction, ont déjà estimé qu'il serait sans doute possible un jour de créer une sorte de « Centrale des prémonitions ». Le financement d'un tel organisme ne présenterait aucune difficulté. Quel *Lloyd* refuserait son appui à un *Service de prévision des accidents?* Le principe en serait très simple: bénévolement ou vénalement — la chose reste à discuter — tous les citoyens seraient invités à communiquer par la voie la plus rapide leurs intuitions, pressentiments, visions ou rêves prophétiques pouvant se rapporter à un événement futur susceptible de menacer la vie ou les biens d'un groupe quelconque d'individus.

L'idée est séduisante, même en tenant compte que la Centrale, déjà la cible des mauvais plaisants, deviendrait également à bref délai la boîte aux lettres de tous les maniaques du pendule, de l'horoscope et de la *Clé des songes.* Les communications douteuses ayant été écartées dans un premier tri, les autres seraient mises sur cartes perforées et un ordinateur auraient vite regroupé celles qui, par la fréquence des similitudes ou les répétitions d'indices se recoupant et se complétant, offriraient assez de garanties pour former conjointement l'information intéressante. Il ne resterait plus qu'à en tirer des conclusions quant à une catastrophe possible, dont on pourrait prévoir la nature exacte et peut-être aussi — pourquoi pas? — les coordonnées et la date. Rien de très compliqué jusque-là.

Les ennuis commenceraient vraisemblablement avec l'attitude, assez prévisible aussi, des intéressés devant les avertissements qui leur seraient adressés. On imagine mal, en effet, une Compagnie ajournant au dernier moment le départ d'un avion, d'un train ou d'un navire parce que quelques dames et messieurs inconnus ont fait un cauchemar dû peut-être à des excès alimentaires. Elle pourrait craindre les réactions de ses clients en partance, même si ses assureurs proposaient de les dédommager. Combien des trois mille passagers du *Titanic* auraient accepté avec reconnaissance de renoncer à une croisière prestigieuse pour cause de rêve prémonitoire?

Un autre problème se poserait encore, du moins pour des cas semblables. En admettant que les avis du *Service de prévision des accidents* soient suivis à la lettre et sans protestation, qu'est-ce qui prouverait que des accidents sont réellement évités, puisqu'il ne s'en produirait plus faute de candidats au suicide? Cela pourrait fonctionner un certain temps, puis une trop grande prudence n'étant pas le piment de l'existence, on reprocherait à la « Centrale » son pessimisme exagéré et elle perdrait rapidement tout crédit, victime de ses réussites incontrôlables.

Les Anglais, auteurs du projet, pensent toujours qu'il est excellent, tout en reconnaissant volontiers qu'il y manque encore quelque chose. Il est vraiment très difficile d'essayer de contrer le destin.

Par ailleurs, sans doute jaloux des devins de tout poil, les géophysiciens affirment qu'il est maintenant scientifiquement possible de prévoir les tremblements de terre. Plusieurs expériences auraient été déjà si concluantes que, contrecoup inattendu, elles inquiètent au plus haut point certains économistes qui posent cyniquement la question: « Faut-il dire la vérité aux futures victimes d'un séisme? » Le 5 septembre 1975, on pouvait lire dans le journal français *L'Aurore* un article énumérant les nombreux inconvénients qui en résultaient quand on les avertissait trop longtemps d'avance:

> « Une partie de la population menaçait d'émigrer, le reste envisageait de retirer leurs fonds des banques, stoppant net le crédit, et les responsables d'usines ou d'entreprises d'interrompre leur activité, provisoirement ou définitivement, de sorte que l'économie subissait un coup de frein considérable. »

Un nouveau dilemme est posé. L'économie d'un pays, les intérêts de la finance, de l'industrie et du commerce valent-ils mieux que quelques milliers de morts engloutis sous des décombres? Seuls ceux-ci auraient le droit de répondre. Mais il n'est pas impossible que les prévisions séismales des géologues deviennent un jour secrets d'État.

Les chevaux de San Francisco « prédisent » le tremblement du 18 avril 1906

« James Hopper venait de fignoler un article pour le *Call* et il rentrait chez lui, peu après 2 heures, satisfait de son travail. En remontant Post Street, en direction de son hôtel, le Neptune, il remarque que la brise de mer faiblissait (...)

Chemin faisant, son oeil de journaliste observait « la masse sombre des grands immeubles, la baie cernée de lumières rouges et vertes, les silhouettes allongées des navires à l'ancre et, au loin, la lumière venue des villes de l'intérieur. » La nuit lui parut singulièrement paisible.

À son passage devant l'écurie située entre Powel Street et Mason Street, un cheval hennit soudain. « Je demandai au garçon d'écurie, qui flânait sur le seuil, ce qui se passait. Il me répondit: « Ils sont agités cette nuit, je ne sais pourquoi! » En glissant ma tête à l'intérieur, j'entendis le bruit des sabots contre la cloison des stalles. »

Hopper poursuivit sa route, intrigué, se demandant pourquoi les chevaux étaient aussi nerveux. »[6]

— GORDON THOMAS et MAX MORGAN-WITTS
(Le Tremblement de terre de San Francisco, Éd. Robert Laffont)

---

6. Rappelons que le tremblement de terre commença trois heures plus tard, exactement à 5h 13 du matin.

XIII Témoignages et curiosités

Goethe et Frédérique

En 1771, à vingt-deux ans, le futur auteur de *Faust* tomba éperdument amoureux d'une petite Alsacienne, la fille du pasteur de Sessenheim, près de Strasbourg. Quand Goethe dut rentrer en Allemagne, ce furent des adieux déchirants et de folles promesses de retour. Il raconte dans ses *Mémoires:*

> « Pendant que je m'éloignais doucement du village, je vis, non avec les yeux de la chair, mais avec ceux de l'intelligence, un cavalier qui, sur le même chemin, s'avançait vers Sessenheim; ce cavalier, c'était moi-même; j'étais vêtu d'un habit gris brodé de galons d'or, comme je n'en avais jamais porté; je me secouai pour chasser cette hallucination, et je ne vis plus rien. Il est singulier que, huit ans plus tard, je me retrouvai sur cette même route, rendant visite à ma Frédérique, et vêtu du même habit dans lequel je m'étais apparu; je dois ajouter que ce n'était pas ma volonté, mais le hasard seul qui m'avait fait prendre cet habit.
>
> Mes lecteurs penseront ce qu'ils voudront de cette bizarre vision; elle me paraît prophétique, et comme j'y trouvai la conviction que je reverrais ma bien-aimée, elle me donna le courage de surmonter les adieux. »

Un « Nocturne » de Schumann

Une lettre de Robert Schumann à Clara Wiek (1838):

> *Il faut que je vous dise un pressentiment que j'ai eu; il m'a hanté du 24 au 27 avril, pendant que j'étais absorbé par mes nouvelles compositions. Il y a un certain passage qui m'obsédait et quelqu'un semblait me répéter du plus profond de son coeur: « Ah! mon Dieu! » Tandis que je composais, je voyais des choses funèbres, des cer-*

cueils, des images désespérées... Lorsque j'eus terminé, je songeais à un titre. Le seul qui me vint à l'esprit fut Leichenphantasie (Fantaisie funèbre). *N'est-ce pas extraordinaire? J'étais tellement bouleversé que les larmes me vinrent aux yeux; je ne savais pas pourquoi; il m'était impossible de découvrir une raison motivant ma tristesse. Arriva, alors, la lettre de Thérèse, et tout s'expliqua. Sa belle-soeur lui annonçait que son frère Édouard venait de mourir.* [1]

« Soldats, du haut de ces Pyramides, cent trente siècles vous contemplent! »

Cent trente et non quarante. Si le général Bonaparte avait lu Hérodote en plus de ses manuels d'artillerie, sa fameuse proclamation à l'Armée d'Égypte n'aurait pas plongé dans l'erreur des générations d'écoliers. Cinq siècles avant J.-C. l'historien grec rapporte que, visitant la vallée du Nil, des prêtres égyptiens, gardiens des Pyramides, lui apprirent que la construction de celles-ci remontait déjà à plus de onze mille ans. La tradition copte[2] la dit antérieure de trois cents ans au Déluge, ce qui ne contredit aucunement Hérodote. Enfin, le manuscrit de Masoudi précise:

> « Surid, un des rois qui régnaient sur l'Égypte avant le Déluge, éleva les deux Grandes Pyramides (...) Dans la Pyramide orientale (dite de Chéops) furent inscrites les sphères célestes et les figures représentant les étoiles et leurs cycles (...) ainsi que l'histoire et la chronique des temps passés et des temps futurs et de chacun des événements qui surviendraient en Égypte. »[3]

Négligeant ce dernier détail, des égyptologues anglais ont pensé que les secrets de Chéops devaient surtout con-

1. Louis Schneider et Marcel Mareschal, *Schumann, sa vie et ses amours.* Le musicien intitulera définitivement sa composition *Nachtstücke (Nocturne).*
2. Les Coptes sont les descendants directs des anciens Égyptiens convertis au christianisme.
3. Hasan-Ali El Masoudi, écrivain musulman mort en 956. Son manuscrit est conservé à Oxford.

cerner l'histoire du Royaume-Uni, infiniment plus intéressante pour tout le monde que celle d'un désert de sable peuplé de fellahs miséreux. Ils décidèrent en même temps que les Égyptiens avaient certainement accordé le début de leur chronique prophétique avec celui de l'ère chrétienne, soit à la naissance du Christ, soit à la Crucifixion, le point restant à discuter. Et, convaincus qu'un monument géométrique ne pouvait contenir que des prédictions géométriquement exprimées dans la pierre, ils en mesurèrent tous les murs, recoins, couloirs et escaliers, obtenant ainsi des chiffres aussitôt transformés en dates.

Ce travail intense terminé, l'astronome britannique Piazzi Smyth annonça solennellement que chaque détail de l'architecture interne de la Grande Pyramide prophétisait incontestablement un important fait historique déjà accompli ou à venir. L'éminent savant oubliait pudiquement d'ajouter qu'un de ses assistants, horrifié, l'avait surpris un jour à quatre pattes « essayant de limer la saillie granitique de l'antichambre royale, afin de la ramener aux dimensions requises par sa théorie. »[4]

On sait par ailleurs qu'au Xe siècle, des pillards arabes, opérant pour le compte du calife Al Mamoun, visitèrent la Grande Pyramide et y volèrent des manuscrits qui n'ont jamais été retrouvés. Est-il déraisonnable d'imaginer que les devins de l'Ancienne Égypte avaient jugé plus pratique d'inscrire leurs prophéties sur des papyrus plutôt que sur des marches d'escalier?

Ajoutons qu'Edgar Cayce a eu la vision d'une petite pyramide qui serait encore ensevelie dans le sable, près d'une patte du Sphinx de Gizèh, lui-même assez voisin de Chéops. D'après le voyant américain, la construction abriterait une chambre mortuaire remplie d'archives inestimables sur l'histoire de l'Atlantide, le continent disparu, et serait découverte en 1978.

---

4. Piazzi Smyth (1819-1900). Ce flagrant délit humiliant fut révélé plus tard par Sir Flinders Petrie (Paul Brunton, *L'Égypte secrète*).

Des disciples de Piazzi Smyth auraient calculé que les prochains événements prévus par les architectes-prophètes de Chéops se situeraient entre juillet et décembre 1992 et en décembre 2001. Curieusement, ces dates se retrouvent dans d'autres prophéties annonçant la naissance d'un socialisme spirituel universel, précurseur d'un Âge d'Or qui durerait 730 ans.

Cartomancie et opéra-comique

Au troisième acte de *Carmen,* l'oeuvre de Bizet, la cigarière folle de son corps, interroge l'avenir dans les cartes. La cantatrice Emma Calvé avouait jouer souvent cette scène avec une grande conviction, ne se contentant pas de faire semblant et cherchant réellement à percer le langage prophétique des figures.[5]

Il semble que le personnage de Carmen ait toujours influencé ses interprètes. Le 2 juin 1875, selon les journaux parisiens de l'époque, en chantant Salle Favart le rôle qu'elle avait créé, Mme Galli-Marié retourna machinalement le 9 de pique. Troublée, elle battit ses cartes, mais le signe de mort ressortit aussitôt. Surmontant l'angoisse qui l'avait saisie, elle parvint à terminer l'acte et s'évanouit dès que le rideau tomba. Peu après, la nouvelle de la mort de Georges Bizet était communiquée au théâtre; il avait trente-sept ans.[6]

« Charlot » chez la voyante

C'était peut-être une bonne idée de film, mais en 1910 Charlie Chaplin n'avait pas encore inventé son génial petit bonhomme au chapeau melon et à la démarche de canard. Il parcourait les États-Unis avec une tournée londonienne de music-hall et, conquis par l'Amérique, songeait sérieusement à revenir y tenter sa chance. De passage à San Francisco à peine remis du tremblement de terre, il entra dans une échoppe de Market Street où, pour un dollar, une femme disait la bonne aventure. Celle-ci, qui faisait les cartes et les lignes de la main, lui annonça son retour prochain aux U.S.A., mais pour toute autre chose que son travail présent, bien que d'une certaine façon cela y ressemblerait beaucoup. Ce nouveau « job », qu'elle ne pouvait définir exactement, lui procurerait la gloire et une fortune considérable; après deux mariages malheureux, un troisième lui donnerait le bonheur; il aurait trois enfants et mourrait à quatre-vingt-deux ans d'une mauvaise bronchite.

C'est Chaplin qui rapporte lui-même cette anecdote dans ses passionnants Mémoires publiés en 1964. À soixante-quinze ans, il n'avait encore relevé qu'une légère erreur

5. Camille Flammarion, *La Mort et son mystère.*
6. *Annales des Sciences psychiques,* 1905.

dans cette extraordinaire prédiction: le nombre de ses enfants qui s'élevait déjà à cinq. Dix ans plus tard, il pourra se flatter d'avoir mis une seconde fois en défaut la voyante de San Francisco.

Il conte aussi ce souvenir qui remonte à l'époque d'Hollywood. Bien avant qu'il fît construire sa maison de Beverley Hills, il avait reçu une lettre dont l'auteur anonyme prétendait être médium. L'homme disait avoir vu en rêve une vaste habitation perchée sur une colline. Précédée d'une pelouse « se terminant en pointe comme une proue de navire », la construction, toute neuve, avait quarante fenêtres et comprenait notamment une grande salle de musique au plafond gothique surélevé. La suite laissait planer des doutes sur l'équilibre mental du scripteur inconnu. Il était question d'une tribu indienne qui, jadis, avait célébré des sacrifices humains sur cette colline et chaque nuit, sitôt les lumières éteintes, des fantômes hantaient la maison.

Chaplin habitait déjà Beverley Hills depuis quelques années quand il retrouva par hasard la lettre oubliée au fond d'un tiroir. Le rêve du médium préfigurait exactement la disposition des lieux. Surpris, il compta ses fenêtres qu'il n'avait pas encore eu la curiosité de dénombrer: il y en avait bien quarante. Mais jamais, à sa connaissance, aucun visiteur nocturne ne manifesta sa présence, si ce n'est un putois indiscret qui lui causa une belle frayeur en s'introduisant un soir dans sa salle de bain.

Charlie Chaplin pense posséder personnellement un don de perception extra-sensorielle. Gamin de Londres, il était entré une fois dans un pub de Bridge Road en déclarant qu'il mourait de soif. Le patron moustachu lui avait tendu aimablement un verre d'eau, mais la gorge brusquement serrée et incapable de boire, il s'était enfui à toutes jambes tandis que l'homme servait un client. Quelques jours après, les « bobbies » arrêtaient le tenancier du *Pub de la Couronne,* un nommé George Chapman qui devait rester tristement célèbre dans les annales de la criminalité anglaise. Don Juan assassin, il avait empoisonné cinq femmes avec de la strychnine et le jour où le petit Chaplin lui avait demandé à boire, la dernière de ses conquêtes agonisait dans une chambre située au-dessus du cabaret.[7]

---

7. Charlie Chaplin, *My Autobiography (Histoire de ma vie,* Robert Laffont, 1964).

Des « sorciers » et des rois

Malgré les nombreuses médailles bénites cousues sur son chapeau — des mécréants ont dit: et peut-être aussi grâce à elles — Louis XI (1423-1483) a largement contribué à asseoir la solide réputation de paillardise des rois et empereurs français. Aimant toutes les femmes, sauf la sienne, il en changeait « comme de chemise » a écrit cette vieille commère de Brantôme,[8] et la liste est longue de ces dames qui entrèrent dans l'Histoire par le rideau de son alcôve: la belle Gigonne, la Passefilon, Gogette Durand, Huguette de Jaquelin, Catherine de Vaucelle, Catherine de Salemmite, Félize Rognard et bien d'autres encore qui « tost allumées, tost estaintes, et jadis furent si mignotes », comme l'a chanté François Villon, contemporain de ce roi gaillard.[9]

Sans oublier Marguerite de Sassenage, prise un jour dans le collimateur royal alors qu'elle rajustait un ruban bien placé et qui, de ce fait, conçut deux bâtardes promises aussi à de belles carrières. Elle fut sans doute l'unique passion sincère d'un souverain peu sentimental et cette liaison aurait pu se prolonger exceptionnellement lorsque l'astrologue du monarque lut dans les étoiles sa fin imminente. En effet, la semaine suivante, l'éphémère Marguerite était emportée par un « mal inconnu », ainsi que la science médicale du temps nommait la plupart des maladies.

Accablé et soupçonnant les devins d'aider parfois le destin à confirmer leurs pronostics, Louis XI ordonna à ses gardes de défenestrer l'astrologue. Ce mode d'exécution, sans cérémonie, mais propre et efficace vu la profondeur des fossés du château, offrait aussi l'avantage de ne pas grever son budget, car il était plutôt pingre. Il crut bon auparavant d'humilier le condamné en lui demandant ironiquement s'il avait lu aussi dans le ciel l'arrêt de son propre trépas. L'autre ayant répondu que tout y était inscrit et que son heure sonnerait trois jours avant celle d'un grand roi, cette perspective lui déplut. Il prétexta le froid très vif et fit refermer la fenêtre.[10]

---

8. Auteur de savoureux Mémoires historiques, dont *Les vies des dames galantes* (1540-1614).
9. Poète et truand parisien, auteur de la célèbre *Ballade des pendus* (1421-1465?).
10. L'astrologue de Louis XI se nommait Galeotti. Selon les historiens, cet épisode a plusieurs versions, mais le dénouement en reste identique.

« Que toutes personnes se mêlant de deviner, et se disant devins ou devineresses, videront incessamment le royaume après la publication de notre présente, à peine de punition corporelle (...) et s'il se trouvait à l'avenir des personnes assez méchantes pour ajouter et joindre à la superstition l'impiété et le sacrilège, sous prétexte d'opérations de prétendue magie, ou autre prétexte de pareille qualité, nous voulons que celles qui s'en trouveront convaincues soient punies de mort. »

Ainsi débute l'ordonnance de Colbert, ministre de Louis XIV, promulguée en 1682. Elle venait après l'épouvantable scandale de l'Affaire des Poisons qui avait bouleversé la France,[11] mais le roi avait aussi un vieux compte à régler. Dix-huit ans plus tôt, en galante compagnie et sous un déguisement discret, il s'était rendu chez une « somnambule » renommée. Celle-ci lui avait prédit qu'il deviendrait veuf et se remarierait avec « une veuve surannée, de la plus basse extraction et en deuil d'un infirme libertin ». Bref, une horrible femme, qui aurait servi à beaucoup, prendrait sur lui un ascendant regrettable et le conduirait à commettre de lourdes fautes.[12]

Toutes choses assez vexantes pour un jeune monarque absolu déjà au faîte de sa gloire, mais le Roi-Soleil avait pris le parti d'en rire (un peu jaune). Il n'empêche qu'en 1684, à l'âge de quarante-six ans, la reine Marie-Thérèse étant morte l'année précédente, il épousa secrètement la gouvernante de ses enfants, tel un veuf défraîchi convole avec sa vieille bonne. De trois ans son aînée, Mme de Maintenon avait été la femme de Scarron, le poète cul-de-jatte. Après avoir mené joyeuse vie, posant nue pour les artistes comme une « playmate » de *Playboy,* elle s'était recyclée dans la vertu intransigeante. Rien de pire que ces conversions tardives. La Cour de Versailles sombra bientôt dans une pudi-

11. De 1670 à 1680, à Paris, des maris gênants, des rivales en amour, des parents fortunés qui faisaient languir leurs héritiers, moururent bizarrement comme des mouches. Des noms prestigieux ayant été prononcés par les enquêteurs, dont celui de Mme de Montespan, mère de sept de ses bâtards (les mauvaises langues affirment qu'il en eut près de quatre-vingts) Louis XIV, atterré, préféra étouffer l'affaire.
12. Paul Mariel, *Le Diable dans l'Histoire* (1961).

bonderie accablante, principal ferment de l'explosion de débauche qui souillera le règne suivant. Parmi les erreurs dont Louis XIV se rendra coupable, subjugué par la bigoterie de son dragon, figure en bonne place la révocation de l'Édit de Nantes. Cet acte insensé, aux conséquences désastreuses pour le pays, allait provoquer l'exode massif vers l'étranger de l'élite protestante française.[13]

L'homme le plus riche du monde

Le jour de sa naissance, le 15 décembre 1892, à Minneapolis (U.S.A.), la petite fée Pétrole, encore bien pauvrette, ne se tenait pas auprès de son berceau. Paul Getty ne la rencontra que vingt-trois ans plus tard, le temps qu'elle devint une grande belle fille, et ce fut tout de suite le coup de foudre. Un mage noir lui avait prédit qu'il serait riche, très riche, et tirerait sa fortune de l'eau qui est dans le sable. Cela paraissait paradoxal: où l'on trouve beaucoup de sable — au Moyen-Orient, par exemple — il y a généralement peu d'eau. Mais les vieux « coloured men » du Mississippi s'expriment, comme l'Évangile, par paraboles, et Getty fut le premier à flairer les fantastiques richesses du pays des émirs qui dormaient ensevelies sous le pas lent des caravanes. Il commença par construire à ses frais quelques mosquées, histoire de mettre de son côté Allah et les populations locales, puis trépana le sol arabique jusqu'à ce qu'en jaillisse cet or noir qui cause tant de soucis aujourd'hui.

Toutefois, s'il a perdu le sourire, la faute en incomberait uniquement à deux « liftings » successifs qui lui interdisent toute contraction des zygomatiques et aucune femme un tant soit peu anxieuse de sécurité n'hésiterait encore un instant à lui confier son avenir. Un seul ennui pour les postulantes

---

13. En 1685. Oeuvre de son grand-père, Henri IV, l'Édit de Nantes avait mis fin aux guerres de Religion en accordant aux calvinistes une plus grande liberté de culte, tout en les réintégrant dans la société française. Il est à noter que, tel aïeul, tel petit-fils, le roi Vert-Galant avait été poussé à poser ce geste de réconciliation nationale par sa maîtresse du moment, Gabrielle d'Estrée, charmante ancêtre du visagiste parisien bien connu, Jean d'Estrée. Non pas qu'elle eût des idées très libérales, mais elle désirait se concilier l'estime des protestants « qui la haïssaient et l'accusaient de s'enrichir aux dépens de l'État » (Guy Breton, *Histoires d'amour de l'Histoire de France*).

éventuelles, la prédiction de Minneapolis dit aussi que s'il se mariait plus de cinq fois, la suivante lui serait fatale. « L'homme le plus riche du monde » a déjà raflé également tout ce qu'un destin prodigue lui accordait dans ce domaine et, à quatre-vingt-quatre ans, il reste superstitieux.[14]

Une histoire de portefeuille et de « fluide cosmique »

C'est un programme quotidien très populaire de la télévision montréalaise au cours duquel, sur un ton généralement détendu, on « jase » de toutes sortes de choses. Comme il était question ce soir-là d'occultisme, avec la participation de médiums professionnels, l'un des deux animateurs du « talk-show », qui venait de constater la disparition de son portefeuille, en profita pour demander à une invitée s'il lui était possible d'identifier son voleur. Celle-ci, une aimable personne un peu rondelette, répondit sans hésiter par l'affirmative, ajoutant qu'elle désignerait le coupable une fois l'émission terminée. Et, le suspense continuant, on se remit à « jaser ».[15]

À quelques semaines de là, le propriétaire du portefeuille put enfin informer le public des divers développements de l'affaire. Les caméras à peine éteintes, il avait sollicité de nouveau l'extralucide qui, soudainement réticente, l'avait prié de l'appeler chez elle. Tenace, il ne s'était pas fait faute de se pendre à son téléphone — chaque fois, hélas, sans succès — jusqu'au jour où, excédé à juste titre, M. Z, l'époux de la dame, lui avait expliqué la raison de cette dérobade. Sa femme savait qui était le voleur, mais n'avait pas le droit

14. L'année 1975 a été néfaste aux Crésus modernes. Après feu Onassis qui n'aurait « valu », dit-on, qu'un petit soixante-quinzième de Getty, S. M. Haïlé Sélassié, descendant de Salomon et de la reine de Saba, empereur d'Éthiopie et Roi des Rois, vient de disparaître à quatre vingt-quatre ans. Aucun prophète ne l'avait apparemment averti que la grande famine de l'hiver 1973-74 lui coûterait auparavant son trône et sa fortune. Aussi discret que ses 100 000 sujets morts de malnutrition (250 000 serait un chiffre plus vraisemblable) et se fiant sans doute à la générosité internationale pour secourir son malheureux peuple, le parcimonieux monarque n'avait pas cru devoir écorner ses économies engrangées dans les banques suisses. Aux premières estimations, « la cagnotte du Négus », selon l'expression du *Canard enchaîné* (6 nov. 1974), s'évaluait déjà entre onze et quinze milliards de dollars U.S.
15. Cette émission fut diffusée pendant l'été 1974.

de faire certaines révélations. Si elle désobéissait à cette règle, les puissances supérieures la puniraient sûrement en lui retirant *son fluide cosmique.* Sensible à l'argument, l'animateur s'était excusé.

Et comme il achevait ce récit, les téléspectateurs virent son compère, jusque-là muet, lui rendre un portefeuille d'une minceur désolante qu'avait dû leur prêter l'accessoiriste du studio. Les deux complices — il y aura toujours des incrédules — avaient voulu simplement donner à Mme Z une chance de les guérir d'un scepticisme maladif. Sans se douter qu'ils l'exposaient à perdre son « fluide cosmique ».

L'astrologue en taxi et le mage nudiste aux bougies

C'est à l'aéroport Kennedy de New York que le mari d'une amie fit un jour la connaissance d'un chauffeur de taxi peu ordinaire. Âgé d'une trentaine d'années, ce dernier avait tout de suite deviné en lui le businessman un peu nerveux qui a un rendez-vous important et, tout en conduisant, l'examinait dans le rétroviseur. Soudain, un peu surpris, il l'entendit lui dire qu'il avait des mains très belles, des mains vraiment intéressantes, assurément celles de quelqu'un qui allait réussir un « gros coup ».

Aucune réflexion ne peut sonner plus agréablement à l'oreille d'un homme d'affaires visiblement préoccupé par le contrat à décrocher. L'atmosphère en fut aussitôt réchauffée et la conversation, si bien engagée, prit rapidement un tour confidentiel. Le chauffeur disait maintenant qu'il s'occupait surtout d'astrologie. Il avait même été invité à la télévision, dans le meilleur programme de toute l'Amérique du Nord, « Le Carson Show » — vous m'avez peut-être vu? Pourquoi continuait-il de « faire le taxi » au lieu d'ouvrir un bureau? Tout simplement parce qu'il avait ainsi l'occasion de rencontrer des mains passionnantes. C'est en voyant leurs mains que, d'un coup d'oeil, il « pesait » les gens qu'il transportait et beaucoup lui demandaient après de les étudier plus longuement. Comment ne pas être tenté dans une pareille circonstance, même si jusqu'à présent on était plutôt sceptique?

Son taxi rangé sur le bas-côté de la route, le chauffeur-astrologue tint d'abord à montrer ses références. Collées sur un album, il conservait précieusement les photos des mains de ses clients, tous ou presque, selon lui, des personnes connues, dont plusieurs de Montréal. Puis il sollicita l'autorisation de photographier celles de son dernier passager pour les joindre à sa collection et aborda enfin la question délicate. Pour vingt dollars en acompte et quinze autres à la livraison, il pouvait lui faire parvenir à domicile un horoscope complet et détaillé, plus un petit souvenir offert à titre gracieux. Curieux de pousser l'expérience jusqu'au bout, le mari de notre amie accepta de jouer le jeu.

Six semaines plus tard, une lettre manuscrite, qui lui fit une bonne impression, l'informait en termes chaleureux que le travail était prêt. Son horoscope révélait une destinée exceptionnelle et, moyennant l'envoi du petit reliquat convenu, lui serait expédié par retour du courrier. Il le reçut effectivement dans le délai promis, sous l'emballage impressionnant d'un grand rouleau cartonné, mais seul le cadeau-surprise qui y était joint justifiait (à la rigueur) ses trente-cinq dollars. Sur une feuille de 50 cm × 65, l'astrologue en taxi, plus artiste qu'homme de science, avait dessiné ses mains au fusain. Quant à l'horoscope, il se réduisait au photostat d'une étude de personnalité, anodine et passe-partout, faisant tout au plus trente lignes.

Montréal a aussi ses « sorciers » pittoresques, et l'histoire du mage nudiste aux bougies ajoute aux mystères de la parapsychologie un petit grain amusant d'érotisme satanique.

Se méprenant sans doute sur nos activités réelles, cette jeune femme nous avait appelée pour nous prier de lui indiquer « la bonne adresse », c'est-à-dire celle de l'oiseau rare, la perle des pythonisses ou le superman des clairvoyants. Elle en avait consulté plusieurs, sans être entièrement satisfaite, et un vide sentimental mal supporté la rendait anxieuse de savoir ce qui l'attendait derrière un horizon pour le moment bouché. Une chose nous frappa tandis qu'elle énumérait les devins déjà visités. Avec une sorte de frayeur rétrospective, elle avait tenté d'escamoter un nom en s'exclamant: « Ah! non, merci, pas celui-là! » Il s'agissait de X, connu par quelques apparitions au petit écran et qui partageait ses talents entre le monde artistique et celui de l'occultisme, sans qu'on sut exactement où était son violon d'Ingres. Ce fut après beaucoup d'hésitations que notre interlocutrice se décida à dire pourquoi elle l'avait rayé de sa liste.

Ayant téléphoné à X pour obtenir un rendez-vous, il s'était enquis discrètement de la nature de son problème et lui avait offert de venir chez elle. Ce n'était pas dans ses habitudes d'opérer à domicile, toutefois, quand le cas l'intéressait *particulièrement*, il préférait se déplacer, car un lieu déjà imprégné du magnétisme du sujet favorisait sa médiumnité. Vivement impressionnée, elle s'était empressée d'accepter. Elle allait s'apercevoir bientôt qu'il avait aussi d'autres moyens d'accélérer sa mise en transe.

En arrivant, il commença par réclamer des bougies, prétextant qu'une lumière trop vive nuisait à l'ambiance nécessaire, et il organisa l'éclairage adéquat avec le soin d'un cinéaste réglant celui d'une scène de messe noire. La suite devenait un peu confuse dans la mémoire de la jeune personne. Elle se souvenait tout de même que, pour mieux la capter, il lui avait suggéré de retirer son pull dont les fibres synthétiques devaient faire bouclier. Cela ne suffisant pas encore, elle avait dû sacrifier une autre partie de ses vêtements également antimagnétique. Mais une dernière exigence l'ayant sérieusement inquiétée, elle s'était enfin ressaisie et avait flanqué le mage à la porte.

En somme, c'était raté. Mais il y a gros à parier que cette forme originale d'occultisme ne doit pas toujours se heurter à des clientes aussi incompréhensives.

Les prédictions électorales

L'expérience montre que les hommes politiques ont parfois de cruelles déconvenues en se fiant un peu trop rapidement aux sondages d'opinion supposés refléter la volonté du bon peuple. Tel qui croyait l'emporter se retrouve à compter ses fidèles restés sourds à d'autres séducteurs et maudit l'optimisme des calculs électroniques. De grands voyants ont connu des déboires semblables en se penchant imprudemment sur le mystère des urnes, et une célèbre extralucide parisienne aurait ainsi perdu (momentanément) la confiance d'une partie de sa clientèle pour avoir joué gagnant M. Chaban-Delmas aux dernières élections présidentielles françaises.

Est-ce à dire que le sphinx de l'électorat serait immunisé contre « le fluide cosmique »? On cite pourtant un cas où il n'était pas vacciné, mais le fait remonte déjà à la fin du siècle dernier. Le 27 juin 1894, vers neuf heures du matin, alors que la France s'apprêtait à choisir un successeur au président Sadi Carnot, assassiné à Lyon par un anarchiste, dans cette même ville — coïncidence curieuse — un étudiant en médecine, nommé Gallet, préparait chez lui un examen en compagnie d'un camarade. Tout à coup, lit-on dans *Les Annales des Sciences psychiques* (octobre 1910), « il fut distrait impérieusement par une pensée obsédante. Une phrase inattendue s'imposait à son esprit avec une telle force qu'il ne put s'empêcher de l'écrire d'un trait sur son carnet de notes. Cette phrase était, textuellement: M. Casimir-Perier est élu président de la République par 451 voix. »

Dans l'après-midi, la « prédiction » de Gallet, colportée par son ami, fit la joie de la Faculté. Toutefois, à la sortie des cours, en entendant les marchands de journaux crier le résultat du scrutin, les rieurs durent se rendre à l'évidence: le candidat élu était bien Casimir-Perier, porté à la présidence par 451 voix.[16] Un procès-verbal fut dressé et les signatures de plusieurs témoins attestèrent avec enthousiasme la clairvoyance du « prophète ».

Exemple de prémonition authentique ou simple farce de carabins imaginée après coup? Les différents auteurs qui le rapportent sont considérés comme des gens sérieux.

Inspirée par l'archange Gabriel

Il y avait autrefois, dans le faubourg Poissonnière, à Paris, une demoiselle d'un milieu modeste, mais respectable, qui faisait, selon l'expression, bouillir la marmite familiale en disant la bonne aventure. Lorsque la clientèle était du sexe dangereux et comme elle n'avait tout juste que vingt ans, son père, un homme de devoir, se tenait derrière la porte et estimait plus convenable d'encaisser lui-même à la sortie les honoraires des consultations. Henriette Couëdon, c'était son nom, avait la rare faculté de pouvoir communiquer directement avec l'archange Gabriel, dont les voyances sont restées célèbres, et elle en recevait des messages sous la forme de petits poèmes. À vrai dire, l'archange n'était pas très bon versificateur, mais cet effort littéraire justifiait néanmoins un tarif un peu plus élevé que celui des concurrentes ordinaires qui, elles, ne prophétisaient qu'en prose.

L'affaire allait son petit train, quand Gabriel ayant prévu opportunément un remaniement ministériel, la jeune

16. Les présidents français n'étaient pas encore élus au suffrage universel. Ce Casimir-Perier (1847-1907) fut un locataire furtif de l'Élysée: il démissionna six mois après.

Henriette connut une notoriété soudaine. Suprême consécration, *L'Illustration* — le *Paris-Match* de l'époque — publia une photographie où, parée de son plus beau corsage à col et manchettes de guipure, on la voyait, les mains jointes, lever un regard reconnaissant vers son informateur céleste.[17]

Du jour au lendemain, le Tout-Paris de la Belle Époque se bouscula dans le minuscule appartement des Couëdon, perché démocratiquement au quatrième étage d'un immeuble sans ascenseur. Puis, les belles élégantes, d'abord ravies d'aller s'encanailler une heure au Faubourg, jugèrent que la nouvelle Pythie logeait décidément trop haut et l'envoyèrent chercher par leurs cochers. Chaperonnée par un père infatigable qui l'attendait à l'office, Henriette connut bientôt tous les plus chics hôtels du Bois. Les maîtresses de maison se l'arrachaient littéralement, au grand bénéfice de la marmite, et réunissaient pour l'entendre le « gratin » de la capitale. Seule, au milieu d'un cercle de dames endiamantées et de messieurs en habit, peletonnée sur un fauteuil et disséquée par les faces-à-main, la jeune fille fermait les yeux, implorant Gabriel de ne pas la laisser tomber. Et lorsque l'archange, secourable, lui avait soufflé quelques strophes de sa bizarre poésie, la noble assistance applaudissait du bout des gants en déclarant l'attraction charmante.

Ce fut au cours d'une de ces soirées « fashionables » qu'elle débita d'un trait ce court poème encore plus exécrable qu'à l'accoutumée et dont la chute était même franchement vulgaire:

Près des Champs-Elysées
Je vois un lieu plus élevé
Qui n'est pas pour la piété
Mais qui en est rapproché
Dans un but de charité
Je vois le feu s'élever
Et des gens hurler
Des chairs grillées
Des corps calcinés
J'en vois par pelletées!

Et, sur sa lancée, elle ajouta qu'elle voyait aussi mourir à brève échéance une personnalité de sang royal. On feignit

17. *L'Illustration,* 11 avril 1896.

poliment de frissonner avant de sourire avec indulgence. À la vérité, personne n'avait compris grand-chose au charabia de cette enfant du peuple. Quel pouvait être ce « lieu plus élevé » qui, sans être une église, n'en était pas moins voué au Seigneur puisqu'on y cultivait l'amour de son prochain?

Quatre mois plus tard, le 4 mai 1897, on ne s'entretenait à Paris que de la grande vente de charité qui se tenait rue Jean-Goujon, non loin des Champs-Élysées. Dans un vaste baraquement construit pour la circonstance, des dames de la haute société faisaient leur B.A. annuelle en jouant à la marchande au profit des déshérités. Brusquement, tout flamba comme une allumette et l'on se piétina à mort devant les issues trop étroites: 147 victimes furent retirées des décombres, toutes pour le moins comtesses, duchesses, altesses, filles de rois ou soeurs d'impératrices. Et beaucoup parmi celles-ci, un soir de l'hiver précédent, avaient trouvé follement amusant le puéril babil prophétique de la petite Henriette Couëdon.

Quant au personnage princier promis également à une fin prochaine, selon l'archange Gabriel, il mourut trois jours après, mais non loin de Paris, en Sicile où il voyageait. C'était le duc d'Aumale, général et historien, fils du dernier roi de France, Louis-Philippe Ier. Il succomba à une crise cardiaque en apprenant que sa nièce, Sophie-Charlotte de Vittelsbach, avait péri dans la catastrophe du « Bazar de la Charité ».[18]

Vrai ou faux?

La bonne excuse:

> « Quand la prévision de l'homme ne s'est pas réalisée, c'est l'ordre de Dieu qui s'exécute. »
>
> — PFAHOTEP,
> vizir d'un roi égyptien
> de la Ve dynastie
> (2500 ans av. J.-C.)

À l'aube du 20 février 1524, après une nuit blanche, l'Europe entière, comme un seul homme, se précipita dans les rues en scrutant le ciel avec angoisse. D'après les calculs de l'illustre astrologue allemand Johannes Stöffler, élève du

18. Historia, *La Magie de Nostradamus à Madame Soleil* (1974).

génial Regiomontanus, la première goutte de pluie devait signifier le début d'un nouveau déluge universel. À Toulouse — un cas entre mille — un magistrat nommé Auriol s'embarqua à bord d'une arche qu'il avait construite dans sa cour sur les plans de celle de Noé. Mais le firmament, ce jour-là, resta vide de nuages, ainsi d'ailleurs que le lendemain, et, ironie du sort, la fin de l'hiver fut plutôt sèche.

Ce n'était pas la première fois qu'un prophète fourvoyé infusait sa propre frousse aux masses toujours réceptives,[19] mais il ne faut pas sourire trop vite de la crédulité de ces temps déjà lointains. Il n'y a pas encore si longtemps que l'acteur de cinéma Orson Welles provoqua involontairement l'affolement des Américains en décrivant à la radio une invasion de la planète par des extra-terrestres.[20] La seule différence, c'est qu'aujourd'hui, grâce aux télécommunications, la moindre divagation d'un mage halluciné contamine instantanément les deux hémisphères.

En juillet 1960, un Milanais, Elio Bianca, pédiatre sans clientèle et fondateur d'une religion se réclamant du prophète Isaïe, annonça l'apocalypse pour le quatorzième jour du mois, exactement à 2 heures 45 après midi. Toutes les montagnes s'écrouleraient, à l'exception du mont Blanc situé par chance près de Milan, et seulement douze millions d'humains échapperaient au cataclysme. Aussitôt, sur toutes les ondes, la grande panique millénaire galopa autour du globe. Au cap de Bonne-Espérance, la nuit du 13 au 14 juillet se passa en prières. À Bombay, à Calcutta, les bonzes refusèrent du monde et à Cébu, aux Philippines, des foules hysté-

19. Plus prudent, Christophe Colomb, amiral amateur qui découvrit les Antilles par hasard et, croyant y trouver de l'or, en rapporta la syphilis, avait prédit, lui, « sa » fin du monde pour 1650, dans un *Livre des Prophéties* écrit à l'intention de la reine d'Espagne, Isabelle la Catholique. (Philippe Erlanger, *Aventuriers et favorites*).

20. En octobre 1938. Il s'agissait d'une adaptation radiophonique d'un roman de fiction de son homonyme H. G. Wells, *La Guerre des Mondes,* et Orson Welles avait imaginé que le débarquement des Martiens avait lieu dans le New Jersey. Prises de panique, des milliers de personnes se répandirent dans les rues, hurlant et récitant des prières. Le calme revenu, des auditeurs se ruèrent chez leurs avocats pour réclamer à la station émettrice plus de 700 000 dollars de dommages et intérêts, mais la justice eut le bon goût de se mettre du côté des rieurs.

riques assiégèrent les églises. Aux États-Unis (encore!), des privilégiés s'enfouirent dans leurs abris antiatomiques, ces modernes arches de Noé, et des ménagères avisées réglèrent leurs notes d'épicerie avec des chèques post-datés, payables après la « fin du monde ». Quant au signor Elio Bianca, responsable de toute cette agitation, il attendait tranquillement sur le mont Blanc, entouré de ses apôtres. L'heure fatidique ayant sonné sans déclencher d'incident notable, un immense soupir de soulagement desserra, une fois de plus, des millions de poitrines.

Pas pour longtemps, hélas. Six mois plus tard, on apprenait qu'une conjonction de huit planètes, dans le signe du Capricorne, fixait définitivement l'échéance fatale entre le 3 et le 5 février 1961. La Terre allait éclater et il n'y aurait pas de survivants. Cette fois, la chose paraissait sérieuse: ce n'était plus un farfelu de petit médecin italien qui donnait l'alarme, mais des moines tibétains, des gens qui avaient « le troisième oeil », comme on le savait depuis les romans de Lobsang Rampa. Et tout recommença de plus belle. Aux Indes, à Londres, à New York, ailleurs encore, on s'affola de nouveau avec autant de conviction. La Grande Peur n'épargna même pas les Papous de la Nouvelle-Zélande.[21]

Les vaticinations de nos « sorciers » modernes, une fois confirmées ou infirmées par le Destin, pourraient constituer un de ces jeux-questionnaires où il faut répondre « vrai » ou « faux ». Imaginons un instant un professeur de l'an 2000 proposant à ses étudiants cet examen d'Histoire mondiale:

> *Première question:* « C'est l'année 1945 qui semble la plus dangereuse pour l'existence et la santé de Mussolini.[22] Vrai ou faux?
>
> *Deuxième question:* « Le destin qui pose cet homme (Adolf Hitler) à la tête de l'Allemagne ne lui permet pas d'entreprendre ni le mariage ni la guerre. S'il voulait forcer sa décision pour l'une ou

---

21. Robert Charroux, *Histoire inconnue des hommes depuis cent mille ans* (Laffont, 1963).
22. Prédiction faite en octobre 1938, dans la revue *L'Avenir du monde,* par l'astrologue-alchimiste Armand Barbault. Réponse du bon élève: vrai. Le dictateur fasciste fut exécuté par des résistants italiens le 28 avril 1945.

l'autre chose, il verrait s'estomper rapidement son autorité et son pouvoir. »[23]

Troisième question: « Le renforcement de l'autorité se fera (en France) sous l'impulsion de la conjonction Mars-Jupiter de 1940. Cette formule énergique amènera au pouvoir un militaire déjà âgé qui essaiera de recréer la confiance. »[24]

Jusque-là, le fort en thème ne s'est pas trompé en répondant « vrai », mais, attention, il y a aussi des pièges:

Quatrième question: « 1936 — Mrs Wally Simpson sera la reine la plus populaire de toute l'histoire de l'Angleterre. »[25]

Cinquième question: « 1938 — 15 ans de paix sur l'Europe! » (Sous-titre d'un recueil de prédictions, *L'Astrologie mondiale).*

Sixième question: « 1939 — On a trop cru que l'Allemagne était forte, on va prendre maintenant la mesure de ses faiblesses. »[26]

Septième question: « 1952 — Début d'une troisième guerre mondiale. »

Huitième question: « 1953 — Fin du régime communiste en Russie et avènement d'un tsar qui régnera sous le nom de Michel. »[27]

Neuvième question: « 1954 — Nouvelle révolution en Chine et condamnation du président Mao Tsé-toung pour crime de haute trahison. »

---

23. Armand Barbault *(L'Avenir du Monde,* octobre 1938). Vaincu, Hitler épousera sa maîtresse et tous deux se suicideront quelques heures après, le 30 avril 1945.
24. Du même *(L'Avenir du Monde,* avril 1939). En juin 1940, le maréchal Pétain, âgé de quatre-vingt-quatre ans, devient le chef du gouvernement français.
25. Prédiction d'un astrologue publiée quelques semaines seulement avant l'abdication d'Édouard VIII. Mrs Simpson ne deviendra pas Wally d'Angleterre, mais simplement duchesse de Windsor.
26. Du même, toujours en verve, qui avait si bien auguré de l'avenir de Mrs Simpson trois ans auparavant.
27. Prophétie rapportée par A. Soljénitsyne dans *L'Archipel du Goulag.* C'est un certain Victor Alexéïévitch Belov, né en 1918 et fils d'un conducteur de locomotives qui devait monter sur le trône des Romanov sous le nom de Michel Ier.

Dixième question: « 1965 — Début d'une troisième guerre mondiale. »[28]

Onzième question: « 1974 — Les Arabes porteront le combat jusqu'en territoire israélien (...) Et je vois de grandes capitales arabes bombardées: Le Caire, Beyrouth, Damas, Bagdad, Tripoli et bien d'autres secteurs, mais aussi Jérusalem! »[29]

Douzième question: « 1974 — Pas de nouveau conflit israëlo-arabe. »[30]

Le jeu continue...

28. Comme « la fin du monde », il est à remarquer que « la troisième guerre mondiale » revient souvent dans les prédictions des astrologues.
29. Mario de Sabato.
30. Hans Zeuger, le plus célèbre astrologue de Tel-Aviv.

XIV De quoi demain sera-t-il fait?

« Oh! demain, c'est la grande chose!
De quoi demain sera-t-il fait? »

— VICTOR HUGO
Les Chants du crépuscule

« Une grande idée m'est venue, fonder une nouvelle religion pratique qui ne promette pas la félicité pour la vie future, mais la procure sur cette terre. »

— LÉON TOLSTOÏ

Le destin d'Israël selon les textes sacrés

Au VIIe siècle, après la domination romaine et ses persécutions, ses massacres, ses déportations, la Palestine tombe sous le joug arabe. En 637 — Mahomet, le fondateur de l'islamisme est mort depuis cinq ans — le calife Omar, chef des croyants, entre en vainqueur dans Jérusalem. Tous les prophètes bibliques ont annoncé ce drame qui va provoquer un nouvel exode du peuple juif et sa dispersion à travers le monde — une fuite au regard de son Dieu, un abandon qui s'ajoute à ses péchés. Osée[1] a même prédit le châtiment de cette démission: « Hephraïm (Israël) mènera ses enfants vers celui qui les tuera » (9-13, ce qui semble préfigurer les camps d'extermination hitlériens. Puis, après le pardon — « Je renonce à détruire Hephraïm; car je suis Dieu, et non pas un homme » (11-9) — ce sera le retour vers la Terre promise.

Quand cela se produira-t-il? Il est dit dans *l'Apocalypse* (11-2) que les nations ennemies d'Israël « fouleront aux pieds la ville sainte pendant quarante-deux mois ». En langage prophétique, il s'agit de « mois d'années », c'est-à-dire des

1. L'un des douze petits prophètes juifs avec Joël, Amos, Sophonie, etc. (Ve siècle avant J.-C.).

mois dont chaque jour équivaut à un an. Un mois comprenant en moyenne 30,4 jours, on obtient 1277 années, ce qui, ajouté à 637, date de la chute de Jérusalem, donne 1914. Or, l'occupation de la Palestine par les Musulmans durera exactement 1280 ans et la ville sainte sera libérée par les troupes anglaises en 1917. L'écart est minime. Et trente et un ans plus tard, l'État juif constitué, Israël ressuscitera.[2]

Le retour des errants, des rescapés, sur la terre des ancêtres où un Dieu apaisé et généreux les attend depuis treize siècles est longuement évoqué dans les Écritures: « Éternel, délivre ton peuple, le reste d'Israël! Voici, je les ramène du pays du Septentrion (l'Europe), je les rassemble des extrémités de la terre (...) Nations, écoutez la parole de l'Éternel et publiez-la dans les îles lointaines! Dites: Celui qui a dispersé Israël le rassemblera (...) Ils reviendront et pousseront des cris de joie sur les hauteurs de Sion (...) Je changerai leur deuil en allégresse et je les consolerai: je leur donnerai de la joie après leurs chagrins... » (Jérémie, 31-7 à 13) « Et les enfants accourront de la mer, ils accourront de l'Égypte, comme un oiseau, et du pays de l'Assyrie, comme une colombe,[3] et je les ferai habiter dans leurs maisons, dit l'Éternel. » (Osée, 11-10 et 11) « Je vous recevrai comme un parfum d'agréable odeur, quand je vous aurai fait sortir du milieu des peuples et sortir des pays où vous êtes dispersés (...) Et vous verrez que je suis l'Éternel quand je vous ramènerai dans le pays d'Israël que j'avais juré de donner à vos pères. » (Ézéchiel, 20-41 et 42).

Ce qu'on a appelé « le miracle d'Israël » (les kibboutz, le désert fertilisé par l'irrigation) est également annoncé: « Ils suceront l'abondance des mers et des trésors cachés dans le sable... » *(Deutéronome,* 33-19) « En ce temps-là, le moût ruissellera des montagnes, le lait coulera des collines et il y aura de l'eau dans tous les torrents de Juda. » (Joël, 3) « Ils redonneront la vie au froment et ils fleuriront comme la

2. Autre curiosité: au Xe siècle, l'astrologue musulman Ibn Khasri prédit que « l'homme qui viendrait prendre Jérusalem et l'enlever aux Arabes pour les temps à venir » aurait pour nom « Prophète de Dieu », en arabe « Allah nebi ». Et le général commandant les forces britanniques qui chassèrent les Turcs de Jérusalem en 1917 s'appelait Allenby. La consonance des noms est frappante.
3. Certains commentateurs veulent voir ici une allusion aux navires (comme *l'Exodus)* et aux avions qui rapatrieront les exilés.

vigne. » (Osée, 14-7) « La terre désertée sera cultivée, tandis qu'elle était déserte aux yeux des passants; et l'on dira: Cette terre dévastée est devenue comme un jardin d'Éden. » (Ézéchiel, 36-34 et 35) « Car je ferai de vous un sujet de gloire et de louange pour tous les peuples de la terre. » (Sophonie, 3-20).

Israël s'épanouira en magnificence et en force et tendra à déborder ses frontières: « Il fleurira comme un lys et il poussera des racines comme le Liban. Ses rameaux s'étendront... » (Osée, 14-5) « Multiplie le peuple, ô Éternel! Recule toutes les limites du pays... » (Isaïe, 26-15) Cependant, la prospérité et le rayonnement du jeune État juif susciteront des convoitises et des haines: « Voici, je ferai de Jérusalem une coupe d'étourdissement pour tous les peuples d'alentour, dit l'Éternel... » (Zacharie, 12-2) Mais qu'on prenne garde: « (Je le garderai) comme le berger garde le troupeau. » (Jérémie, 31-10) « Le Dieu d'éternité est un refuge et sous ses bras est une retraite... » *(Deutéronome,* 33-27) « Ils te feront la guerre, mais ils ne te vaincront pas; car je suis là pour te délivrer, dit l'Éternel. » (Jérémie, 1-19) « En ce jour-là, je ferai de Jérusalem une pierre pesante pour tous les peuples; tous ceux qui la soulèveront seront meurtris (Zacharie, 12-3)... La ville sera prise, les maisons seront pillées et les femmes violées (...) mais le reste du peuple ne sera pas exterminé de la ville (...) L'Éternel paraîtra et il combattra ces nations (14-2 et 3)... En ce jour-là, je ferai des chefs de Juda comme un feu ardent parmi du bois, comme une torche enflammée parmi des gerbes; ils dévoreront à droite et à gauche tous les peuples d'alentour, et Jérusalem restera à sa place, à Jérusalem... » et le plus faible de ses habitants « sera dans ce jour comme David » (12-6 à 8). « Tes ennemis fuiront devant toi et tu fouleras leurs lieux élevés... » *(Deutéronome,* 33-29)[4]

Et « voici la plaie dont l'Éternel frappera tous les peuples qui auront combattu contre Jérusalem: leur chair tombera en pourriture tandis qu'ils sont sur leurs pieds, leurs yeux tomberont en pourriture dans leurs orbites, et leur langue tombera en pourriture dans leur bouche[5]... » (Zacharie, 14-

4. Rappelons qu'un astrologue libanais a prédit le bombardement aérien de la Mecque, haut lieu de l'Islam.
5. Préfiguration d'une guerre atomique ou de l'emploi d'une arme secrète?

12) « L'Égypte sera dévastée, Édom (le nord de l'Arabie) sera réduit en cendres, à cause des violences contre les enfants de Juda, dont ils ont répandu le sang innocent dans leur pays. Mais Juda sera toujours habité et Jérusalem, de génération en génération. » (Joël, 3-19 et 20) « Je ramènerai les captifs de mon peuple d'Israël (...) Je les planterai dans leur pays et ils ne seront plus arrachés du pays que je leur ai donné, dit l'Éternel, ton Dieu... » (Amos, 9-14 et 15) « (Ma main) leur a partagé cette terre au cordeau, ils la posséderont toujours, ils l'habiteront d'âge en âge. » (Isaïe, 34-17) « Jérusalem sera sainte et les étrangers n'y passeront plus... » (Joël, 3-17)[6]

Les conjonctions planétaires du XXe siècle

> « Les signes, du ciel et sur la terre, ne manquent pas: ce fut le travail de Dieu et des anges; ils avertissent et menacent les pays et contrées impies et ont tous une signification. »
>
> — MARTIN LUTHER,
> réformateur religieux allemand
> (1483-1546)

Depuis qu'ils prétendent déchiffrer les mystères du ciel, les hommes ont cru observer que des rencontres de planètes lentes (Mars, Saturne, Jupiter, etc.) dans un même secteur du zodiaque présidaient régulièrement aux grands tournants de leur histoire, les révolutions, les guerres et les chutes des empires et des religions. Rares, sinon nuls, lorsque tout est à peu près calme, ces rassemblements (ou conjonctions) se multiplieraient brusquement dès que l'humanité s'apprête à s'agiter en un point du globe, se faisant plus ou moins nombreux et rapprochés suivant la gravité des crises.

Notre vingtième siècle compterait déjà vingt-huit de ces

6. Plusieurs auteurs ont conclu à l'élimination définitive de l'État juif. Ainsi Mme Josane Charpentier (*Le Livre des Prophéties,* 1971) écrit: « Car, d'après toutes les prophéties, Israël ne sera pas vaincu dans le sens où on l'entend d'habitude, il sera anéanti — totalement. À la place où prospère actuellement Jérusalem, on ne verra plus que des tas de pierres et des trous d'obus. » Cela est loin d'apparaître dans cette suite d'extraits bibliques. Et la prophétie d'Ibn Khasri, citée précédemment en note, ne dit-elle pas aussi que Jérusalem sera enlevée aux Arabes « pour les temps à venir »?

indésirables rendez-vous célestes. Il y en eut quatre en tout et pour tout entre 1900 et 1913, pendant ces quatorze années que d'aucuns s'obstinent encore avec nostalgie à considérer comme le déclin d'une « Belle Époque »;[7] quatre de nouveau, mais coup sur coup, de 1914 à 1918 (premier conflit mondial); cinq seulement de 1919 à 1938, dont trois concentrées sur la crise économique de 1929-1931;[8] cinq marquèrent sinistrement les six années de la Seconde Grande Guerre (1939-1945) et on en note une dizaine de 1946 à 1974, avec une « heure » de pointe inquiétante (quatre conjonctions en sept ans) entre 1965 et 1971. Ce qui fait un total de vingt-huit.

L'astronomie prévoit encore onze rassemblements planétaires importants d'ici à l'an 2000 et, comme il ne s'en produira pas avant 1980, les vingt dernières années du siècle ne paraissent pas se présenter comme devant être de tout repos. Selon les pronostics, le moment critique se situera entre 1981 et 1984 avec cinq conjonctions en quatre ans, soit une concentration beaucoup plus serrée que pour chacune des deux grandes conflagrations mondiales de la première moitié du siècle. Les six autres s'étaleront sur les seize années restantes, avec un dernier point noir en 1995.[9]

Qu'adviendra-t-il exactement? Le ciel des astrologues signale mais ne définit pas. Toutefois, le désarroi qui grandit

---

7. C'est oublier un peu vite que cette période « heureuse » fut tout de même assombrie par des guerres coloniales à Madagascar et aux Philippines, par la révolte des Boxers en Chine (1900), la guerre des Boers en Afrique du Sud (1899-1902), le conflit russo-japonais (1904-1906); par des révolutions en Macédoine, au Tanganyka, au Natal, à Cuba, en Perse, en Turquie, au Portugal, au Mexique; par la conquête franco-espagnole du Maroc (1904-1911), la guerre italo-turque et les guerres balkaniques (1912-1913). Tous événements sans doute insuffisants pour troubler davantage le cours des planètes. *(Histoires secrètes des marchands de mort, Historia,* n° 37, 1974).
8. Il semble que les conjonctions planétaires aient été particulièrement sensibles aux ennuis des banquiers de Wall Street. De 1919 à 1938, sous un ciel en principe serein, on a enregistré plus de vingt soulèvements: en Irlande, en Mongolie, au Soudan, au Brésil, au Tonkin, en Syrie, en Inde, en Palestine, à Java, aux îles de la Sonde, etc. Sans parler d'une guerre russo-polonaise, de la conquête italienne de la Cyrénaïque et de l'Éthiopie, de deux révolutions au Mexique, de la guerre civile en Allemagne (1919), en Chine (1926 et 1930) en Espagne (1936), etc. *(Historia,* n° 37).
9. A. Barbault, *Le Pronostic expérimental en astrologie* (Payot, 1973).

partout dans le monde ne peut que laisser prévoir le dénouement relativement proche de la crise la plus aiguë qu'auront traversée les hommes. Tous les signes sont réunis: l'amoralité générale, les égoïsmes particuliers, les excès d'un capitalisme accroché à ses privilèges, les conflits sociaux qui tournent aux règlements de comptes, une violence jamais égalée même dans les âges les plus obscurs, l'orgueil d'une science délirante dont les crimes étouffent les bienfaits, la surpopulation, le racisme, la sottise, la destruction du milieu de vie,[10] le gaspillage et les famines, la faillite des vieilles Églises et le retour des superstitions, du satanisme, des drogues — mais aussi, cependant, la recherche par une certaine jeunesse d'une spiritualité nouvelle sans barrières de races et de dogmes. L'homme marche-t-il vers son suicide ou sa régénération? Laissons les prophètes modernes pour écouter des voix qui, par-dessus les millénaires, semblent prendre aujourd'hui une singulière résonnance.

Fin du monde ou fin d'un monde?

Car les écluses d'en-haut s'ouvrent
Et les fondements de la terre sont ébranlés,
La terre se déchire,
La terre se brise,
La terre chancelle,
La terre chancelle comme un homme ivre,
Elle vacille comme une cabane.
Son péché tombe sur elle,
Elle tombe et ne se relève plus...

— ISAÏE, 24-18 et 19

Écrit au présent, avec des répétitions qui en font une litanie hallucinée, ce texte semble moins une prophétie que le « reportage » d'une catastrophe planétaire dont l'auteur, projeté dans le futur au cours d'une transe, a été le témoin horrifié. Un homme, un poète, Esaïe ou Isaïe, conseiller d'un roi de Palestine, a « vu » cela il y a vingt-huit siècles. La Bible est remplie de ces anticipations de cauchemar qui continueront

10. « L'air sera infecté et corrompu à cause de la malice et de l'iniquité des hommes. » (Prédiction attribuée à saint Césaire et publiée pour la première fois en 1524 dans le *Liber Mirabilis,* recueil de prophéties moyenâgeuses.)

de hanter les visionnaires, et non seulement les prophètes juifs.

Lucain, un autre poète, mais païen celui-là, écrira au premier siècle de notre ère: « Le feu dévorera le monde, rien n'échappera à la fureur des flammes le jour où le ciel et la terre seront confondus en un même brasier. » La mythologie scandinave fait aussi état d'un incendie cosmique qui ravagera la terre après que les faux dieux se seront opposés dans une guerre mortelle; mais le feu étant davantage un élément purificateur qu'exterminateur, un monde neuf et meilleur naîtra des cendres de l'ancien. Même philosophie chez Sénèque, précepteur de Néron et contemporain du Christ: « Quand viendra le temps où le monde finira pour se renouveler ensuite, les étoiles heurteront les étoiles, et la matière s'embrasera de tous côtés et toute l'harmonie que nous admirons aujourd'hui brûlera d'un feu universel. »[11] Tandis qu'à Jérusalem, Jésus explique à ses disciples la parabole de « l'ivraie du champ »: « Le champ, c'est le monde... l'ivraie, ce sont les fils du malin... la moisson, c'est la fin du monde... Or, comme on arrache l'ivraie et qu'on la jette au feu, il en sera de même à la fin du monde. Le Fils de l'homme enverra ses anges, qui arracheront de son royaume tous les scandales et ceux qui commettent l'iniquité; et ils les jetteront dans la fournaise ardente, où il y aura des pleurs et des grincements de dents. Alors les justes resplendiront comme le soleil dans le royaume de leur Père. » (Matthieu, 13-38 à 43) et Pierre répétera après lui: « En ce jour, les cieux passeront avec fracas, les éléments embrasés se dissoudront, et la terre avec les oeuvres qu'elle renferme sera consumée (...) Mais attendons, selon sa promesse, de nouveaux cieux et une nouvelle terre, où la justice habitera... » (*Seconde Épître,* 3-10 et 13).

Donc, pas d'holocauste définitif, mais une purification par le feu.

---

11. Rappelons à ce propos une « prédiction » scientifique. En 1966, un astronome portugais annonça qu'un astéroïde baptisé Icare, d'un diamètre d'un kilomètre et demi, heurterait la Terre le 15 juin 1968 avec une force explosive équivalant à mille bombes à hydrogène. Mais le 26 juillet 1966, *l'Agence Reuter* publiait un communiqué dans lequel un confrère anglais, Sir Bernard Lowell, de l'Observatoire de Jodrell Bank, affirmait que le bolide se désintégrerait en pénétrant dans l'atmosphère. Ce que Icare dut faire raisonnablement, à moins qu'il n'ait mal visé.

Les événements qui doivent refaire le monde

> « Prenez garde qu'on ne vous séduise. Car plusieurs viendront sous mon nom, disant: C'est moi le Christ. Et ils séduiront beaucoup de gens. Vous entendrez parler de guerres et de bruits de guerres: gardez-vous d'être troublés car il faut que ces choses arrivent. Une nation s'élèvera contre une nation, et un royaume contre un royaume, et il y aura, en différents lieux, des famines et des tremblements de terre. Tout cela ne sera que le commencement des douleurs. Alors on vous livrera aux tourments, et l'on vous fera mourir; et vous serez haïs de toutes les nations à cause de mon nom (...) Et parce que l'iniquité se sera accrue, la charité du plus grand nombre se refroidira. Mais celui qui persévérera jusqu'à la fin sera sauvé. Cette bonne nouvelle du royaume sera prêchée dans le monde entier, pour servir de témoignage à toutes les nations. Alors viendra la fin (...) Ce qui arriva du temps de Noé arrivera de même avant l'avènement du Fils de l'homme. »
>
> — MATTHIEU, 24-4 à 38

Ces paroles que Matthieu prête à Jésus résument la marche des événements qui, selon la Prophétie, doivent transformer le monde pour le rendre plus équitable. Déjà, de « faux Christ » sont venus promettre cet âge d'or qui succédera à « la fin » et continuent de séduire les masses avec des doctrines fallacieuses ou encore mal digérées qui ne sont qu'une caricature inavouée de celle que le « vrai » prêcha jadis.[12] De toute façon, l'homme n'est pas prêt. Le monde futur

12. Des commentateurs assimilent les « faux Christ » et l'Antéchrist (celui qui viendra avant prêcher une idéologie mensongère) aux « soi-disant » doctrinaires socialistes ou communistes qui ont suscité dans le monde un grand espoir encore déçu. Cette interprétation est d'ailleurs loin d'être récente. Au Xe siècle, rappelons-le, dans une prédiction qui s'applique étrangement au démembrement de l'Allemagne après sa défaite de 1945, l'abbesse saxonne Hroswitha annonçait: « Il n'y aura plus de Saint Empire, et sur ses ruines naîtront l'empire du Christ et celui de l'Antéchrist » (l'Allemagne de l'ouest en principe chrétienne et celle de l'est, communiste et satellite de la Russie).

ne sera meilleur que s'il s'améliore d'abord lui-même et il est si corrompu que sa régénération ne pourra advenir que de l'enseignement salutaire d'une grande épreuve commune. Donc, « il faut que ces choses arrivent ». Pour que s'ouvre enfin sa conscience, il faudra encore des guerres, des famines, et même que la terre menace de l'engloutir, comme cela fut du temps de Noé. Alors, seulement, il comprendra et sera sauvé. Le goût pour les aventures guerrières, cette vieille plaie de l'humanité, semble s'être déjà considérablement atténué chez les peuples qui ont eu le plus à souffrir du dernier conflit mondial sur leurs propres territoires: l'Allemagne, frappée dans toutes ses grandes cités prestigieuses, rasées par les bombardements aériens qui tuèrent 600 000 civils, dont 135 000 à Dresde en une nuit; le Japon qui fit l'expérience de la guerre atomique à Hiroshima et à Nagasaki; et l'on peut supposer que, seul, un pouvoir totalitaire entretient encore superficiellement le militarisme du peuple soviétique, le plus meurtri de tous. C'est dans l'ordre de la Prophétie, mais pour qu'elle s'accomplisse pleinement, la grande « leçon » finale devra être universelle.

L'*Apocalypse* décrit l'ultime chaos où sombrera un vieux monde condamné par ses haines et ses iniquités. Il est question de « sauterelles » et de « chevaux » de fer crachant « du feu, de la fumée et du soufre » ainsi que d'une « grande étoile ardente comme un flambeau » qui tombera du ciel et empoisonnera les sources et les fleuves. Débarbouillés de leur lyrisme biblique, les mots évoquent une guerre moderne avec avions, blindés et, pour couronner le tout, l'emploi de l'arme atomique: « Le quatrième ange versa sa coupe sur le soleil (...) et les hommes furent brûlés par une grande chaleur (...) Et il y eut des éclairs, des voix, des tonnerres et un grand tremblement de terre tel qu'il n'y eut jamais depuis que l'homme est sur la terre un aussi grand tremblement... » (16-8 à 18) Puis, tout s'étant apaisé, Jean ajoute: « Je vis un nouveau ciel et une nouvelle terre... » (21-1)

Il est dit au commencement de *l'Apocalypse* (1-3): « Heureux celui qui lit et ceux qui écoutent la parole de la prophétie (...) Car le temps est proche. » En deux mille ans, ou presque, l'avertissement a perdu beaucoup de son urgence et l'on est tenté de mettre en doute la clairvoyance des saints prophètes. Mais n'est-ce pas négliger une petite phrase glissée plus loin? Jean prévient, en effet, qu'il écrira les choses qu'il a vues, celles qui sont et « celles qui doivent arriver après elles » (1-11). Sans, d'ailleurs, préciser quand, car selon son maître: « Pour ce qui est du jour et de l'heure, personne ne le sait, ni les anges des cieux, ni le Fils, mais le Père seul. » (Matthieu, 24-36) Ce qui n'est guère encourageant pour ceux qui s'aviseraient de vouloir le prédire.

Mais Dieu tient-il vraiment à garder son secret? N'a-t-il pas dit lui-même par la bouche de Joël (2-28): « Je répandrai mon esprit sur toute chair; vos fils et vos filles prophétiseront, vos vieillards auront des songes et vos jeunes gens des visions »?[13]

Jean termine ainsi le récit de sa préfiguration du monde nouveau et pacifié: « J'entendis du trône une voix forte qui disait: Voici le tabernacle de Dieu avec les hommes! Il habitera avec eux et ils seront son peuple, et Dieu lui-même sera avec eux. Il essuiera toute larme de leurs yeux et la mort ne sera plus, il n'y aura plus ni deuil, ni cri, ni douleur, car les premières choses auront disparu (...) À celui qui aura soif, je donnerai de la source de l'eau de la vie, gratuitement... » (21-3 à 6) Ne peut-on pas voir là le geste symbolique du Verseau dont l'ère va bientôt commencer avec l'annonce d'un âge d'or dans un grand renouveau spirituel et même dans l'immortalité promise par les biologistes?

En 1968, peu de temps avant sa mort, le Padre Pio prédit qu'il n'y aurait plus de guerres majeures après 1980 et que l'humanité connaîtrait l'âge d'or en l'an 2000.[14] Or, le prophète Daniel (VIIe siècle avant J.-C.) a dit avoir étendu ses prédictions sur deux périodes successives: l'une de 1290 jours et l'autre de 1335 jours, soit en tout 2625 jours (des années en arithmétique prophétique). Et il achève son Livre sur ces mots: « Heureux celui qui attendra et qui arrivera à mille trois cent trente-cinq jours. Et toi, marche vers ta fin. Tu te reposeras et tu seras debout pour ton héritage à la fin des jours. » (12-11 à 13) C'est-à-dire, en faisant le calcul (2625 moins 600, puisque Daniel vécut environ six cents

13. Nostradamus se recommanda habilement de cette parole attribuée à l'Éternel en dédiant ses *Centuries* au roi Henri II.
14. Il prédit également que le cancer serait vaincu en 1975.
15. Plus pittoresque, mais d'une brûlante actualité, une vieille prophétie arabe prétend que « la fin du monde » sera proche lorsque les femmes porteront l'habit masculin et n'obéiront plus aux maris. Ce qui, pour tout bon musulman, représente déjà en soi le temps de la fin.

ans avant notre ère), c'est-à-dire que « la fin des jours » — ceux d'un monde mauvais et périmé — serait approximativement pour l'an 2000...[15]

Les savants prophétisent aussi

> « À Hiroshima, la science s'est délibérément engagée dans le crime. » — JEAN ROSTAND

Quand l'ultime goutte de pétrole aura été pompée du sol, ce qui ne saurait tarder longtemps, l'homme devra disposer d'une énergie de remplacement et, tout naturellement, c'est vers son dernier jouet encore tout neuf, l'Atome, qu'il se tourne de préférence. Il y aurait aussi le Soleil,[16] les océans, le vent, les volcans, toute la géothermie et même le bon vieux charbon qui n'a pas dit son dernier mot, mais tout cela paraît bien rustique auprès des centrales nucléaires qui peuvent lui donner l'illusion de se croire devenu l'égal des Dieux. Sans compter, disent les cyniques, que la construction et l'entretien d'un de ces temples de la fission sont infiniment plus profitables aux sociétés multinationales intéressées que ceux d'une éolienne ou d'une usine marémotrice. Et le marché s'annonce fructueux. Pour répondre demain aux besoins des nations industrielles, on estime qu'il ne faudra pas moins de 24 000 supergénérateurs dont chacun pourra être sujet, selon des experts britanniques, à un « incident technique » par décennie, tel que panne, vieillissement ou fuites radio-actives. Soit, pour l'ensemble de la planète, une moyenne approximative d'un « ennui » atomique toutes les 220 minutes, en excluant les risques de catastrophes naturelles, de guerres, de révolutions ou d'actes terroristes isolés.[17]

Les gouvernements s'efforcent de rassurer l'opinion

---

16. Déjà expérimentée pour le chauffage domestique, l'énergie solaire a maintenant ses gadgets de luxe: des montres et des briquets fonctionnant grâce à la lumière du jour transformée en électricité par des cellules photo-électriques et emmagasinée dans une pile.
17. Des craintes se manifestent déjà à ce propos, justifiées par les attentats à la bombe contre deux centrales atomiques françaises, à Fessenheim (Alsace) en mai 1975 et à Brennilis (Bretagne) en août de la même année.

publique en affirmant que la radio-activité de tous les essais atomiques effectués à ce jour est beaucoup moins dangereuse pour un individu que le cadran lumineux de sa montre, la radiographie d'une dent ou d'une jambe cassée, les médicaments qu'il consomme abusivement ou son récepteur de télévision.[18] Mais si cela semble malheureusement vérifié, les effets sont cumulatifs et les trois quarts de l'humanité se trouveraient déjà plus ou moins irradiés.[19] Pour certains biologistes, ce serait l'explication de l'angoissante prolifération, unique dans l'Histoire, des naissances d'enfants anormaux, toute radiation, si faible soit-elle, pouvant produire des mutations et toute mutation étant héréditaire. En d'autres termes, c'est le processus de la procréation qui serait atteint et perturbé et, dans l'état actuel des choses les mêmes savants prévoient qu'à brève échéance (peut-être trois générations) une grande partie de l'humanité sera devenue stérile ou n'engendrera plus que des monstres. « La science a toujours donné mieux que ce que l'on attendait d'elle », s'efforce d'espérer Jean Rostand. Celle-ci sera-t-elle alors en mesure d'assurer la pérennité de l'espèce par des moyens artificiels ou par une victoire d'abord partielle sur la mort physique? Ce qui rejoindrait d'une certaine façon la prophétie de l'*Apocalypse*.[20]

---

18. Déclaration du Dr Robert Wilson, de la Commission américaine de l'Énergie atomique, à l'Université de Columbus. Le danger présenté par une banale radiographie médicale serait six fois plus grand que celui dû aux retombées d'une expérience nucléaire.
19. À rapprocher de la légende de Prométhée, considéré par la mythologie grecque comme l'initiateur de la première civilisation humaine. Ayant dérobé « le feu du ciel » (le secret de la fission de l'atome?) il fut condamné par Zeus, le maître des dieux, à avoir le foie dévoré par un vautour (symbole de la radio-activité?).
20. Au XVIe siècle, le médecin-alchimiste suisse Paracelse, qui prédit l'aurore de l'âge d'or pour 1960, pronostiqua en détail la croissance en quarante jours d'un « bébé-éprouvette » fabriqué à partir de semence humaine. Les futurologues modernes prévoient, eux, pour 1990 « la création d'une forme de vie primitive artificielle (au moins sous la forme d'auto-reproduction de cellules) » et pour 2020 « le contrôle chimique du processus de vieillissement permettant l'allongement de la durée de la vie de cinquante ans ». (D'après un rapport de la *Rand Corporation,* institut américain de prévisions scientifiques fondé après la dernière guerre mondiale par le physicien-mathématicien von Karman, conseiller scientifique de l'U.S. *Air Force).*

Mais ce ne serait malgré tout qu'un sursis, si l'on en croit deux géophysiciens américains, Robert Gunst et Keith Mac Donald, qui affirment que la Terre cessera un jour d'être hospitalière. Un jour encore éloigné puisqu'ils ont calculé, avec une précision mathématique un peu surprenante pour le profane, que cela adviendrait en 3991. À cette époque, selon eux, le champ magnétique terrestre, qui s'affaiblit depuis le Ve siècle (?), aura définitivement disparu et il en sera déjà résulté de désastreux changements climatiques et des mutations monstrueuses dans toutes les formes de vie.[21]

Sera-ce cette fois « la fin des fins » ou bien nos lointains descendants conserveront-ils encore une chance d'échapper à l'anéantissement? Le futurologue Arthur C. Clarke, dans *Profil du Futur,* estime qu'avant l'an 2100 « Mars sera colonisé et la Lune industrialisée ». Si la parole de l'Évangile, « de nouveaux cieux et une nouvelle terre », doit être interprétée littéralement, l'humanité — ou ce qui en restera — ira-t-elle chercher refuge sur l'une de ses colonies spatiales? La « prédiction » de Jean Rostand, qui n'aimerait certainement pas ce mot, se trouverait ainsi réalisée: « L'espèce humaine passera comme ont passé les dinosaures et les stégocéphales. Toute vie cessera sur la terre, qui, astre périmé, continuera de tourner sans fin dans l'espace sans bornes. Alors, de toute civilisation humaine ou surhumaine, découvertes, philosophies, idéaux, religions, rien ne subsistera. » Du moins, sur la Terre désertée...

« Le pays des grands ancêtres blancs »

Plusieurs prophètes modernes ont une autre vision du cataclysme final. Si la cause en semblera « naturelle », il sera dû aussi en partie aux séquelles des explosions nucléaires du XXe siècle ajoutées aux fuites radio-actives et à l'énorme accumulation des déchets indestructibles des milliers de supergénérateurs fournissant l'énergie domestique. Il se produira vers l'an 2800, mettant fin à un âge d'or qu'on ne s'attendait guère à voir coïncider avec celui de l'Atome, et qui aura duré un peu moins de huit siècles. Mais, disent les

21. Rappelons que, dans une lettre à son fils César, Nostradamus avait précisé que ses « perpétuelles vaticinations » s'arrêtaient à l'année 3797. Peut-on en déduire qu'il ne « voyait » plus rien après?

mêmes voyants, sans préciser davantage, une région du globe sera épargnée et accueillera les survivants. S'agira-t-il de cette contrée fabuleuse et quasi paradisiaque appelée Hyperborée que la tradition situe dans la zone arctique et qui aurait été le berceau de la race blanche avant le refroidissement des pôles? Celle-ci, comme nous le verrons plus loin, resurgira-t-elle un jour à la suite d'un nouveau bouleversement géologique et climatique?

Selon le philosophe Sénèque (2-65 de notre ère), « un temps viendra dans les siècles futurs où une vaste terre se développera devant nous; la mer laissera voir des mondes nouveaux et, des pays découverts, le dernier ne sera pas Thulé. » Il est curieux de noter qu'en 1945, les Américains donnèrent ce nom de Thulé à la grande base aérienne qu'ils ont aménagée dans le nord-ouest du Groënland. Géographiquement, l'île du Groënland appartient à l'archipel arctique canadien et Robert Charroux écrit dans son *Livre du mystérieux inconnu:* « Mais quoi qu'il arrive, et les initiés savent ce qui arrivera, comme jadis, le pays des grands ancêtres blancs demeurera Hyperborée, c'est-à-dire le Canada et le Québec, dernier bastion de la race avant chaque grande fin de cycle. »[22]

Rouen-sur-Mer?

En 1966, les caméras sous-marines du navire océanographique *Anton Bruun* photographièrent par deux mille mètres de fond, au large du Pérou, d'étranges colonnes sculptées et gravées d'inscriptions hiéroglyphiques qui pourraient être les vestiges d'une antique cité engloutie sous le Pacifique.[23]

On a découvert qu'à une époque préhistorique les côtes occidentales de l'Europe s'avançaient plus loin à l'ouest sur de vastes étendues maintenant conquises par l'océan. De part et d'autre d'une ligne joignant approximativement Paris, Berlin et Moscou, comme si le sol basculait autour d'un axe, les terres situées au nord s'affaissent tandis qu'elles se relèvent au sud. Ainsi, alors que l'altitude de la ville espagnole

22. Éditions R. Laffont, 1969. Comme Sénèque, des historiens, poètes et philosophes de l'antiquité gréco-romaine (Hérodote, Virgile, Pline, Diodore de Sicile) ont été convaincus de l'existence passée du Pays des Hyperboréens.

23. *New York Times*, 17 avril 1966.

de Cadix augmente annuellement de cinq centimètres, on calcule que dans soixante-quinze ans (en 2050), la mer du Nord aura recouvert les deux cinquièmes de la Hollande[24] et qu'en l'an 2500, la Manche baignera directement les quais du port fluvial français de Rouen. Ailleurs, c'est un géologue japonais qui rapporte que l'archipel nippon s'enfonce régulièrement de deux centimètres et demi par an...

Partout, la Terre bouge, « travaille », son écorce craque, s'étire, se plisse, modelée et remodelée sans cesse par des poussées internes, sa vitesse de rotation et les influences cosmiques. Et, parfois, le point de rupture atteint sous l'action de ces forces conjuguées, il s'ensuit un gigantesque bouleversement qui restructure sa géographie. Toutes les prophéties s'accordent sur l'imminence d'un de ces cataclysmes qui ont déjà modifié la carte de la planète. Est-ce en pensant à cela qu'en 1947 le pape Pie XII a dit qu'il fallait « que les hommes se préparent à affronter des épreuves comme l'humanité n'en avait jamais connues »? À la même époque, un religieux italien, le Père Claudi, parla aussi d'un fléau « qui serait instantané, de courte durée, mais terrible »...

Les « lectures » d'Edgar Cayce

Il y a déjà presque un demi-siècle, l'Américain Edgar Cayce prédit que l'année 1998 marquerait le début d'une ère nouvelle. Par la suite, il précisa que la Terre subirait auparavant d'importants « changements physiques » dont les premiers signes se manifesteraient à la fois dans le Pacifique Sud et le bassin méditerranéen, notamment en Grèce et en Italie où des volcans se ranimeraient. « Alors, ajouta-t-il, nous saurons que tout a commencé. »[25]

Au cours de plusieurs « lectures » hypnotiques, Cayce

---

24. Par contre, selon certaines prédictions, les Pays-Bas s'agrandiront aux dépens de la mer grâce à une technique nouvelle. Cela n'est pas forcément contradictoire, les ingénieurs s'efforçant de repousser les eaux pour en retarder l'invasion.

25. « Terre Italique tremblera » pronostique Nostradamus (1-93). Nous avons vu, à propos de « la Prophétie des papes », que la destruction de Rome pourrait survenir en 1986, lors de la prochaine « visite » de la comète de Haley, et sans doute au mois de mai, si l'on interprète correctement le mage provençal:
« Le tremblement si fort au mois de May... » (X-67)

devait développer sa vision de ces « changements » qui s'opéreraient entre 1958 et 1998 et seraient d'abord assez lents pour aller en s'accélérant à partir de 1968 ou 1969: « Dans quelques années, des terres apparaîtront dans le Pacifique et dans l'Atlantique[26] (...) La terre se rompra dans la partie occidentale de l'Amérique. La plus grande partie du Japon sera engloutie et le nord de l'Europe changera en un clin d'oeil... »

Les prévisions du voyant corroborent celles des géologues. Tout se complète d'ailleurs curieusement. Selon une prophétie d'origine anglo-normande, l'Angleterre cessera d'exister lorsque les deux abbayes françaises des Hommes et des Dames seront détruites. Or, celles-ci se trouvent à Caen, dans la zone théoriquement inondable par la mer, et Nostradamus dit aussi:

> *La Grande Bretaigne comprinse d'Angleterre*
> *Viendra par eaux si haut inonder...* (III-70)[27]

Naturellement, Cayce s'étend davantage sur les bouleversements qu'il « voit » s'effectuer en Amérique du Nord. Avant la fin du siècle et plus probablement entre les années 1978 et 1980, San Francisco et Los Angeles seront dévastées. Cela devrait survenir trois mois après qu'aura été signalée une forte activité du Vésuve ou de la montagne Pelée (à la Martinique), et il recommande de « surveiller » aussi l'Etna. Mais c'est l'est des U.S.A. qui sera le plus gravement atteint par la suite. Les régions côtières de la Georgie, de la Caroline, du Connecticut et de l'État de New York (avec l'île de Manhattan)[28] seront englouties. Par contre, la Virginie sera épargnée ainsi que l'Ohio, l'Indiana et l'Illinois, « et la plus grande partie du sud du Canada et de l'est de ce pays; tandis que les terres situées à l'ouest seront, elles, bouleversées ». De plus, « il se produira des séismes et des soulèvements dans les régions

26. Cayce annonça le 28 juin 1940 qu'une première portion de l'Atlantide, le continent englouti qui aurait existé à l'ouest de Gibraltar, resurgirait « des eaux probablement vers 78 ou 79 — dans très peu de temps en somme. »
27. Cela pourrait se produire dans trois ou cinq cents ans (selon les prévisions) et le même effondrement du sol, qui serait soudain, entraînerait aussi la disparition des trois départements français formant la pointe de la Bretagne (le Finistère, les Côtes-du-Nord et le Morbihan).
28. Une faille existerait sous le lit de l'East River.

arctiques, et dans l'Antarctique, et dans les régions torrides du globe,[29] et il se produira alors un (nouveau) déplacement des pôles, si bien que les pays frigides ou semi-tropicaux deviendront plus tropicaux, et qu'il y poussera des fougères géantes et des mousses. » Conséquence de ce réchauffement, des eaux seront libérées par la fonte des glaces dans le nord du Groënland, alors que celles des Grands Lacs, désertant leur voie naturelle du Saint-Laurent, iront se déverser par la vallée du Mississippi dans le golfe du Mexique.[30]

Quant à l'Amérique du Sud, elle sera « secouée du nord jusqu'à l'extrême sud, et dans l'Antarctique, très loin de la Terre de Feu, il apparaîtra une terre et un détroit aux eaux vives ». Et Edgar Cayce conclut, dans une « lecture » datée du 13 août 1941; « les golfes, les terres sur lesquels le nouvel ordre (le monde nouveau) poursuivra ses échanges seront différents. »[31]

Destruction de Los Angeles en 1982?

On estime qu'un millier de personnes, séduites par le climat idéal (et les perspectives matérielles), choisissent quotidiennement de venir s'établir sur la trop célèbre faille de San Andreas qui, le long de la côte de la Californie, marque la ligne de rupture de deux plaques de l'écorce terrestre. En 1966, un courtier du *Lloyd's* aurait soupiré mélancoliquement en renouvelant le contrat d'un client de San Francisco: « Un de ces jours, vous allez avoir une grosse secousse et il nous faudra payer. Ce que je suis en train de faire, c'est jouer aux dés avec Dieu. »[32]

La lecture d'un ouvrage édité récemment en Angleterre,

---

29. « Égypte tremble » a prédit également Nostradamus. La prophétie arabe qui avait prévu le tremblement de terre d'Agadir annonce aussi pour le Maroc la destruction de Ceuta, Tétouan, Larache et Ksar al-Kabir.
30. Cela préfigure assez bien la résurgence de cette légendaire Hyperborée, verdoyante et accueillante, pays des « grands ancêtres » avant la dernière glaciation des pôles et, selon la tradition, refuge protégé de la race avant chaque « fin du monde ».
31. *Edgar Cayce on Atlantis (Visions de l'Atlantide).* Association for Research and Enlightenment (1968) et Éditions *J'ai Lu* (1973).
32. Gordon Thomas et Max Morgan-Witts, *Le Tremblement de terre de San Francisco* (Laffont, 1973).

The Jupiter Effect, risque de troubler définitivement le sommeil des assureurs californiens. Il y est dit, en effet, qu'en 1982, « quand la Lune sera en VIIe Maison et Jupiter en ligne avec Mars et les sept autres planètes du système solaire, Los Angeles sera détruit ». Et *The Jupiter Effect* n'est pas un de ces livres de prédictions astrologiques mondiales comme il en paraît chaque année, mais le très sérieux travail de deux spécialistes de l'astronomie théorique, John Gribbin et Stephen Flagemann. Selon eux, cet alignement des neuf planètes avec le Soleil (qui ne se produit que tous les cent soixante-dix-neuf ans) provoquera des éruptions solaires géantes dont les effets sur la Terre — perturbations atmosphériques, marées exceptionnelles, changement soudain probable de sa vitesse rotatoire — menacent d'être catastrophiques. Entre autres conséquences, cela pourrait accélérer brusquement les glissements, à la fois parallèles et contraires, des plaques de croûte terrestre bordant la faille de San Andreas et fracturer ainsi les deux zones qui restent encore soudées entre San Francisco et Los Angeles.

Toutefois, pensent les auteurs de cette thèse qui souhaiteraient se tromper à l'exemple de beaucoup de « prophètes », le tremblement de terre de 1906 ayant libéré une grande partie des pressions internes dans la région de San Francisco, celles-ci doivent être plus fortes du côté de Los Angeles, et ce serait cette dernière ville qui se trouverait la plus exposée.[33]

Nous retiendrons surtout de ceci l'extraordinaire concordance, à deux années près, entre le voyant et les scientistes. Cayce avait avancé la date approximative de 1980.

La désertification

« Il y aura une étonnante et cruelle famine qui sera si grande et telle par tout l'Univers, et surtout dans les régions de l'Occident, que, depuis le commencement du monde, on n'aura entendu parler d'une semblable. » Ainsi parle, au XVIe siècle, le devin Jean de Vatiguerro qui n'aurait fait que retransmettre une prophétie beaucoup plus ancienne de saint Césaire. De son côté, Nostradamus prévoit que de nouvelles guerres éclateront dans un monde « diminué » où les fleurs ne pousseront plus:

33. *L'Express,* n° 1217, 4 novembre 1974.

Les fleurs passez diminue le monde (...)
Puis de nouveau guerres suscitées. (1-63)

Il ajoute douze vers plus loin:

La grande famine que je sens approcher,
Souvent tourner, puis sera universelle,
Si grande & longue qu'on viendra arracher
Du bois racine, & l'enfant de mammelle. (1-67)

Et Edgar Cayce donne ce conseil: « Celui qui peut acheter une ferme a de la chance; achetez-en une si vous ne voulez pas connaître la faim dans les jours à venir. »

Certes, avec l'expansion démographique, le béton des villes qui refoule sans cesse les cultures, la terre stérilisée par une éventuelle guerre chimique ou des séismes hypothétiques, on peut imaginer que cette famine affectera également des pays jusque-là prospères. Mais un autre fléau s'est déjà manifesté et Nostradamus — on y revient toujours — en a eu cette vision inquiétante:

Par quarante ans l'Iris n'apparoistra,
Par quarante ans tous les jours sera veu:
La terre arride en ficcité croistra... (1-17)

En clair: durant quarante ans, la poétique Iris, déesse de l'arc-en-ciel et messagère de la pluie, ne descendra plus sur la Terre qu'on verra, de ce fait, se dessécher chaque jour davantage. Or, d'après les météorologues, la moyenne générale des pluies diminue lentement depuis 1940. Le climat de la planète se transforme en se dégradant — phénomène sans doute réversible, mais durable — et le vocabulaire des naturalistes s'est enrichi, si l'on peut dire, d'un terrible néologisme: la désertification. En Afrique, le désert progresse inexorablement, rongeant le sol végétal. Hier encore paradis verdoyant des animaux sauvages, le Kenya est atteint et au Sahel, en Éthiopie, deux millions d'hommes sont menacés dans leur existence.[34] Où cela s'arrêtera-t-il? Devant ce drame imminent, la solidarité internationale jouera-t-elle efficacement ou se bornera-t-elle à quelques gestes symboliques?

Les réserves mondiales de grains n'ont jamais été aussi faibles depuis un quart de siècle et les pays nantis commencent de connaître eux-mêmes certaines difficultés d'approvisionnement aggravées par une pénurie d'engrais pétrochimiques. Aux U.S.A., un homme politique, le sénateur Hubert Humphrey a eu le mérite de poser crûment le problème: « Pour aider les pays pauvres, les Américains consentiront-ils à réduire leur consommation? » La question ne s'adresse pas qu'à ses compatriotes.[35]

Une « prédiction » de Winston Churchill

Famines, séismes, guerres, trois mots qui reviennent, inséparables, dans la plupart des prophéties. Si géologues et économistes s'inquiètent, à l'exemple des devins, des poussées de fièvre d'une planète malade, d'autres experts ne s'alarment pas moins du comportement des hommes.

En 1925, alors que le futur maître de l'Allemagne nazie se contentait encore de dire que « la pitié n'est pas de ce siècle », Sir Winston Churchill, inspiré, n'hésitait pas à pronostiquer: « Peut-être s'agira-t-il, au cours de la prochaine guerre de tuer des enfants, des femmes, des civils, et la déesse de la Victoire, épouvantée, finira par couronner celui qui aura su le faire avec la plus grande ampleur. »[36] La méthode préconisée s'avéra si efficace vingt ans plus tard que les états-majors n'en conçoivent maintenant pas d'autre pour mériter leurs lauriers futurs. Mieux encore: leurs aviations n'auront même plus à se déranger. Déjà, toutes les capitales « ennemies » vivent, travaillent, s'amusent et s'endorment chaque soir sous la menace permanente de missiles braqués depuis des milliers de kilomètres. Tout est prêt de part et d'autre pour une nouvelle « épopée », il ne manque pas un bouton aux commandes électroniques.

Tout se traduisant aujourd'hui en chiffres — le langage des esprits froids — on a calculé que « l'indice de violence

---

34. La famine de 1973-1974 a fait dans ces deux régions plus de 500 000 victimes et causé la perte de trois millions de têtes de bétail. Un reportage filmé de cette tragédie troubla quelques consciences et quelques digestions devant les écrans de télévision des nations consommatrices. Mais cela n'empêcha pas, notamment au Canada, la destruction de surplus d'oeufs ainsi qu'un massacre de bovins par des éleveurs mécontents des cours.
35. L'Express, n° 1188, 15 avril 1974.
36. Cité par David J. Irving dans *La Destruction des villes allemandes* (Éd. France-Empire, 1965).

des guerres » s'était multiplié par 25 en un siècle. Cette savante mathématique repose sur des données réalistes. Entre 1860 et 1899, l'ensemble des conflits armés aurait fait 4 600 000 tués, soit 0.35% d'une population mondiale évaluée à 1 300 millions d'individus; au cours des cinquante années suivantes, le chiffre des pertes de vies civiles et militaires atteignit 42 millions, ou 2.1% de celui de la population du globe passé entre-temps à 2 milliards. En tenant compte de la montée démographique (4 milliards d'hommes avant l'an 2000), des armements nouveaux et de l'escalade de la violence, à la fois banalisée et exaltée par la télévision, le cinéma et une certaine littérature, des statisticiens arrivent à cette probabilité effarante pour la dernière moitié du siècle: 406 millions de morts par faits de guerres, plus du dixième de l'humanité.[37]

Il est évident qu'à ce train inflationniste, la violence finira par s'autodétruire, comme un scorpion se pique de sa queue. Mais à quel prix? On songe au mot fameux du Cid dont l'humour noir involontaire exprime si admirablement l'énorme stupidité des grandes fureurs guerrières: « Et le combat cessa faute de combattants. » Faudra-t-il que le vieux Corneille fournisse sa conclusion cyniquement ironique à la dérisoire aventure humaine?

Pronostics pour une fin de siècle agitée

> « ...Et les vagues de la mer s'en vont aux rivages lointains épouvanter les nations. N'est-ce pas assez, Seigneur, d'une pareille hécatombe pour apaiser votre colère? Mais non. Quels sont ces bruits d'armes, ces cris de guerre qu'apportent les quatre vents? Ah! le Dragon s'est jeté sur tous les États et y apporte la plus terrible confusion (...) Guerres civiles, guerres étrangères! Quels chocs effroyables! Tout est deuil et mort, et la famine règne aux champs

37. Ivan A. Getting (*Air Force Space Digest,* avril 1963) et Robin Clarke (*La Course à la mort,* Éditions du Seuil, 1969). Notons que certains chiffres paraissent nettement sous-estimés. Selon d'autres sources, les deux guerres mondiales de la première moitié du siècle auraient fait à elles seules près de 45 millions de victimes.

> (...) Mais mon esprit s'égare et mes yeux s'obscurcissent à la vue de cet effroyable cataclysme... »
>
> — *La Prophétie de Prémol*[38]

Ce n'est pas seulement un siècle qui se rétrécit dramatiquement à la façon d'une *Peau de Chagrin,* c'est une ère qui meurt, grosse encore d'événements décisifs pour la suivante. Le cours torrentueux de l'Histoire va se précipiter de plus belle et ce qui est aujourd'hui ne sera peut-être plus concevable demain. Essayons de démêler l'écheveau des innombrables prédictions, parfois contradictoires, qui prétendent définir ces vingt-cinq années cruciales.

« Guerres civiles, guerres étrangères » annonce le moine de Prémol. Les premières — putschs militaires ou soulèvements populaires plus ou moins violents — poursuivent autour du monde une réaction en chaîne qui va en s'accélérant. Au Chili, en Grèce, en Éthiopie, au Portugal, ailleurs, des régimes s'effondrent comme des châteaux de cartes et d'autres sont déjà chancelants. Il est possible que cette vague révolutionnaire épargne le Canada où une prospérité sans précédent renforcerait l'unité nationale en réconciliant à propos deux ethnies jusque-là incompatibles.[39] Impuissants et distraits par leurs propres difficultés, les U.S.A. se sont résignés à voir le communisme absorber le sud-est asiatique, comme ils devront accepter Cuba et la socialisation prochaine de toute l'Amérique latine. Une menace plus grave pèse sur eux: « Le pays verra le sang couler comme durant le temps où le frère combattait le frère », a dit Edgar Cayce, faisant allusion à la guerre de Sésession qui eut aussi pour cause la même question de couleur de peau. Et en 1945, tandis que sur tous les fronts du dernier conflit mondial le G.I. noir luttait au côté du blanc pour ce qu'il croyait encore être la défense de la liberté, Jane Dixon répétait au président Franklin

38. Attribuée à un religieux du couvent de Prémol, près de Grenoble (France). Le texte, composé de 113 versets, fut trouvé en 1783 parmi les dossiers d'un officier public qui avait été le notaire de cette communauté.
39. Selon l'astrologue canadien Elias Mallett, mais les voyants ne sont pas tous d'accord. D'autres prévoient qu'au contraire, après une période troublée, le Québec se détachera provisoirement de la Confédération.

Roosevelt: « Il y aura du sang versé! Le problème racial ne sera pas résolu avant 1980. »

Continuons ce tour d'horizon sans affirmer qu'il sera complet. L'Irlandais Malachie, l'homme de « La Prophétie des papes » avait prédit au XIIe siècle que la catholique Erin resterait sous la botte anglaise pendant « une semaine de siècles » et que ses oppresseurs seraient sévèrement châtiés. Les sept cents ans écoulés, l'heure semble enfin venue d'une Irlande réunifiée et libre, et la Grande-Bretagne appauvrie, réduite à la portion congrue par la perte de son empire colonial, s'enlise dans un marasme qui pourrait la conduire à une crise constitutionnelle avant 1985. Cela se passerait toutefois entre gens corrects, dans la bonne tradition du *fair play* britannique. La reine Elisabeth II se laisserait convaincre d'abdiquer et la république serait instaurée.[40]

En Belgique, en Iran, d'autres majestés détrônées seront aussi priées, peut-être moins courtoisement, de prendre le chemin de l'exil et, après une brève expérience monarchique, l'Espagne rejoindra à son tour les rangs des démocraties. Simultanément, plusieurs de celles-ci accentueront leur glissement vers la gauche, jusqu'à un néo-communisme humanisé, très éloigné du totalitarisme soviétique.[41] Mais cette évolution ne se fera pas partout sans désordres aggravés par les effets d'une récession économique. L'Italie, avec la révolution et l'irréligion inscrites dans son thème astral, risque de connaître auparavant un régime autoritaire qui sera de courte durée, et des catastrophes naturelles — séismes, inondations — s'ajouteront au chaos social.[42] La

40. En 1931, dix-neuf ans avant l'indépendance de la République indienne, Winston Churchill déclarait que « la perte des Indes porterait à l'Angleterre un coup fatal et définitif et ferait d'elle un pays insignifiant ». Autres signes, dit-on, de la fin de la monarchie anglaise: la crypte de Westminster, sépulture royale, ne contiendrait plus qu'une place et l'horoscope du prince Charles n'indiquerait pas qu'il doive régner.

41. Déclaration du secrétaire d'État américain Henry Kissinger à un journaliste (avril 1975): « D'ici à dix ans, toute l'Europe occidentale aura basculé dans les régimes autoritaires de gauche. C'est en cours au Portugal, c'est pour bientôt en Italie et en Espagne, etc. Au demeurant, les États-Unis laisseront faire... »

42. Il y a une quarantaine d'années, entre autres prédictions qui lui valurent des ennuis avec les autorités, la cartomancienne aveugle Valentina Fumolo Zucca annonça qu'après Mussolini, l'Italie devrait subir encore une brève dictature et que des catastrophes s'abattraient sur l'Europe en 1978-79, mais épargneraient l'Allemagne. Ses tarots,

France traversera également une période difficile qui pourrait commencer dès 1978. Quant aux deux Allemagnes, « le mur de Berlin » finira par tomber de lui-même — « les ennemis se rejoindront », a dit Hroswitha — mais ce sera celle de l'ouest, l'Allemagne chrétienne et capitaliste qui s'alignera idéologiquement sur la République démocratique, celle-ci ayant elle-même évolué.

Et la Russie dans tout cela?

« Seront Arabes aux Polons ralliez... »

Il nous faut revenir à la Bible. Longtemps ses prophètes ont pu sembler présomptueux d'axer le destin du monde sur celui d'Israël et ce minuscule pays conquis sur le désert est devenu le brûlot qui embrasera peut-être la planète. En octobre 1973, après avoir fait planer la menace d'un conflit entre l'Amérique et l'U.R.S.S., la guerre de Kippour fut hâtivement stoppée sur des positions explosives qui rendaient déjà prévisible un nouvel affrontement entre Israël et ses voisins. Écoutons maintenant Ezéchiel:

> « Voici, j'en veux à toi, Gog (...) et avec toi ceux de Perse, d'Éthiopie et de Libye. Après bien des jours, tu seras à leur tête, dans la suite des années, tu marcheras contre le pays dont les habitants, échappés à l'épée, auront été rassemblés d'entre plusieurs peuples sur les montagnes d'Israël longtemps désertes (...) Le jour où mon peuple d'Israël vivra en sécurité, en ce jour-là, le jour où Gog marchera contre mon peuple d'Israël, dit le Seigneur, l'Éternel (...) j'appellerai l'épée contre lui sur toutes mes montagnes (et) l'épée de chacun se tournera contre son frère. Je ferai pleuvoir du feu et du soufre sur ses troupes, et sur les nombreux peuples qui seront avec lui (...) J'enverrai le feu dans Magog, et parmi ceux qui habitent en sécurité les îles (...) En ce jour-là, je donnerai à Gog un lieu qui lui servira de sépulture en Israël, c'est là qu'on enterrera Gog et

---

vénérables à force d'usure, sont utilisés aujourd'hui par sa petite-fille, Mme Paola Zucca, que nous avons rencontrée à Montréal. Celle-ci, excellent médium, affirme qu'elle leur doit son don et que toutes ses tentatives pour employer un autre support de voyance n'ont donné jusque-là aucun résultat.

toute sa multitude (...) Et les nations verront les jugements que j'exercerai, et les châtiments dont ma main les frappera... » (38 et 39, fragments)

Dans la terminologie biblique, Gog est le nom des rois de Magog, un territoire situé au nord de la mer Noire, c'est-à-dire la Russie moderne. Il est assez troublant de trouver chez Ezéchiel cette étonnante prémonition de l'influence soviétique actuelle sur le monde arabe socialisant (« Après bien des jours, tu seras à leur tête... ») À une époque où la moindre collusion entre « chrétiens » et « infidèles » était impensable, Nostradamus a prédit également cette alliance contre nature, confondant comme beaucoup d'hommes de son temps la Pologne avec la Russie, toutes deux le Pays des Slaves: « Seront Arabes aux Polons ralliez... » (V-73)

Or, d'après Ezéchiel, il s'agira cette fois d'une guerre intercontinentale: « J'enverrai le feu dans Magog, et parmi ceux qui habitent en sécurité les îles... » (39-6) Même son de cloche chez Nostradamus qui voit l'Europe occidentale envahie à l'est (« Amas s'approche venant d'Esclavonie... »)[43]. tandis que la France, une fois de plus mal préparée, est attaquée ainsi que l'Espagne et l'Italie par les Arabes partis de Tunis et d'Alger et faisant cause commune avec ceux du Moyen-Orient:

France à cinq pars par neglect assaillie,
Tunys, Argal, esmeuz par Persiens:
Leon, Seville, Barcelonne faillie,
N'aura de classe par les Vénitiens. (1-73)

Il est curieux de noter à ce propos que Lénine déclarait en 1921 que la route de Paris passait par Alger et l'on peut supposer que les Arabes, ces nouveaux riches du siècle finissant, seront équipés en grande partie d'armements achetés aux Occidentaux grâce à leurs pétro-dollars. Ce sont les aléas de ce genre de commerce. Le mage de Salon ajoute que la faiblesse de la France, divisée par des luttes intestines, favorisera l'entreprise des envahisseurs qui débarqueront en même temps à Gênes et à Marseille à la suite d'une bataille navale:

43. 82e quatrain de la IVe *Centurie*. En clair: une immense armée déferle du pays des Slaves, « slave » et « esclave » ayant la même origine latine.

Par la discorde négligence Gauloise
Sera passage à Mahomet ouvert:
De sang trempé terre & mer Genoise,
Le port Phocen de voiles & nefs couvert. (1-18)

Enfin, l'ennemi parviendrait jusqu'au Danube et au Rhin et sèmerait la terreur dans les régions du Rhône et de la Loire avant d'être vaincu près des Alpes par un chef français:

Dans le Danube & Rin viendra boire
Le grand Chameau, ne s'en repentira:
Trembler du Rosne & plus fort ceux de Loire,
Et pres des Alpes Coq le ruinera. (V-68)[44]

Que penser de ces prédictions? Plusieurs autres viennent les confirmer. « Le fer et le feu enserrent la Babylone Gauloise qui tombe dans un grand incendie, noyée de sang », nous dit saint Césaire et il ne peut être question du siège de 1871, pendant la Commune, puisque « la seconde ville du pays, et une autre encore, seront détruites ». Au siècle dernier, c'est un Allemand prophète à ses heures, le prince de Hohenlohe, qui écrit dans une lettre que « le feu qui tomba sur Sodome et Gomorrhe » tombera pendant trois jours sur la capitale française. En 1940, avant le « blitz » d'Hitler, la voyante Jessica (Mme Josane Charpentier) affirme que Paris échappera à la destruction, mais qu'une autre guerre lui sera fatale vers la fin du siècle. Et dix ans plus tard, la prophétie hollandaise de « La Dame de tous les Peuples » dénonce l'imminence du drame d'Israël qui dressera l'Ouest contre l'Est: « Parmi toutes ces ombres, la plus noire s'étend sur l'Orient (...) De durs combats se livreront autour et près de Jérusalem (...) Le monde sera comme déchiré en deux (...) Voici venir un grand conflit, l'Amérique, la Russie, cela approche... »[45]

Par contre, il est dit dans le message de Fatima (deuxième secret) que l'on devra la paix à la « conversion » de la Russie et Cayce a répété à plusieurs reprises que « le grand espoir du monde » viendrait de l'Est: « Des changements

44. Ce sera une nouvelle « victoire de Poitiers » après celle de 732 par laquelle Charles Martel stoppa la première invasion de l'Europe par le monde musulman.
45. Raoul Auclair, *La Dame de tous les Peuples*.

vont survenir certainement, une évolution ou une révolution dans les idées religieuses. Elle viendra de Russie, mais ce ne sera pas le communisme, non. Mais plutôt ce qui est à sa base, ce que le Christ enseignait, *Sa forme de communisme.*»[46]

Comment concilier tout cela? Mais est-ce vraiment contradictoire?

Le Printemps de Moscou

En relisant plus attentivement les textes bibliques, on constate que l'amitié russo-arabe ne résistera pas à l'épreuve. Le bloc des adversaires d'Israël éclatera après une défaite et les alliés de la veille en viendront même à se combattre. « L'épée de chacun se tournera contre son frère », prophétise Ezéchiel (38-21) et Zacharie dit ailleurs un peu bizarrement: « En ce jour-là, l'Éternel produira un grand trouble parmi eux; l'un saisira la main de l'autre, et ils lèveront la main les uns sur les autres. » (14-14) On trouve aussi ces deux vers dans Nostradamus:

> *Le Grand Arabe marchera bien avant,*
> *Trahy sera par les Bisantinois...* (V-47)

Il est aisé de faire dire à peu près tout à l'auteur des *Centuries,* mais ces « Bisantinois » qui trahiront les Arabes ne pourraient-ils pas être les chrétiens dissidents de l'ancienne Église de Byzance, en d'autres termes les Russes orthodoxes?[47] Une prédiction du XVIIe siècle semble appuyer d'ailleurs cette interprétation: « Un prince d'Aquilon (un « prince » nordique) parcourra l'Europe avec une grande armée. Son épée sera tenue par Dieu, exaltera la foi orthodoxe (la « vraie » foi) et soumettra l'Empire de Mahomet. »[48]

Maintenant — ce n'est qu'une simple extrapolation — tentons d'imbriquer ensemble ces diverses « informations ». L'U.R.S.S. appuie militairement la croisade arabe contre

---

46. La Russie sera-t-elle influencée elle-même par l'exemple de ses satellites? En 1975, après l'échec de la Tchécoslovaquie, le régime de Cuba a paru promettre une libéralisation prochaine du communisme totalitaire en annonçant des élections générales.
47. L'Église de Byzance rompit avec Rome en 1054.
48. Prédiction de Ridolfo Gilthier (1675) qui serait conservée à la Bibliothèque Augustinienne de Rome.

Israël, ce qui provoque une troisième guerre mondiale.[49] Mais le peuple russe est las d'un régime oppressif qui s'inspire du despotisme tsariste et l'a entraîné dans un conflit qu'il réprouve. Tandis qu'à la suite d'un revers en Israël, des mutineries éclatent dans l'Armée, comme en 1917, une nouvelle révolution chasse les gens du Kremlin. Retrouvant sa vocation européenne, la Russie libérée fait alors volte-face et rallie le camp occidental pour refouler les Arabes trahis.[50] « Gog » — ou, du moins, ce qu'il incarnait, le communisme totalitaire — a effectivement rencontré sa tombe en Israël et le « Printemps » de Moscou, après celui de Prague, porte déjà l'espoir du monde.[51]

Mais la paix revenue régnera-t-elle assez longtemps pour que l'Europe, meurtrie par la guerre, solutionne ses difficultés et achève son évolution? Citons encore Edgar Cayce:

> *« Si nous n'acceptons pas l'idée d'une fraternité plus étroite, l'amour du prochain comme soi-même, la civilisation devra émigrer vers l'ouest, et de nouveau s'élèveront les Mongoles, un peuple honni. »*

Un poème de Mao

> *Le ciel est haut, les nuages sont clairs;*
> *L'oeil poursuit l'oie sauvage vers le sud infini.*
> *On n'est point homme, à moins d'atteindre la Grande Muraille,*
> *On compte sur ses doigts une marche de 20 000 lis.*
> *Sur la cime du mont Lioupan,*
> *Notre bannière flotte au gré du vent de l'ouest.*

---

49. « Pourquoi une guerre nous effraierait-elle? La Russie des Soviets est née de la dernière guerre. L'Europe des Soviets naîtra de la prochaine. » Cette prédiction de l'ambassadeur russe Potemkine, faite en juillet 1935, a commencé de se réaliser en partie à la fin du deuxième conflit mondial par la soviétisation d'une douzaine de nations européennes.

50. *Comme un gryphon viendra le Roy d'Europe*
Accompagné de ceux d'Aquilon,
De rouges & blancs conduira grande troupe...
(Nostradamus, X-86)

51. En mai 1975, au cours d'une visite officielle à Paris, le vice-premier ministre chinois Teng Hsiao-ping a prophétisé qu'une révolution éclaterait en Europe « avant dix ans, *y compris en Russie* ».

Aujourd'hui nous tenons la longue corde,
Quel jour ligoterons-nous le Dragon Vert?[52]

Il est rare qu'un chef d'État cultive la poésie, mais sous les métaphores du langage fleuri, sa philosophie peut se révéler aussi inquiétante que celle exposée dans *Mein Kampf* par un Hitler moins raffiné. Quel est donc ce « Dragon Vert » dont le président Mao Tsé-toung promet la capture prochaine à son peuple? Si pour certains auteurs il ne peut s'agir que du Japon, l'ennemi héréditaire, d'autres affirment aussi catégoriquement que la poétique expression a toujours désigné « le Pays vert des Hommes Blancs » d'où souffle précisément ce vent d'ouest qui en prend à son aise avec la bannière chinoise. Dans son *Livre du mystérieux inconnu,*[53] Robert Charroux fait remarquer que cette marche de 20 000 lis, que tout Chinois se doit d'entreprendre un jour pour mériter le nom d'homme, correspond étrangement à une distance de 11 520 kilomètres, soit celle qui sépare Pékin du centre des États-Unis. Le Japon se situant à l'est et, de plus, étant un voisin, la seconde hypothèse ne serait-elle pas la plus vraisemblable?

Les deux Dragons

Dans une nouvelle de fiction publiée en 1914, *L'Invasion sans précédent,* un auteur américain prévoyait qu'on dénombrerait un milliard de Chinois en 1976. L'erreur était infime puisqu'on attend ce chiffre pour 1984. Il imaginait également que les visées expansionnistes de la Chine, devenue une superpuissance industrielle et militaire, conduiraient alors les Occidentaux à oublier leurs sempiternelles querelles pour tenter d'arrêter ensemble l'immense déferlement des petits hommes aux yeux bridés.[54]

En fait, le « Péril jaune » — le terme serait dû au dernier Kaiser d'Allemagne[55] — est une vieille hantise de la race blanche. L'Europe n'a jamais oublié complètement qu'en 451 les hordes mongoles d'Attila, « le Fléau de Dieu » des

52. Cité par *Connaissance de la Chine,* publication de l'Association d'amitié France-Chine, éditée à Marseille.
53. Éditions Laffont (1969).
54. Jacques London (1876-1916), auteur de romans d'aventures restés célèbres: *Croc Blanc, L'appel de la forêt,* etc.
55. Guillaume II (1859-1941). Il abdiqua en 1918, après la défaite allemande.

livres d'écoliers, réussirent à parvenir jusqu'à Châlons, à 160 kilomètres de Paris qui s'appelait encore Lutèce. Et depuis, les prophètes n'ont jamais cessé d'annoncer le retour du ras de marée asiatique qui devrait se produire, selon eux, peu avant ou après l'an 2000.[56]

Au Xe siècle, c'est la religieuse allemande Hroswitha, déjà nommée plusieurs fois, qui évoque « le temps de la Guerre Rouge, prévue au Livre de la Colère, et du Grand Empire d'Orient, qui sera le dernier de la Terre ». Pourquoi une « Guerre Rouge »? L'expression, insolite dans un texte antérieur à l'an 1000, s'applique-t-elle à une guerre qui sera particulièrement sanglante ou, plus vraisemblablement, à un conflit déclenché par une nation que, dix siècles plus tard, on appellera la Chine rouge?[57]

Nostradamus dénonce également le danger que représente ce pays gigantesque, fascinant et mystérieux, quoique déjà mieux connu à son époque depuis les récits de Marco Polo,[58] et que ses habitants dénomment orgueilleusement l'Empire du Milieu parce qu'ils le considèrent comme le centre du monde:

> *L'Oriental sortira de son siège,*
> *Passer monts Appenins voir la Gaule:*
> *Transpercera le ciel, les eaux & neige,*
> *Et un chacun frappera de sa gaule.* (11-29)[59]

Poursuivons la rétrospective avec la prophétie de Jasper, connue dès le XVIIIe siècle et qui se passe aussi de commentaires:

---

56. Est-ce cette « invasion sans précédent » — qui sera foudroyante, comme nous le verrons plus loin, et commencera sans doute par des lâchers de parachutistes — que Nostradamus prédit en toutes lettres, avec une précision inhabituelle, pour le mois de septembre 1999?
    L'an mil neuf cens nonante neuf sept mois,
    Viendra du ciel un Grand Roy d'effrayeur... (X-72)
57. Il pourrait s'agir aussi d'une guerre opposant deux nations « rouges », la Chine et la Russie, mais l'hypothèse ne tient pas ici, puisque le peuple soviétique se sera « converti » avant.
58. Voyageur vénitien (1254-1323). Il séjourna dix-sept ans à la cour de l'empereur de Chine, le Grand Khan Koubilaï.
59. Autre exemple typique des fréquents désaccords entre les « traducteurs » de Nostradamus. L'un d'eux donne de ce quatrain une tout autre interprétation qui peut surprendre: « Reconnaissance officielle de la Chine par le général de Gaulle. Pourrait aussi annoncer une visite officielle du président Mao en France. »

« J'ai des inquiétudes du côté de l'Orient. Une guerre éclatera de ce côté avec tant de promptitude que le soir on dira: la paix, la paix! et il n'y aura plus de paix car les ennemis seront déjà à la porte et tout retentira de bruits de guerre. Ce ne sera pas une guerre de religion, mais tous ceux qui croiront au Christ feront cause commune. Un signe principal du temps où la guerre éclatera sera la tiédeur générale en matière de religion et la corruption des moeurs en plusieurs endroits. »

En 1783, c'est la découverte du manuscrit de Prémol, dont l'extrait cité plus haut contient un mot qui, à première vue, peut échapper à l'attention: « Ah! le Dragon s'est jeté sur tous les États et y apporte la plus terrible confusion. » Mais, dit ailleurs la prophétie, « il (le Dragon) périra à son temps, car l'Archange Michel le combat en tous lieux et déjà il n'a plus qu'un seul repaire ». Est-ce trop extrapoler que de supposer que le dragon vaincu par saint Michel — un dragon *rouge,* précise l'*Apocalypse* qui l'assimile à un faux prophète (12-3) — symbolise ici le communisme athée et que le mythe biblique du combat du monstre et de l'archange préfigure l'affrontement final entre l'Est et l'Ouest, le Dragon rouge contre le Dragon Vert?

Selon Matthieu (24-7), « une nation s'élèvera contre une nation, un royaume contre un royaume ». « Royaume » doit être compris dans son sens le plus large: c'est le royaume du Christ contre celui de l'Antéchrist, deux blocs idéologiques inconciliables. Et lorsque la prédiction de Prémol ajoute que le Dragon *(rouge)* n'a déjà plus qu'un « seul repaire », cela ne peut-il signifier que seule la Chine reste encore communiste, la Russie ayant déjà rallié « le royaume du Christ? » D'ailleurs l'apôtre Jean dit bien qu'après le dragon viendra une « autre bête » qui parlera « comme un dragon » et sera vaincue aussi dans une lutte ultime. *(Apocalypse,* 13-11)[60]

60. Le moine anonyme de Prémol ne laisse subsister aucun doute sur le sens de ces combats: « L'Archange et le Dragon sont les deux esprits qui se disputent l'empire de Jérusalem (l'empire du Christ né en Judée) » et la lutte qui les opposera se fera en plusieurs temps. Car cette étonnante prophétie (connue, rappelons-le, dès 1783) assimile la première manifestation du Dragon à la Révolution française de 1789: « Jusque-là, c'était l'Archange qui régnait sans partage (...)

En 1792, c'est au tour d'une Anglaise, Johanna Southcott, une « sorcière » du Devonshire, de pronostiquer « la fin des Temps » en deux petits vers de mirliton qui ont une allure de proverbe:

Quand apparaîtra la guerre orientale,
Sachez que la fin sera fatale.

Parmi les prophéties du siècle suivant, retenons celle-ci qui commença de courir sous le manteau à Varsovie dans les années 1860: « Le marteau sera brisé au lever du soleil ». Volontairement énigmatique, elle fait penser à un rébus, mais il faut se rappeler qu'à l'époque la Pologne se trouvait sous la domination des Russes qui réprimaient déjà à leur manière toute tentative d'insurrection. Pour les patriotes, le « marteau » représentait clairement l'oppresseur, et le « lever du soleil » un espoir qui viendrait de l'est, autrement dit de la Chine qui se serait « réveillée ». Nul doute qu'aujourd'hui encore, certains Polonais continuent de regarder vers l'est, surtout qu'un hasard malicieux a fait de ce marteau, « pacifié » par une faucille, l'emblème de la Russie soviétique.

---

mais le Dragon ne fait que passer, semant la terreur et le sang, et fauchant de sa queue le Lys (symbole de la monarchie) sur sa route. »

Toutefois, la Révolution n'apporte pas que le malheur au peuple opprimé: « Le torrent impétueux laisse souvent un limon bienfaisant sur les champs qu'il ravage, et le fils du laboureur profite des larmes de son père. » Puis surgit un Aigle (Napoléon Bonaparte) qui renverse la République déchristianisée, rétablit la foi catholique, mais son règne est aussi très court et « la tempête précipite l'Aigle sur le rocher » (vaincu à Waterloo, Napoléon mourra en exil sur le rocher de Sainte-Hélène). « Et le Lys refleurit de nouveau jusqu'à ce que le Coq (la France) le coupe de son bec et le jette sur le fumier » (Rétablissement de la monarchie chrétienne, tant royale qu'impériale, jusqu'à sa chute définitive en 1870 et son remplacement par une république bourgeoise et laïque).

Mais le Dragon ressuscitera bientôt (cette fois en Russie puis en Chine, la « première-née » du Dragon). Cela provoquera la troisième guerre mondiale du XXe siècle, laquelle éclatera d'abord au Moyen-Orient: « Je vis, en effet, que tout était rouge de sang autour de Juda... » Et ce sera l'affrontement décisif entre l'Archange et le Dragon qui, après une première défaite (celle de « Gog » en Israël) périra « la tête écrasée ». Entre-temps, il se sera produit des famines, des tremblements de terre, et le dernier pape aura fui Rome dévastée. Enfin, apparaîtra un homme qui aura en lui « l'Esprit de Dieu » et convertira tous les peuples « car le Seigneur est miséricordieux et tirera le monde du chaos, et un monde nouveau recommencera. »

Tel est l'essentiel du message de Prémol.

Napoléon qui, en 1807, libéra une petite portion de la Pologne pour les beaux yeux de Marie Walewska,[61] avait pressenti aussi que le « soleil » se lèverait un jour. Mais sans le souhaiter, au contraire, en recommandant la prudence, lui qui en était plutôt dépourvu: « La Chine est un géant qui dort, ne l'arrachez pas au sommeil. » On sait que son conseil ne fut pas entendu. Le géant était trop riche et, de surcroît, peu conscient de sa force. Oubliant un moment ses terreurs millénaires, l'Europe mercantile du XIXe siècle ne put résister à la tentation de lui envoyer ses marchands, ses missionnaires et ses soldats, compagnons indissociables de toute entreprise coloniale.[62] Et cette faute (?) eut pour résultat de précipiter l'écroulement de l'Empire mandchou auquel succéda une république proclamée en 1911. Malgré l'opium et la morphine que les Anglais, toujours pratiques, lui procuraient généreusement pour bercer sa somnolence, le géant, réveillé, commençait d'étirer ses membres...

Les Chinois à Paris

Les avertissements vont se multiplier à mesure que se rapproche l'échéance supposée: « Je vois des guerriers rouges et des guerriers jaunes marchant contre l'Europe, et l'Europe est couverte d'un brouillard jaune... » (Comtesse de Billante, 1935) « L'Amérique et la Russie mobiliseront du même côté contre le péril commun, la Chine rouge », prophétise en 1946 l'Américaine Jane Dixon, trois ans avant que la Chine ne devienne communiste.[63] Et « La Dame de tous les Peuples », qui inspire une voyante hollandaise, annonce « une guerre nouvelle, étrange »: « La Dame me montre le globe. Elle désigne l'Orient et dit: C'est de là que cela vient. L'Europe doit

61. Ce territoire, le duché de Varsovie, fut réoccupé par les Russes après la débâcle de l'Empire français en 1815.

62. En 1842, une escadre cuirassée de la reine Victoria bombarda la côte chinoise de Canton à Shanghaï. Après quoi, l'amiral britannique lança cette proclamation pour se concilier les survivants: « Gouvernés par le Père suprême qui est aux cieux, tous les hommes sont frères. Ils doivent donc entretenir des rapports fraternels. » (Lucien Bodard, *Monsieur le Consul,* Grasset & Fasquelle, 1973).

63. Jane Dixon prédit également que le comportement de l'Amérique vis-à-vis de ses minorités raciales soulèverait contre elle l'Afrique et l'Asie.

se tenir sur ses gardes. Avertis les peuples d'Europe... Regarde bien et écoute: l'Orient contre l'Occident... »[64]

En même temps, un « initié » anonyme prédit dans un livre publié en Suisse, à Neufchâtel:

> « Le monde traverse l'une des périodes les plus graves de son histoire. Maître, redoutons pour l'Europe, c'est un conflit entre la Race Blanche et la Race Jaune. Si cela devait se produire, que Dieu nous vienne en aide. Non seulement nous aurions à compter avec le nombre, dépassant de beaucoup celui des Blancs, mais encore avec l'atroce cruauté des hommes de la Quatrième Race. Si cette guerre doit se produire, l'évolution du monde subirait un retard de milliers d'années. »[65]

Vision alarmante qui rappelle un vieux texte prophétique chinois cité par René Alleau dans *Les Sociétés secrètes:*

> « L'immense et toujours grandissante fécondité de notre race vous poussera dans la mer, vous chassera de vos royaumes et enlèvera le dernier grain de riz de vos bouches affamées. Ils viendront dans de longues années; parfois, dans mes rêves, mon esprit lucide vole vers les brumes de ton pays; et j'entends, sur tous les sentiers qui vont à l'Ouest, le claquement des sandales de ces millions d'hommes. Que nos coeurs émus saluent la nuit des temps dont ils vont sortir! Ils arriveront; devant leur nombre effroyable, vous n'aurez recours qu'à votre dieu, car toute force sera inutile... »[66]

Enfin, en février 1974, le cinéma s'intéresse à son tour à la question, mais sans pronostiquer, en supposant le fait accompli. *Les Chinois à Paris* du cinéaste français Jean Yanne, connu pour son humour caustique, sont des visiteurs plutôt amicaux qui, une fleur à la main et dans l'autre le *Petit Livre rouge* des pensées de Mao, sont venus prêcher la bonne pa-

---

64. Raoul Auclair, *La Dame de tous les Peuples.*
65. *L'Initié,* 1947.
66. Encyclopédie *Planète.* Ce thème du « déferlement » se retrouve encore aujourd'hui dans *Fleuve Jaune,* la symphonie patriotique et révolutionnaire de l'Armée de la Chine populaire.

role à une France en pleine décomposition morale. Mais, craignant sans doute pour leur vertu, ils se hâteront de repartir en se bouchant le nez, effrayés par la corruption du monde occidental. À défaut des envahisseurs, c'est la satire qui est féroce.

Toutefois, si les voyants envisagent très différemment « l'invasion sans précédent », l'un d'eux en donne une version qui semblerait presque optimiste. Pour M. Mario de Sabato, le « Péril jaune » reste le dernier grand problème à régler avant que ne s'établisse la Paix universelle. Sans aller jusqu'à dire que les Chinois le résoudront une rose à la main, il y voit davantage l'éclatement d'un peuple frustré dans ses espoirs les plus légitimes qu'une tentative guerrière de domination mondiale. Et la prochaine « Grande Marche » des maoïstes déçus apporterait la solution d'une entente définitive entre l'Orient et l'Occident.

Cette extraordinaire prédiction délimite même avec précision l'avance extrême des masses chinoises qui, poussées par la faim et certaines sans armes, déferleront de tous côtés à la conquête du monde surpris. La presque totalité de l'Europe, l'Asie entière et le Moyen-Orient seront submergés. Comme, selon M. de Sabato, il ne sera pas question d'une guerre nucléaire, seule la loi du nombre pourra expliquer la stupéfiante réussite d'une telle invasion. Enfin, s'étant ressaisies tardivement, les forces de l'Ouest redresseront la situation et ce sera la fin du régime de Pékin. Moins purs que ceux de Jean Yanne et ayant sans doute pris goût aux « délices » occidentales, des centaines de millions de Chinois refuseront alors de regagner leur pays. Après une période de grande confusion, il en résultera un brassage général des races autrefois antagonistes qui donnera naissance à une civilisation nouvelle euroasiatique à l'extrême pointe d'un progrès tant social qu'économique. Ce sera le prélude à l'âge d'or prédit par tous les vieux textes et que le voyant français estime devoir commencer entre 1993 et 2021.[67]

---

67. Mario de Sabato, *Confidences d'un voyant* (Hachette, 1971). D'autre part, Nostradamus a dit que l'Antéchrist (le communisme sous sa forme actuelle) serait définitivement vaincu (annihilé) après une guerre sanglante qui durerait vingt-sept ans:

    L'Antéchrist trois bien tost annichilez,
    Vingt & sept ans durera sa guerre... (VIII-77)

L'âge d'or pour 30 000 dollars

« Les gens de notre planète préfèrent mourir que vivre, donc la congélation sera toujours réservée à une élite. Évidemment, plus il y aura de candidats, moins ça m'intéressera. »

— SALVADOR DALI

— Population mondiale maintenue au chiffre de 5 milliards en l'an 2000 et de 8 milliards en 2100 par la régulation des naissances.
— Contrôle efficace et peu coûteux de la fécondité par contraceptifs bucaux.
— Correction chimique des tares héréditaires au niveau des gènes.
— Immunisation biochimique générale contre toutes les maladies bactériques ou virales.
— Possibilité de remplacement de tous les organes, à l'exception du cerveau, par des prothèses en matières plastiques comportant des pièces électroniques.
— Substances biochimiques stimulant la pousse de nouveaux organes et de nouveaux membres.
— Modification possible par des drogues non narcotiques des caractéristiques de la personnalité.
— Élévation du niveau de l'intelligence par médicaments ou interaction mécanique directe entre le cerveau et un ordinateur.
— Révolution dans l'enseignement grâce à l'enregistrement artificiel des connaissances par le cerveau.
— Usage généralisé de la télépathie ou de la perception à distance pour les télécommunications même privées.
— Journaux imprimés par radiotéléscripteurs au domicile des abonnés.
— Traduction immédiate des langues étrangères par des machines à quotient intellectuel élevé pouvant égale-

---

Cette guerre, coupée par une période de paix, commencerait avec le conflit provoqué par « Gog » à propos d'Israël pour se terminer à la chute de Pékin. Selon les futurologues de la *Rand Corporation* (plus de 150 savants et experts de réputation mondiale), il y a 80 à 85 chances sur 100 pour qu'elle n'éclate pas avant 1984, ce qui s'accorde encore avec les prophéties. (*Janus*, n° 8, octobre 1965, *Science ou prescience de l'avenir*).

ment accomplir de nombreuses tâches mentales et même prendre des décisions.
— Énergie abondante par fission nucléaire contrôlée.
— Nombreux travaux domestiques et de bureau effectués par des robots et utilisation d'animaux intelligents (singes, cétacés) comme main-d'oeuvre inférieure.
— Prévisions météorologiques sûres et possibilité d'amélioration à peu de frais des conditions climatiques locales.
— Autoroutes balistiques pour conduite automatique et vulgarisation de l'hélicoptère individuel.
— Voyages interstellaires commercialisés et communication réciproque avec des êtres extra-terrestres.[68]
— Allongement de la durée moyenne de la vie à 100 ans, puis à plusieurs milliers d'années.
Etc...

Telles sont les promesses alléchantes dont certains futurologues nous font miroiter la réalisation dans les cent vingt-cinq années à venir. Il y a là, dira-t-on, de quoi frustrer les générations vieillissantes du XXe siècle qui, parvenues si près de l'âge d'or, sont condamnées par une loi naturelle à ne voir en celui-ci qu'une « Terre promise » inaccessible. Cependant, la science et le commerce, jamais à court d'idées, ont déjà proposé une solution ingénieuse. Ainsi qu'une agence de voyages racole une clientèle privilégiée pour une croisière dans des îles de rêve, des entreprises spécialisées aux noms bizarres, comme *la Société Cryonics de France,*[69] reproduisent dans leurs brochures publicitaires ce tableau du monde de demain brossé par les experts de la *Rand Corporation.* Faut-il s'attendre à ce que le savoureux slogan des mar-

68. « Dans une période qui sera très courte par rapport à notre Histoire (peut-être un siècle au plus) nous pourrons établir un contact physique avec tous les grands corps solides du système solaire. Un débarquement sur la planète la plus éloignée est plus proche de nous que le Second Empire (1870). Loin d'ici, parmi les étoiles, se trouvent des vérités que nous sommes appelés à comprendre, que nous les apprenions par nos propres efforts ou par des professeurs étrangers qui nous attendent le long de la route sans fin sur laquelle nous avançons irrévocablement. » (A. C. Clarke, *Profile of the Future).*

69. De « cryogénie »: production de basses températures.

chands de funérailles « Mourez, nous ferons le reste » soit remplacé bientôt par cette formule plus séduisante: « Faites-vous cryogéniser, nous ferons le reste »?

Jean Rostand écrivait déjà en 1960: « On verra un jour les incurables, les vieillards aller se faire congeler. On les mettra dans des tiroirs avec des étiquettes: à réveiller quand on aura trouvé le remède contre... le cancer, le vieillissement, et pourquoi pas la mort. »[70] L'homme a toujours tenté de tricher avec son destin. En 1492, le pape Innocent VIII, si justement nommé, crut obtenir l'immortalité en s'infusant le sang frais de trois jeunes garçons, choisis beaux et vigoureux, mais Sa Sainteté, gorgée pourtant de bons globules rouges, s'éteignit malencontreusement au cours de l'opération. Avant, les Égyptiens se faisaient embaumer dans l'attente d'une résurrection sans songer que, le cas échéant, vidés qu'ils étaient de leurs viscères, ils seraient bien gênés de ressusciter sans cerveau, coeur, poumons, yeux, etc. — à moins qu'ils n'aient prévu les organes en matière plastique. Aujourd'hui, grâce à la cryogénisation, les candidats à un voyage dans le troisième millénaire sont tout de même assurés de se réveiller complets.

Pour notre curiosité, faisons une incursion rapide dans ces laboratoires où les démiurges de la science rejoignent les auteurs de fiction. La recette — ou la technique — de la congélation humaine a été mise au point par l'Américain Dante Bunol. Elle consiste dans l'essentiel, dès que le décès est constaté, à placer sous un « coeur-poumon » artificiel le patient entouré de glace. Des solutions chimiques ayant été substituées à son sang et à l'eau de son corps, celui-ci est ensuite refroidi progressivement jusqu'à −79° C. Mis dans la glace carbonique, il est alors prêt à être transporté au cryotorium (entrepôt de conservation) où le reçoit une capsule de 800 litres d'azote liquide. Combien de temps peut-il être gardé ainsi? En théorie, trois milliards d'années si la température est maintenue constamment à −196° C, ce qui laisse

70. Deux ans auparavant, un savant français, Louis Rey, avait réussi à ranimer un coeur de poulet plongé dans l'azote liquide. Depuis 1946, Jean Rostand faisait lui-même des expériences de survie sur des spermatozoïdes de coqs et de taureaux conservés dans du glycérol à -196° C. Après sept ans, ceux-ci pouvaient encore féconder des poules et des vaches qui donnèrent naissance à des animaux parfaitement normaux.

le temps de voir venir.[71] Autre condition capitale: l'azote liquide, volatil, doit être renouvelé ponctuellement tous les trois mois car, passé ce délai, le surgelé se réchaufferait rapidement, phénomène entraînant les conséquences qu'on imagine.

Depuis le 12 janvier 1967, le premier cryogénisé de l'Histoire, le psychologue Bedford, mort d'une leucémie, attend sa résurrection au cryotorium de Phoenix (Arizona) avec, peut-être, un peu plus de chance que la momie de Toutankhamon. Trois ans plus tard, une douzaine d'Américains l'avaient rejoint plus ou moins discrètement dans l'azote liquide. On murmure des noms: Walt Disney, de richissimes Américains, des artistes d'Hollywood, tous membres de ce qu'il est convenu d'appeler l'élite, comme le souhaite Salvador Dali.[72] Cette sélection est surtout due à ce que ce nouveau genre d'embaumement n'est pas encore à la portée de tous. L'un de ses promoteurs, le professeur Ettinger, avait estimé qu'une congélation de « première classe » à l'hélium (gas plus efficace, mais plus onéreux) ne devait pas nécessiter l'investissement d'un capital dépassant 8 500 dollars.[73] Mais ce n'était là que le calcul d'un savant idéaliste ignorant du système de la libre entreprise. En 1970, il en coûtait déjà environ 30 000 dollars et, l'inflation aidant, la surgélification humaine ne semble pas près d'être démocratisée.

Par ailleurs, tel qu'il est pratiqué jusqu'ici (parfois douze heures après la mort), le procédé du docteur Bunol ne recueille pas l'adhésion unanime du monde scientifique. Alléguant qu'un cerveau privé d'oxygène plus de quelques minutes se détériore irrémédiablement, des biologistes, dont Rostand, le jugent même très aléatoire s'il n'est pas expéri-

---

71. Des bactéries fossilisées, vieilles de 600 millions d'années, ont été « réveillées » en 1959 par le savant allemand Dombrovski. *(Planète,* n° 16, mai 1964, et *Le Nouveau Planète,* n° 14, janvier 1970).

72. On cite également le cas douloureux d'une fillette canadienne décédée d'un cancer du rein et cryogénisée à Los Angeles le 25 janvier 1972.

73. Ce chiffre comprenait les opérations préliminaires et la fourniture de l'hélium ($1 250) ainsi que le renouvellement trimestriel du bain réfrigérant, les frais d'entretien, la location d'un caveau privé et la réanimation dans un quart de siècle. Le professeur Ettinger pensait aussi que l'amélioration de la technique et la conservation des corps dans des mausolées collectifs pourraient réduire considérablement le capital nécessaire.

menté sur des sujets encore vivants. Mais l'espoir, peut-être illusoire, de revivre un jour et de connaître l'immortalité justifie-t-il une décision qui pour les intéressés équivaudrait à un suicide?[74]

D'autres questions se posent encore si l'on admet que tout se passera bien, que les entreprises de cryogénisation ne seront jamais paralysées par des grèves ou des faillites et que les générations successives de leur personnel continueront scrupuleusement à entretenir les cercueils d'hélium. Les professionnels présument qu'en 2100 la science sera définitivement en mesure d'assurer à leur clientèle un réveil sans problèmes techniques. Mais toutes les difficultés ne seront pas aplanies pour autant. En débarquant inopinément parmi une société sans doute très différente de celle qu'ils ont quittée, les resquilleurs du troisième millénaire ne s'exposent-ils pas à d'amères désillusions? Vestiges dérisoires d'une ère révolue, seront-ils seulement acceptés? Tels des hommes du Moyen Âge ressuscitant aujourd'hui, ils risquent fort de se sentir égarés dans un monde qui n'est plus pour eux.

La Gnose de Princeton

> « Il est difficile de faire des prophéties, surtout quand il s'agit de l'avenir. »
>
> — ALAIN PEYREFITTE
> (auteur de *Quand la Chine s'éveillera)*

Si l'âge d'or doit être la prochaine étape de l'humanité, l'image qu'en proposent les futurologues — celle d'une civilisation de laboratoires, d'ordinateurs et de robots — a de quoi faire réfléchir les âmes simples qui pouvaient l'imaginer plus idyllique. La perspective de rouler paresseusement dans des voitures radioguidées, de ne plus attraper la grippe ou d'avoir à son service un chimpanzé ou un dauphin ne corrige

74. Si la législation présente n'était pas modifiée en conséquence, le statut d'un « hiberné prématuré » serait singulièrement embarrassant pour ses héritiers frustrés. Il continuerait d'être considéré par la loi comme un citoyen responsable et imposable, jouissant de ses droits d'électeur; il conserverait tous ses biens, accumulerait revenus et pensions et aucun Lloyd n'accepterait naturellement de verser aux bénéficiaires le montant de son assurance-vie.

en rien cette impression déprimante et l'immortalité, dans ces conditions, paraît soudain interminable. Le paradis retrouvé ne sera-t-il en définitive que la dictature déguisée d'une minorité scientifique déjà responsable en partie de la destruction du vieux monde? Méditons en passant sur ce jugement sans indulgence du biologiste américain James D. Watson, Prix Nobel 1962: « Contrairement à l'idée populaire entretenue par les journaux et les mères des savants, un nombre considérable de ceux-ci sont non seulement étroits d'esprit et ne sont pas drôles, mais sont encore complètement idiots ».[75] En mettant les choses au mieux et même si les nouveaux maîtres du globe parviennent à se doter chimiquement ou mécaniquement d'une superintelligence, les pronostics de la *Rand Corporation* n'en demeurent pas moins inquiétants.

Mais l'âge d'or sera-t-il vraiment cela? La Fontaine nous a conté dans une fable l'histoire d'un astrologue qui, regardant trop haut et trop loin, tomba dans un puits ouvert à ses pieds. Il semble que ce soit déjà un peu le cas des « inventeurs d'avenir » qui s'aventurent si délibérément dans les siècles futurs et n'ont pas su prévoir, entre autres choses, la crise énergétique actuelle dont le monde sortira bouleversé. Leur crédibilité en a évidemment souffert et, depuis, quelques doutes accueillent leurs anticipations.[76]

Plus discrets et surtout moins enclins à des élucubrations aussi fracassantes, des hommes ont une tout autre vue de ce que demain nous réserve. Selon eux, malgré l'optimisme des gouvernements et de la science « officielle », la recherche d'énergies nouvelles n'apportera que des déceptions. Les seules ressources tangibles, le charbon et le pétrole, seront complètement épuisées avant l'an 2000, les centrales nucléaires ne sont que des leurres dangereux et même si l'atome tenait ses promesses, ce n'est pas cela qui ferait voler les avions ni mouvoir les automobiles et les engins agricoles. Bref, notre monde mécanisé pourrait fort bien connaître incessamment une formidable et irréversible régression

---

75. *La Double Hélice* (1968).
76. La *Rand Corporation* effectue également des études prévisionnelles pour le gouvernement des États-Unis. Celles-ci ont inspiré notamment la politique de l'administration Kennedy et la stratégie de ce qui a été appelée « la guerre froide » entre l'Ouest et l'Est.

technique et nous verrions alors resurgir du fond des âges le moulin à vent ou à eau ainsi que la charrue tirée au pas lent des boeufs.

Quels sont donc ces trouble-fête? Rien de moins que plusieurs centaines de savants et professeurs appartenant aux plus célèbres universités américaines, canadiennes et anglaises, et leur mouvement, connu sous le nom de « La Gnose de Princeton » ne cesse de recruter des adeptes. À force d'interroger le cosmos jusqu'à deux milliards d'années-lumière à travers les lentilles géantes du télescope du mont Palomar (en Californie), ils ont redécouvert l'antique philosophie des sages du IIIe siècle, à savoir la quête d'une forme supérieure de connaissances qui sont celles de la nature et de la pensée de Dieu. L'essence de l'univers est avant tout mentale et la création a deux principes: l'un qui est l'esprit ou la lumière, l'autre la matière ou les ténèbres. Or l'unique mission de la science étant la recherche de la vérité qui est dans les idées, non dans la matière, l'idée suprême ne peut être que celle du bien.[77]

On ne s'étonnera pas après cela qu'un livre récemment paru, exposant les motivations des nouveaux gnostiques de Princeton, porte ce sous-titre à première vue insolite: « Des savants à la recherche d'une religion ». Le message qu'il contient peut se résumer ainsi: le règne de la machine touche déjà à sa fin et le monde qui va s'édifier sera celui « de l'esprit, de la conscience et du divin ».[78] Et cette thèse révolutionnaire vient corroborer étrangement tous les textes prophétisant un grand renouveau spirituel sur une Terre que l'irresponsabilité des hommes aura menée au bord de la destruction. Un religieux allemand du XVIIe siècle, le vénérable Barthélemy Holzhauser, curé de Bingen, a même prévu la révélation du mont Palomar:

> « Bien que dans le cinquième âge (où nous sommes) nous ne voyons que calamités les plus déplorables, tandis que tout est dévasté par la guerre, que les royaumes sont bouleversés, que les monarques sont

77. La philosophie des anciens gnostiques s'inspirait à la fois de la doctrine de Ménichée (215-276 de notre ère) et de celle de Platon (IVe siècle avant J.-C.).
78. Raymond Ruyer, *La Gnose de Princeton* (Éditions Fayard, 1975).

tués, il se fait un changement étonnant par la main du Tout-Puissant, tel que personne ne peut l'imaginer. *Les hommes seront éclairés tant par les Sciences naturelles que par les Sciences célestes.* Enfin, la sixième Église, l'Église de Philadelphie, sera le type du sixième âge (celui du Verseau), car Philadelphie signifie amitié du frère. »

Le Grand Monarque

> « Il faut nous tenir prêts pour un événement immense dans l'ordre divin vers lequel nous marchons à une vitesse accélérée qui doit frapper les observateurs. Le christianisme sera rajeuni d'une manière extraordinaire. Il ne s'agit pas d'une modernisation de l'Église, mais d'une forme nouvelle de la religion éternelle. »
>
> — JOSEPH DE MAISTRE (1756-1821)
> *(Les soirées de Saint-Petersbourg)*

À ces lignes, écrites par un catholique fervent qui condamna la Révolution française et soutint jusqu'à sa mort l'autorité du roi et du pape, fait écho vers la même époque cette confidence de Napoléon Ier:

> « Tout proclame l'existence de Dieu, c'est indiscutable; mais les religions sont évidemment les enfants des hommes. Pourquoi y en a-t-il tant? Pourquoi la nôtre n'a-t-elle pas toujours existé? Pourquoi est-elle exclusive? Que sont devenus les hommes vertueux qui nous ont devancés? Pourquoi ces religions se sont-elles décriées? Pourquoi cela a-t-il été de tous les temps et de tous les lieux? C'est que les hommes sont toujours les hommes, c'est que les prêtres ont toujours glissé partout la fraude et le mensonge. Je ne crois pas aux religions, mais à l'existence de Dieu. »

En s'exprimant ainsi dans un moment de franchise brutale, l'empereur avoue implicitement n'avoir rendu la France au catholicisme (proscrit par la Révolution) que par simple opportunisme politique et parce qu'un peuple pieux est toujours plus docile.[79] Ceci, Voltaire qu'il admire beaucoup n'a pas craint de le dire tout haut avec son célèbre sourire: « Je ne vois pas dans la religion le mystère de l'incarnation, mais le mystère de l'ordre public. L'idée d'égalité est rattachée au ciel, et cela empêche les pauvres de massacrer les riches. » L'auteur de *Candide* pensait d'ailleurs très sincèrement qu'un monde bien organisé est celui où un petit nombre d'élus vivent grassement du travail du commun des hommes qu'ils gouvernent de surcroît. Soucieuse avant tout de préserver le Système, l'Église de Rome (entre autres) est devenue rapidement la plus précieuse auxiliaire du Pouvoir et de l'Argent en prêchant l'obéissance et la résignation aux opprimés, promis en compensation à de vagues félicités posthumes. Qu'importe si, ce faisant, elle désavouait ses premiers docteurs et dénaturait grossièrement les paroles du Christ en feignant d'en ignorer le sens souvent métaphorique. Ce truquage théologique fait l'essentiel du thème de la fameuse encyclique *Nostris et Nobiscum* du pape Pie IX, datée du 8 décembre 1854:

> « Au reste que nos pauvres se souviennent, d'après l'enseignement de Jésus-Christ lui-même, qu'ils ne doivent point s'attrister de leur condition: car la pauvreté même leur a préparé pour leur salut un chemin plus facile, pourvu toutefois qu'ils supportent patiemment leur indigence et qu'ils soient pauvres non seulement en réalité, mais en esprit. Car il est dit: Heureux sont les pauvres en Esprit: le royaume des cieux est à eux. »[80]

Or pour le Fils de l'homme — et les Pères de l'Église ne laissent subsister aucune équivoque sur ce point — « le royaume des cieux » qui appartient aux « pauvres en esprit », c'est-à-dire les justes, n'a jamais été rien d'autre que la Terre, mais une Terre sur laquelle régnera un jour l'équité.[81]

Persévérant dans la fraude pour asseoir sa toute-puissance, Rome a tenté en outre de monopoliser Dieu, alors qu'il

79. « On ne gouverne pas des hommes qui ne croient pas en Dieu, on les fusille. » (Napoléon Ier)
80. Pie IX est également responsable du dogme de l'infaillibilité des papes.
81. « L'usage de toutes les choses qui sont en ce monde doit être commun à tous les hommes. » (Saint Clément, pape de 88 à 97) « Le

est universel quels que soient le nom qu'on lui donne et le culte qui lui est voué. Ses ambitions temporelles, son intolérance et son prosélytisme colonialiste ont ensanglanté son histoire d'une longue suite de crimes qui, selon la Prédiction, rendent sa perte inéluctable. « Rome, ville privée de toute discipline chrétienne, est la source de toutes les abominations de la chrétienté; c'est elle que frappera d'abord le jugement de Dieu », prophétisait déjà au XIIe siècle le moine Joachim de Fiore, et le réformateur Jean Huss, traduit devant le concile de Constance (1415), sera condamné à être brulé vif pour avoir écrit: « Par la richesse, toute l'Église chrétienne a été empoisonnée et corrompue. La parole divine est devenue une raillerie... »

Même si l'Église catholique romaine a suscité d'admirables apostolats, rien ne pourra effacer les brigandages des Croisades, les bûchers de l'Inquisition, les guerres de religion, les complaisances vaticanes pour tous les fascismes, qu'ils soient mussolinien, hitlérien ou franquiste, ni le génocide du peuple juif tenu pour responsable pendant près de vingt siècles de la crucifixion de Jésus.

À ce bilan déjà lourd, on peut ajouter encore aujourd'hui la guerre du Viet-Nam entreprise il y a trente ans pour tenter de perpétuer la domination d'une minorité de catéchumènes indochinois, dernier bastion oriental de la chrétienté. C'est le catholique Georges Bidault, ministre français des Affaires étrangères, qui ordonna cette croisade anticommuniste et, en novembre 1946, la flotte de l'amiral Thierry d'Argenlieu (en religion le Père Louis de la Trinité, supérieur des Car-

---

superflu des riches est le nécessaire des pauvres. Quiconque possède sur la terre est infidèle à la doctrine de Jésus-Christ. » (Saint Augustin, évêque d'Hippone (354-430)). « Si nous acceptions aujourd'hui ce genre de vie, il en résulterait un bien immense pour les riches et pour les pauvres. Et nous pourrions ainsi transformer notre demeure terrestre *en un véritable ciel.* » (Saint Jean Chrysostome, dit BOUCHE D'OR, patriarche de Constantinople (347-407)). Etc...

Jean-Jacques Rousseau ira même jusqu'à assimiler l'instauration de la propriété au péché originel *(Du Contrat social,* 1762). Et Edgar Cayce répétera en 1932: « L'unique solution de l'homme à ses problèmes a été le pouvoir et la puissance de l'argent. Cela n'a jamais été la volonté de Dieu et ne le sera jamais. Il s'est produit et il se produira dans les affaires du monde entier la nécessité de considérer la terre comme un bien commun n'appartenant pas à un ou des individus, mais à tous. »

mes) bombardait le port d'Haïphong, assassinant 5 000 civils. Dix-sept ans plus tard, cédant aux bruyantes instances du cardinal Spellman, archevêque de New York, le président John F. Kennedy, catholique lui aussi, engagera son pays dans une lutte que la France a perdue à Dien Bien Phu après avoir sollicité vainement l'intervention des bombardiers atomiques U.S. Depuis, pour justifier ses échecs tout en rassurant les bonnes âmes quant au napalm et aux bombes à billes déversés en pure perte sur les villes du Nord Viet-Nam, le général Westmoreland, chef du corps expéditionnaire américain, a affirmé à la télévision que « la mort n'avait pas d'importance pour les Orientaux ». Mot hautement historique qui complète harmonieusement celui resté célèbre de Mgr Diaz Gomara, évêque de Carthagène, pendant cette autre croisade que fut la guerre civile espagnole de 1936-39: « Bénis soient les canons si, dans les brèches qu'ils ouvrent, fleurit l'Évangile. »[82]

Selon la Prophétie, le jugement de Dieu n'entraînera pas seulement la fin de la papauté, mais celle de toutes les religions qui se fondront en une foi commune annoncée par un nouveau Messie: « Qui ne viendrait, Seigneur, et ne glorifierait ton nom? Car, seul, tu es saint. Et toutes les nations viendront et se prosterneront devant toi, parce que tes jugements ont été manifestés (...) Le royaume du monde est remis à notre Seigneur et à son Christ; et il régnera aux siècles des siècles (...) Moi, Jésus, je vous ai envoyé mon ange pour vous attester ces choses dans les Églises. » *(Apocalypse,* 11-15, 15-4 et 22-16) « Un nouveau pasteur, appelé du rivage par un signe céleste, viendra dans la simplicité du coeur et de la Science du Christ, et la paix sera rendue au monde. »[83] (Ridolfo Gilthier, XVIIe siècle) « Il convertira presque tous les infidèles... » (Sainte Hildegarde, XIIe siècle) « Les Juifs se joindront alors aux chrétiens et reconnaîtront avec allégresse l'arrivée de Celui qu'ils niaient jusque-là être venu au monde. L'Empire des Turcs (l'Islam) sera brisé et le Grand Monarque

82. Cité dans le film de Frédéric Rossif, *Mourir à Madrid,* mais généralement censuré à la projection. Par contre, il figure dans le texte intégral du livre publié par les Éditions Marabout-Université.

83. Le 5 février 1962, à 7 heures du matin, l'Américaine Jane Dixon aurait eu une vision selon laquelle un enfant venait de naître en Israël sous le signe du Verseau. Destiné à devenir le sauveur du monde, il serait reconnu comme tel en 1982.

régnera en Orient et en Occident. » (Barthélemy Holzhauser, XVIIe siècle)

Quel sera ce Grand Monarque que Nostradamus évoque aussi, allié à des « rois » eux-mêmes amis et symbolisant vraisemblablement l'Est et l'Ouest réconciliés?

Le Grand Monarque qui fera compagnie
Avec deux Roys unis par amitié... (X-86)

Sans doute le Maître spirituel du monde de demain, le Chef incontesté de « la religion éternelle » déjà enseignée par les Pères de l'Église et qu'Edgar Cayce n'hésite pas à identifier à une sorte de communisme chrétien. « Vous ne serez heureux et forts qu'unis dans un même amour », dit encore la prophétie de Prémol. Ce sera la religion universelle et constructive d'un Christ « ressuscité » dans toute la force heureuse d'une jeunesse triomphante effaçant définitivement l'image fausse du dieu humble et martyrisé, devenu inutile sur sa croix.[84]

---

84. Il est intéressant de noter que les premiers crucifix n'apparurent qu'au VIIIe siècle, venant d'Espagne. Quatre cents ans plus tard encore, on ne trouve surtout que des « Christ en Gloire » dans l'iconographie des grandes cathédrales gothiques. Les « Christ en Croix » ne viendront qu'après.

Une représentation du Christ aussi fausse à notre sens a été donnée par le cinéma dans un film pourtant considéré comme important: *L'Évangile selon saint Matthieu,* de Pasolini, le cinéaste italien récemment assassiné. On imagine mal que l'ouvrier Jésus ait pu être ce prêcheur doctoral et glacé, débitant ennuyeusement ses paraboles comme une leçon apprise par coeur. « Il se transfigurait et son visage resplendissait comme le soleil, » ont rapporté ses compagnons. (Matthieu, 17-2).

« Des pleurs et des grincements de dents... »

> « Un enfant né en l'an 2000 a une bonne chance de ne jamais mourir. »
>
> — JACQUES BERGIER
> secrétaire général de l'Institut français de documentation scientifique et technique, et membre de l'Académie des sciences de New York.

> « L'un des plus grands bienfaiteurs de l'humanité sera l'homme capable d'inventer un nouveau sport. »
>
> — ARTHUR C. CLARKE
> futurologue et président de l'Association britannique d'astronautique.

De quoi demain sera-t-il fait? Pour les uns, nous venons de le voir et la Prophétie ne dit rien d'autre, il faut cesser de répéter que « Dieu est mort » et de nous croire indépendants d'un cosmos indifférent et vide de sens. Dieu est « l'âme de notre corps » et toutes nos idées, nos cultures nous viennent d'une Source universelle. Le but suprême qui nous est fixé est de « réussir » notre existence en sublimant notre humaine nature, comme les premiers chrétiens et certains philosophes l'ont tenté isolément. Mais l'espèce tout entière prime l'individu et même les ethnies, il n'est point de salut personnel et le nôtre sera celui d'un monde spiritualisé. La grande peur incoercible de l'An 2000 et la faillite de l'ère industrielle précipiteront une évolution qui sous-entend la venue d'un ordre social et politique nouveau.

Pour les autres, les positivistes, si Dieu fut véritablement l'Architecte de la création, il a dû s'en désintéresser sitôt son oeuvre achevée et porter ailleurs sa bienveillante attention, car rien dans l'univers n'atteste sa présence. L'homme est bien seul à poursuivre une passionnante et merveilleuse aventure et il réalisera lui-même son paradis dans une supercivilisation scientifique et technique née uniquement de son génie. En 1885, dans un pamphlet intitulé *Le droit à la paresse,* Paul Lafargue, disciple et gendre de Karl Marx, voyait déjà dans la Machine la rédemption de l'humanité à laquelle

elle apporterait « l'âge des loisirs et de la liberté ».[85] Et voici, nous disent-ils, que les portes de cet Eden s'apprêtent à s'ouvrir devant nous.

Ce serait simplifier dangereusement l'événement que de vouloir ignorer qu'il requiert des vertus à toute épreuve encore absentes chez le plus grand nombre. À peine délivré par la retraite du cycle infernal « boulot-métro-dodo » qui rythmait jusque-là sa vie, l'homme moderne a trop souvent la sensation de déboucher brusquement sur le vide et, devenu inutile, d'être rejeté de la société. Son complexe de déchéance pouvant devenir assez inhibitif pour hâter sa mort, des sociologues utopistes préconisent de ne pas le retrancher complètement de la communauté active, oubliant que celle-ci souffre déjà du sous-emploi. On est en droit de s'interroger sur ce qui adviendra lorsque, ayant vaincu la maladie et le vieillissement, la science fabriquera abondamment des retraités en parfaite condition physique, nullement éprouvés, en outre, par le fardeau d'une existence laborieuse que la semaine de trente heures (ou moins) aura largement allégé.

L'oisiveté heureuse est un long apprentissage où peu de privilégiés témoignent d'aptitudes naturelles. Embrigadé et moutonnier, l'homme a désappris à penser par lui-même jusque dans ses loisirs. Il achète ses divertissements comme des objets de consommation et la télévision, le sport-spectacle, le cinéma érotique, la « bagnole », la presse à sensation, les voyages organisés et autres dérivatifs passifs à la mesure de sa démission intellectuelle ont remplacé avantageusement « l'opium » éventé des vieilles religions. Quand, de plus, l'immortalité aura détruit la cellule familiale sur une Terre saturée d'hommes libérés par les robots, « l'âge des loisirs et de la liberté » sera-t-il celui d'une humanité aveulie et voyeuse qu'un prolétariat d'amuseurs sera condamné à distraire? Conscients du problème, les futurologues de la *Rand* promettent pour l'an 2010 des drogues miraculeuses susceptibles d'élever durablement « le niveau de l'intelligence ». C'est une panacée qui risque d'être à deux tranchants et, sans doute, les laboratoires devront-ils prévoir aussi des pilules ou des vaccins contre l'ennui et le suicide.

85. Médecin et politicien français né à Santiago de Cuba, un lieu prédestiné pour un futur apôtre du marxisme (1842-1911).

Où est le bonheur? Les philosophes du XVIIIe siècle prérévolutionnaire le situaient dans l'intelligence du coeur et la certitude vérifiée d'être socialement utile, toutes choses que ne distillent pas les cornues des chimistes. Ceux qui prétendent que la Machine achève de dévorer allégrement les dernières forces capables de l'animer et fera redécouvrir demain l'outil manuel, la charrue à mancherons et le moulin hydraulique sont-ils près de la vérité?[86] Comme les pestes noires, les grandes famines ou les déluges ont déjà contrôlé une démographie débordante, la crise énergétique survient-elle aujourd'hui pour prévenir un autre désastre qui serait, lui, irréparable? Si l'on accepte la proposition, on pourrait alors y déceler la manifestation occulte d'un Ordre universel et vigilant, freinant brutalement une croissance économique démente qui menaçait de ruiner la Terre — une Terre assez prodigue pour nourrir tous les hommes, non l'orgueil de quelques-uns.

Il est difficile d'imaginer l'écroulement d'un monde, même s'il révèle déjà des lézardes inquiétantes et que ce soit là le destin de toute civilisation culminante. Comment concevoir que dans cinquante ou cent ans les monstrueuses cités « gratte-ciel » du XXe siècle, consommatrices boulimiques d'une précieuse énergie désormais tarie ou rationnée parcimonieusement, ne seront plus que des villes-fantômes abandonnées de leurs populations retournées à la vie rurale? On peut supposer néanmoins qu'une reconversion aussi radicale ne s'opérerait pas sans résistance de la part de tous les nostalgiques du système défunt. Un moment déconcertés, ils ne tarderaient pas à se ressaisir et, derrière leurs mercenaires habituels, la Politique, la Loi, l'Armée et, pour

86. Un garagiste français de Rouen, M. Jean Chambrin, aurait mis au point un carburant-miracle composé simplement de 60 parties d'eau pour 40 d'alcool de betterave. Des essais ont commencé en juin 1975 sur une automobile Renault R 16 à moteur modifié. S'il ne s'agit pas là d'un rêve de bricoleur illuminé, cette découverte qui suscite autant d'espoir que de scepticisme, ne résoudra que très partiellement et dans un seul domaine une crise peut-être sans issue. En attendant, comme cela pourrait gêner certains intérêts (arabes et autres), M. Chambrin a la sagesse de s'entourer jour et nuit d'une garde privée. Il s'est souvenu à propos de la fin mystérieuse de l'ingénieur allemand Rudolf Diesel, qui inventa un autre moteur révolutionnaire fonctionnant à l'huile lourde et disparut en 1913 pendant un voyage en mer.

les uns, une certaine Église, à se ruer derechef sur les dernières richesses encore épargnées par leur convoitise.

Pragmatique, la Prophétie ne prévoit pas de nouveau miracle pour stopper cette curée finale. Les peuples devront assumer eux-mêmes leur destin au prix de guerres et de révolutions sans merci, suivies de purges impitoyables. « Le temps est venu de détruire ceux qui détruisent la terre », tranche sèchement l'*Apocalypse* (11-18). En d'autres termes, la liberté, droit imprescriptible mais prétexte à tous les excès, ne peut être accordée qu'aux individus qui, à tous les échelons, en sont naturellement dignes et seule une autorité universelle absolue, du moins dans les premiers temps, mettra fin au chaos qui menace d'engloutir le monde. C'est une question de survivance et après, seulement après, une fois éliminés les irréductibles, commencera l'âge d'or pour une humanité assagie et fraternelle.

Si au cours de cet ouvrage, nous avons pu paraître enclin à faire de fréquents emprunts aux deux *Testaments,* ce n'est certes pas le fait d'un goût marqué pour le mysticisme, mais il est impossible de traverser même superficiellement un sujet aussi vaste sans s'y heurter à tout moment. Quelles que soient les convictions, la *Bible* fut et demeure toujours avant tout « Le Grand Livre des voyants ». Incontestablement, nombre de ses prophéties se sont avérées justes et, chose plus troublante encore, des signes déjà décelables dans notre monde en transformation laissent penser que d'autres commencent à se concrétiser.

Ce que sera demain reste la grande question. Mais il est possible que ces paroles, attribuées à Celui qui ne fut peut-être que le Prince des Voyants, aient survécu aux siècles pour nous proposer aujourd'hui une réponse sous la forme transparente d'une allégorie faussement primaire. Depuis qu'en l'année Zéro un grand espoir est né sur les rives du Jourdain, elles nous paraissent résumer toutes les luttes, souvent mortelles, que l'homme aura eu à soutenir avant de conquérir son royaume qui, définitivement, sera bien sur une Terre délivrée de ses fossoyeurs:

> « Le royaume des cieux est semblable à un roi qui fit des noces pour son fils. Il envoya ses serviteurs appeler ceux qui étaient invités aux noces; mais ils ne voulurent pas venir. Sans s'inquiéter de l'invitation, ils s'en allèrent, celui-ci à son champ, celui-là

à son trafic, et les autres se saisirent des serviteurs, les outragèrent et les tuèrent. Le roi fut irrité; il envoya ses troupes, fit périr ces meurtriers, et brûla leurs villes. Alors il dit à ses serviteurs: « Les noces sont prêtes, mais les convives n'étaient pas dignes. Allez dans les carrefours, et appelez aux noces tous ceux que vous trouverez. » Ces serviteurs allèrent dans les chemins, rassemblèrent tous ceux qu'ils trouvèrent, méchants et bons, et la salle des noces fut pleine de convives. Le roi entra pour voir ceux qui étaient à table, et il aperçut des hommes qui n'avaient pas revêtu leurs habits de noces (...) Alors le roi dit à ses serviteurs: Liez-leur les pieds et les mains, et jetez-les dans les ténèbres du dehors, où il y aura des pleurs et des grincements de dents. Car il y a beaucoup d'appelés, mais peu d'élus. » (MATTHIEU, 22.)

Distributeur exclusif pour le Canada:
LES MESSAGERIES INTERNATIONALES DU LIVRE INC.
4550, rue Hochelaga, Montréal H1V 1C6

IMPRIMÉ AU QUÉBEC